JN040568

みんなが欲しい

中小企業診断士の問題集 下

2025年度版

経済学・経済政策
経営情報システム
経営法務
中小企業経営・政策

TAC中小企業診断士講座●編著

TAC出版
TAC PUBLISHING Group

はじめに

本試験に合格する力をつけるためには、知識をインプットするだけでなく、アウトプット演習を行うことが必要となります。つまり、知識を「わかる」水準から、「得点できる」水準にまで引き上げなければなりません。本書は、姉妹書の『中小企業診断士の教科書』の完全準拠問題集として、教科書で学んだ知識を、試験に対応できる実践的水準にまで「効率よく高める」ことにとことんこだわり、制作しました。

本試験で「得点できる」水準にまで知識を高めるには、質のよい問題を、本試験と同一形式で演習することが、最も効果的となります。

本書は、直近の中小企業診断士第1次試験問題から、TACデータリサーチをもとに、受験生の60％以上が正答できた問題を中心にピックアップし、『中小企業診断士の教科書』のSectionにあわせて編集しています。試験合格に必要な重要ポイントはすべて盛り込んでいます。これらの問題を本試験と同一の実践的な形式で演習することにより、『中小企業診断士の教科書』で学んだ知識を、さらにレベルアップさせていくことが可能となります。

本書掲載の問題を、隅々まで解きこなし、弱点の克服を図りながら得点力を高め、「合格」を勝ち取っていきましょう。合格発表日には良い結果が出ることを心よりお祈りいたします。

2024年10月

TAC中小企業診断士講座

本書の特色

本書は、直近の中小企業診断士第１次試験問題から、試験対策上とくに重要なものをピックアップして収載しています。本書をしっかりこなして、合格レベルの実力をしっかり養ってください。

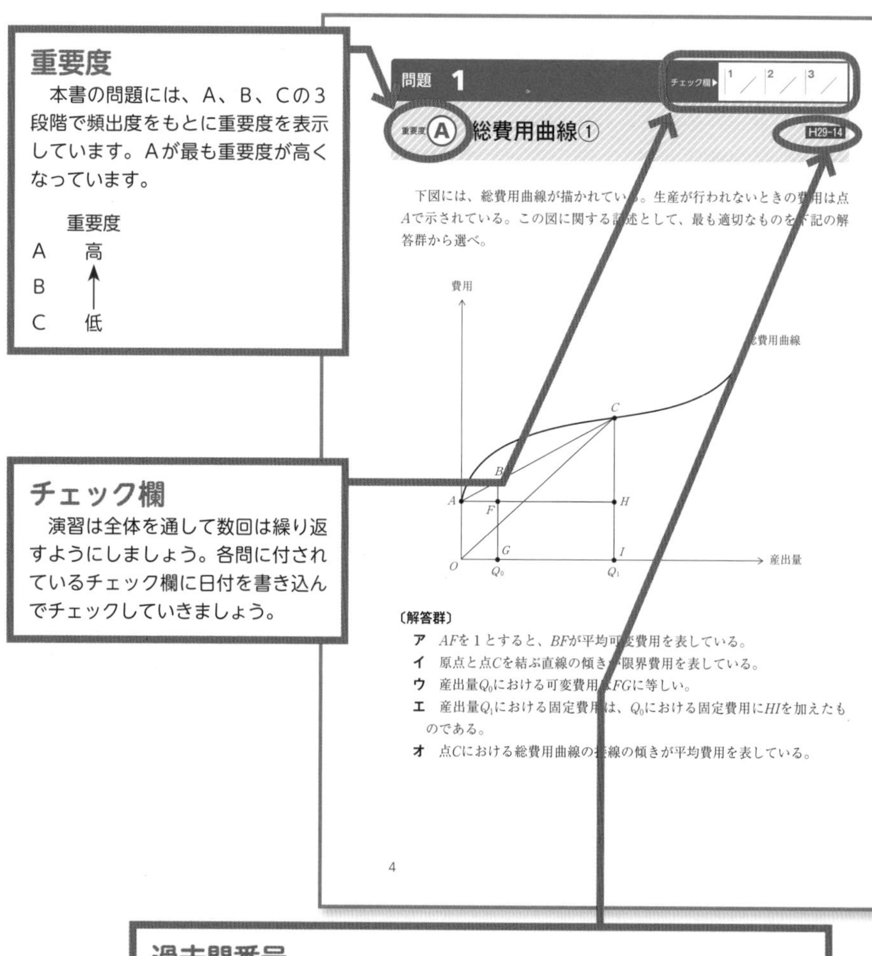

重要度

本書の問題には、A、B、Cの３段階で頻出度をもとに重要度を表示しています。Aが最も重要度が高くなっています。

	重要度
A	高
B	↑
C	低

チェック欄

演習は全体を通して数回は繰り返すようにしましょう。各問に付されているチェック欄に日付を書き込んでチェックしていきましょう。

過去問番号

本書は、過去の本試験問題から重要なものを、厳選して掲載しています。過去問番号の見方は次のとおりです。

H29-1＝平成29年度第１問、R元-1＝令和元年度第１問

『中小企業診断士の教科書』とのリンク

本書は『中小企業診断士の教科書』の完全準拠問題集です。問題は教科書のSectionにあわせています。教科書を１Section終了した段階で、そのSectionの問題を解いてみるというように、インプット学習とアウトプット演習を並行して行うことが可能です。

解説　　教科書 Ch1 Sec1

Part1 Ch 1　総費用曲線①

ア ○

点Aは生産が行われないときの費用を表していることから、OA（FG、HI）が固定費用、Aから上の部分が可変費用を表している。たとえば生産量Q_1を考えた場合、平均可変費用は「可変費用CH÷生産量AH」であることから、直線ACの傾きが、生産量Q_1における平均可変費用を表している。

ここで、AFを１とした場合のBFの長さは直線AB（あるいは直線AC）の傾きと等しくなるため、これはすなわちQ_1における平均可変費用に相当する（本肢からは、BFがどの生産量における平均可変費用なのかが明記されていないが、他の選択肢がすべて誤りであることから、生産量Q_1における平均可変費用のことをいっているのであろうと推測される）。

イ ×

原点と点Cを結ぶ直線の傾きは「CI÷OI」で計算され、これは「生産量Q_1における総費用÷生産量Q_1」のことを表している。すなわち点Cの状態における生産量１単位あ[illegible]の費用であり、**平均費用**を表している（なお、限界費用は接線の[illegible]

ウ ×

FGの[illegible]**固定費用**に相当する部分である。産出量Q_0に[illegible]から総費用曲線までの高さである。

エ ×

生産量がQ_0[illegible]固定費用はFGあるいはHIで表される部分で、そ[illegible]である。

オ ×

総費用曲線の各点における接線の傾きは、**限界費用**を表している。

正解　ア

講師より

逆Ｓ字型の総費用曲線が与えられた場合、どこが固定費用でどこが可変費用に相当するのか、また、平均費用、平均可変費用、限界費用がそれぞれグラフ上でどのように表されるのかの判断が重要です。

5

こたえかくすシート

付属のこたえかくすシートで解答・解説を隠しながら学習することができるので、とても便利です。

講師より

重要ポイントや試験攻略アドバイスなどをまとめています。

セパレートBOOK形式

本書は、科目ごとに分解できる「セパレートBOOK形式」を採用しています。対応している『中小企業診断士の教科書』も、同じ科目ごとに分解が可能なため、教科書と問題集を必要な部分だけ、コンパクトに持ち歩けます。

★セパレートBOOKの作りかた★

①白い厚紙から、色紙のついた冊子を抜き取ります。
※色紙と白い厚紙は、のりで接着されています。乱暴に扱いますと、破損する危険性がありますので、ていねいに抜き取るようにしてください。

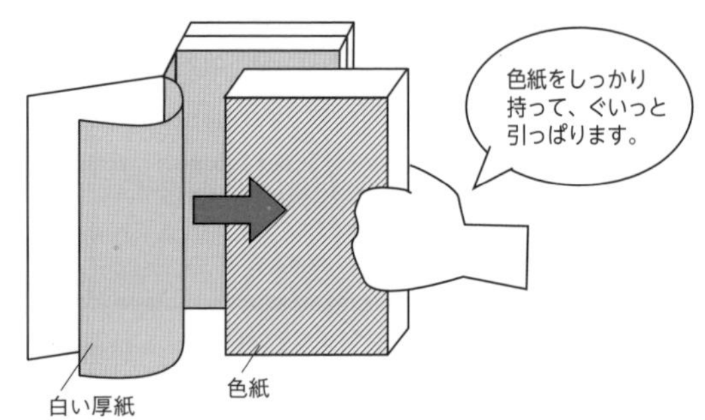
色紙をしっかり
持って、ぐいっと
引っぱります。
白い厚紙
色紙

②本体のカバーを裏返しにして、抜き取った冊子にかぶせ、きれいに折り目をつけて使用してください。

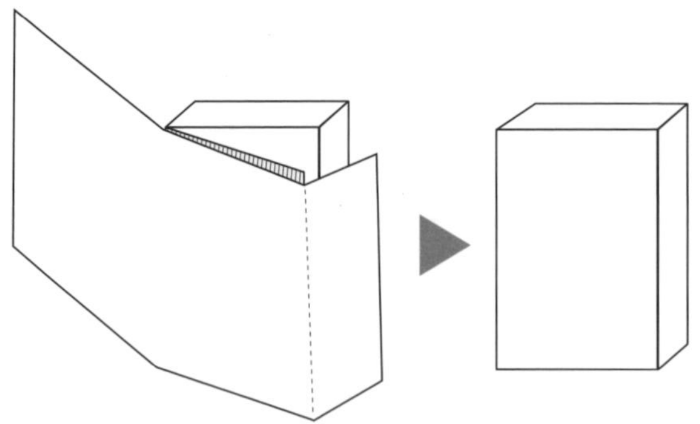

※抜き取るさいの損傷についてのお取替えはご遠慮願います。

中小企業診断士試験の概要

続いて、試験についてみていきましょう。

第１次試験

受験資格

年齢、学歴等に制限はなく、**だれでも**受験することができます。

試験日程

試験案内・申込書類の配布期間、申込受付期間	令和６年度は４月25日～５月29日
試験日	令和６年度は８月３日、４日
合格発表日	令和６年度は９月３日

試験形式、試験科目

第１次試験は、７科目（８教科）、**択一マークシート形式**（四肢または五肢択一式）で実施されます。

<table>
<tr><th colspan="2">試験日程</th><th>試験科目</th><th>試験時間</th><th>配点</th></tr>
<tr><td rowspan="4">第1日目</td><td rowspan="2">午前</td><td>経済学・経済政策</td><td>60分</td><td>100点</td></tr>
<tr><td>財務・会計</td><td>60分</td><td>100点</td></tr>
<tr><td rowspan="2">午後</td><td>企業経営理論</td><td>90分</td><td>100点</td></tr>
<tr><td>運営管理（オペレーション・マネジメント）</td><td>90分</td><td>100点</td></tr>
<tr><td rowspan="3">第2日目</td><td rowspan="2">午前</td><td>経営法務</td><td>60分</td><td>100点</td></tr>
<tr><td>経営情報システム</td><td>60分</td><td>100点</td></tr>
<tr><td>午後</td><td>中小企業経営・中小企業政策</td><td>90分</td><td>100点</td></tr>
</table>

合格基準

⑴　**総得点による基準**

総点数の**60％以上**であって、かつ、１科目でも満点の40％未満のないことを基準とし、試験委員会が相当と定めた得点比率とされています。

⑵　**科目ごとによる基準**

満点の**60％**を基準とし、試験委員会が相当と認めた得点比率とされています。

合格の有効期間

第１次試験合格（全科目合格）の有効期間は**２年間（翌年度まで）**

第１次試験合格までの「科目合格」の有効期間は**３年間（翌々年度まで）**

※一部の科目のみに合格した場合には、翌年度及び翌々年度の第１次試験の受験の際に、申請により当該科目が免除されます（合格実績は、最初の年を含めて、**３年間有効**です）。

※最終的に、７科目すべての科目に合格すれば、**第１次試験合格**となり、第２次試験を受験することができます。

第２次試験（筆記試験、口述試験）

受験資格

第１次試験の合格者とされています。

※第１次試験に全科目合格した年度と、その翌年度に限り有効です。

※平成12年度以前の第１次試験合格者で、平成13年度以降の第２次試験を受験していない場合は、１回に限り、第１次試験を免除されて第２次試験を受験できます。

試験日程

試験案内・申込書類の配布期間、申込受付期間		令和６年度は８月23日～９月17日
試験日	筆記試験日	令和６年度は10月27日
	口述試験受験資格発表	令和６年度は令和７年１月15日
	口述試験日	令和６年度は令和７年１月26日
合格発表日		令和６年度は令和７年２月５日

試験形式、試験科目

【筆記試験】

第２次試験の筆記試験は、**４科目**・各設問15～200文字程度の**記述式**で実施されます。

	試験科目	試験時間	配点
午前	中小企業の診断及び助言に関する実務の事例Ⅰ テーマ：組織（人事を含む）	80分	100点
	中小企業の診断及び助言に関する実務の事例Ⅱ テーマ：マーケティング・流通	80分	100点
午後	中小企業の診断及び助言に関する実務の事例Ⅲ テーマ：生産・技術	80分	100点
	中小企業の診断及び助言に関する実務の事例Ⅳ テーマ：財務・会計	80分	100点

【口述試験】

筆記試験の出題内容をもとに、４～５問出題され、10分程度の**面接**で実施されます。

合格基準

総点数の**60％以上**であって、かつ、１科目でも満点の40％未満のものがない者であって、口述試験における評定が**60％以上**のものとされています。

一般社団法人　日本中小企業診断士協会連合会（試験係）
〒104-0061 東京都中央区銀座１-14-11 銀松ビル５階
ホームページ　https://www.j-smeca.jp/
TEL 03-3563-0851　FAX 03-3567-5927

TAC出版の診断士本　合格活用術

「みんなが欲しかった！シリーズ」を中心においた、中小企業診断士試験合格までの書籍活用術をご紹介します。合格を目指してがんばりましょう！

第１次試験対策　まずは知識のインプット！

みんなが欲しかった！
中小企業診断士
合格へのはじめの一歩

合格への第一歩となる書籍

試験の概要、学習プランなどのオリエンテーションと、科目別の主要論点の入門講義を収載しています。フルカラーの豊富なイラスト、板書でスイスイ学習が進みます！

教科書、問題集は科目ごとに取り外しができます。まずは1科目ずつ進めていきましょう！

↓

みんなが欲しかった！
中小企業診断士の教科書
全２冊

上：企業経営理論、財務・会計、運営管理
下：経済学・経済政策、経営情報システム、経営法務、中小企業経営・中小企業政策

フルカラーで学ぶ教科書！

本書でまずは合格に必要な基本事項をインプットしましょう。

みんなが欲しかった！
中小企業診断士の問題集
全２冊

上：企業経営理論、財務・会計、運営管理
下：経済学・経済政策、経営情報システム、経営法務、中小企業経営・中小企業政策

「教科書」に準拠した問題集！

過去問から重要問題を厳選収載。合格に必要な力をしっかり身につけましょう！

第１次試験　　第２次試験

第１次試験対策

最速合格のための 第１次試験　過去問題集 全７冊

①企業経営理論、②財務・会計、③運営管理、
④経済学・経済政策、⑤経営情報システム、
⑥経営法務、⑦中小企業経営・中小企業政策

過去５年分の本試験問題と
丁寧な解説を収載した科目別過去問題集

「中小企業診断士の問題集」をひととおり解き終えたらチャレンジしてみましょう。

最速合格のための 要点整理ポケットブック 全２冊

１日目（経済学・経済政策、財務・会計、企業経営理論、運営管理）
２日目（経営法務、経営情報システム、中小企業経営・中小企業政策）

コンパクトサイズの要点まとめテキスト

第１次試験の日程と同じ科目構成の「要点まとめテキスト」です。試験直前までの最終チェックに最適です。

ポケットブックは、
暗記事項の最終チェック
にも役立ちます！

第２次試験対策

最速合格のための 第２次試験　過去問題集

過去５年分の本試験問題を収載

問題の読み取りから解答作成の流れを丁寧に解説しています。抜き取り式の解答用紙付きで実戦的な演習ができる１冊です。

第２次試験 事例Ⅳの解き方

事例Ⅳの解答プロセスが身につく
トレーニング問題集

テーマ別に基本問題・応用問題・過去問を収載。TAC現役講師による解き方を紹介しているので、自身の解答プロセスの構築に役立ちます。

第２次試験 外さない答案への 攻略ロードマップ

「正解」より「プロセス」を重視した
診断士２次試験対策の演習本

演習に加えて、テーマ設定、プロセス確認、出題者の意図の確認、出題者の立場での採点などを行うことにより、２次試験への対応力を高め不合格を回避できる力を身につけることができます。

CONTENTS

第1分冊　経済学・経済政策

Part 1　ミクロ経済学

Part 2　マクロ経済学

第2分冊　経営情報システム

第３分冊　経営法務

第４分冊　中小企業経営・中小企業政策

【編集執筆者紹介】（50音順）

小口　真和（こぐち　まわ）

中小企業診断士。一級販売士。関西学院大学卒業後、㈱日経BPにて中小企業向けビジネス情報誌の編集部に所属。その後、外資系出版社を経て、現在はシンクタンクにてCSR、ESG分野のコンサルティングに従事。ほかに、創業・マーケティング支援や研修講師などを行っている。TAC中小企業診断士講座専任講師。

鈴木　伸介（すずき　しんすけ）

中小企業診断士。早稲田大学理工学部卒業。TAC中小企業診断士講座専任講師。教育サービス企業にて人事・秘書を歴任し、その後、外資系金融機関の営業職を経て、2009年に中小企業診断士資格の取得を機に独立。企業のデータ分析など、数学的な側面からコンサルティングを行っている。

仲田　俊一（なかた　しゅんいち）

中小企業診断士。千葉大学大学院卒業。広告業界でWEBマーケティングの業務を経て、中小企業診断士として独立。その後、地方公務員として３年ほど勤務。現在では、中小企業だけでなく、自治体のマーケティング支援も行う。インスタ好きが高じて、インスタセミナー依頼が多数。TAC中小企業診断士講座専任講師。

古山　文義（ふるやま　ふみよし）

中小企業診断士。社会保険労務士。ITコーディネータ。大学卒業後、国内SIerに入社し官公庁系のシステム開発に従事。その後独立し、現在都内を中心に中小企業のコンサルティングやセミナー・研修などの活動をしている。難しいことをやさしく説明することがモットー。TAC中小企業診断士講座専任講師。

松本　真也（まつもと　しんや）

中小企業診断士。ICU国際基督教大学卒業。芸能プロダクションのアーティストマネージャーとしてキャリアをスタート。その後、Web業界大手に転じ、広告プランナー、人事、経営企画、新規事業開発など幅広く経験を積む。現在は、テクノロジーのわかる診断士として、エンタメ業界やクリエイティブ業界での起業や事業成長をサポートしている。TAC中小企業診断士講座専任講師。

ほか２名

装丁：神田　彩
イラスト：都築めぐみ

みんなが欲しかった！　中小企業診断士シリーズ

2025年度版
みんなが欲しかった！ 中小企業診断士の問題集（下）

2024年11月26日　初　版　第1刷発行

編　著　者　ＴＡＣ株式会社
（中小企業診断士講座）
発　行　者　多　田　敏　男
発　行　所　TAC株式会社　出版事業部
（TAC出版）

〒101-8383
東京都千代田区神田三崎町3-2-18
電話 03(5276)9492(営業)
FAX 03(5276)9674
https://shuppan.tac-school.co.jp

組　版　株式会社　グ　ラ　フ　ト
印　刷　今家印刷株式会社
製　本　株式会社　常　川　製　本

ISBN 978-4-300-11400-1
N.D.C. 335

乱丁・落丁による交換，および正誤のお問合せ対応は，該当書籍の改訂版刊行月末日までといたします。なお，交換につきましては，書籍の在庫状況等により，お受けできない場合もございます。
また，各種本試験の実施の延期，中止を理由とした本書の返品はお受けいたしません。返金もいたしかねますので，あらかじめご了承くださいますようお願い申し上げます。

中小企業診断士講座のご案内

合格する人は使ってる。TACの

まずは、試験の概要を知る
(無料セミナー・ガイダンス)

中小企業診断士の魅力とその将来性や、試験概要を把握したうえでの効率的・効果的な学習法等を紹介します。ご自身の学習計画の参考として、ぜひご覧ください。

TAC 診断士 動画

https://www.tac-school.co.jp/kouza_chusho/tacchannel.html

試験問題を詳しく理解する
(本試験分析会)

試験を熟知したTAC講師陣が試験の出題傾向を分かり易く解説。受験生では把握しづらい試験のポイントを効率的に理解することができます。

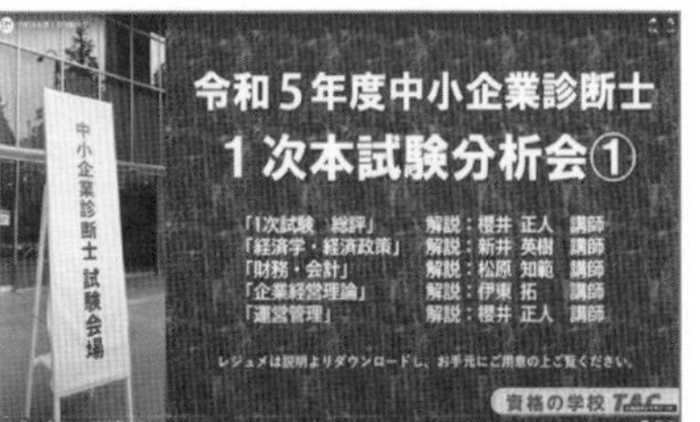

TAC 診断士 分析

https://www.tac-school.co.jp/kouza_chusho/tacchannel.html

試験問題に挑戦してみる
(TAC動画チャンネル)

試験問題の出題の仕方や内容を知ったうえで学習することが効果的な学習へ繋がります。

TACの講師が前回の試験問題を分かり易く解説します。

TAC 診断士 挑戦

https://www.tac-school.co.jp/kouza_chusho/tacchannel.html

効果的な学習法を学ぶ
(TAC特別セミナー)

TACでは、どの時期にどのような学習をしなければいけないのかを丁寧に解説したセミナー・イベントをTACの校舎やWebで適時開催しています。

TAC 診断士 セミナー

https://www.tac-school.co.jp/kouza_chusho/tacchannel.html

ナポートサービスを活用しよう!

モチベーションを高める
(将来の選択肢　～合格者のその後～)

将来、中小企業診断士に合格して何ができるのか?合格者のその後を取材した記事を読んで合格後の夢を広げてモチベーションを高めましょう!

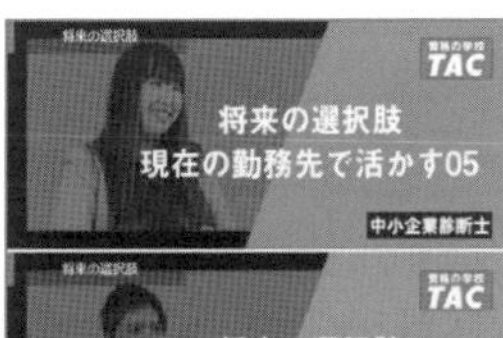

TAC 診断士とは

https://www.tac-school.co.jp/kouza_chusho/chusho_sk_idx.html

TACのYoutube動画
(得する情報を提供中)

TACでは、Youtubeでも学習法や試験解説、実務家インタビュー等の動画を配信しています。是非、チャンネル登録してチェックしてみてください。

TAC 診断士 youtube

https://www.youtube.com/@tac3644/videos

TAC中小企業診断士講座「第1回目講義」オンライン無料体験!
各コースの「第1回目」の講義が体験できます!

「体験Web受講」では、既にご入会されている受講生と同じWeb学習環境(TAC WEB SCHOOL)にて講義をご視聴いただけます。サンプルテキストを用意していますので、講義とあわせて教材の内容も確認してみてください。

**独学では理解しづらかったり
時間がかかる内容もポイントを押さえて
スムーズに理解できるから短期合格できる**

TAC 診断士 体験

https://www.tac-school.co.jp/kouza_chusho/web_taiken_form.html

中小企業診断士講座のご案内

ストレート合格を目指す!
TACを選ぶメリット。それは"効率性"!

学習効果が高まるよう編成された質の高いカリキュラム・講師・教材で構成されるTACのコースを受講することで、無理なく実力をつけることができ、効率的に1・2次試験のストレート合格を狙えます。

戦略的カリキュラム

INPUT&OUTPUTの連動・繰返し学習が効果的!
ムリ・ムダを省いた必要十分な学習量!

専門校を利用するメリット!

2次試験合格の秘訣

スケールメリットが合格の可能性を高める!
新作演習問題・添削指導も充実!

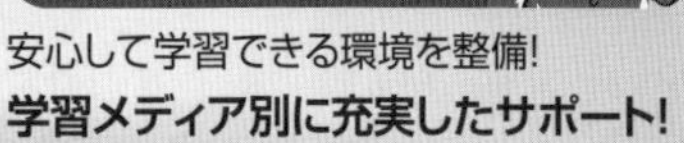

充実のフォロー体制

安心して学習できる環境を整備!
学習メディア別に充実したサポート!

全科目のINPUT(知識習得)とOUTPUT(問題演習)を組み合わせたオールインワンコース「1・2次ストレート本科生」「1・2次速修本科生」を開講しています。

2025年合格目標コース ～豊富なコース設定で効率学習をサポート～

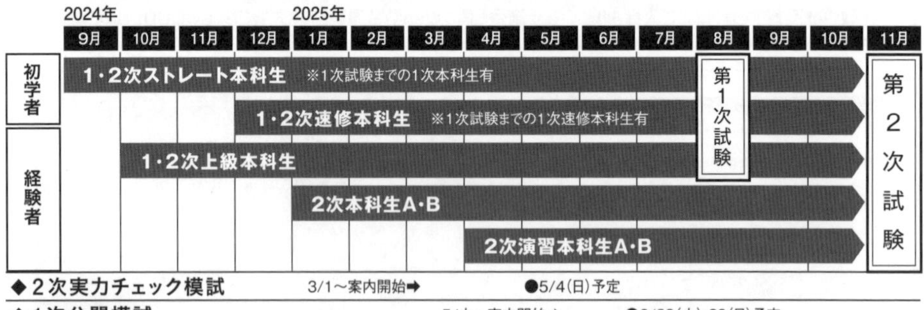

◆2次実力チェック模試　3/1～案内開始➡　●5/4(日)予定
◆1次公開模試　5/中～案内開始➡　●6/28(土)・29(日)予定
◆2次公開模試　7/上～案内開始➡　●9/7(日)予定

※模試の会場受験にはお席に制限がございます。2次公開模試の会場受験は本科生のみとなり、単科での申込は自宅受験となります。

≪オプション講座≫ ※名称は変更となる場合がございます。日程は予定です。

- ●1次重要過去問チェックゼミ(経営・財務・運営・経済)‥▶3/中旬案内開始
- ●1次「財務・会計」特訓ゼミ‥‥‥‥‥‥‥‥▶3/中旬案内開始
- ●1次「経済学」解法テクニックゼミ ‥‥‥‥‥‥▶3/中旬案内開始
- ●2次事例Ⅳ特訓‥‥‥‥‥‥▶8/上旬案内開始
- ●2次事例別過去問対策講義‥▶8/上旬案内開始

※詳細は、案内開始時期にTACホームページおよび資料をご請求ください。

TAC中小企業診断士パンフレット

- 戦略的カリキュラム
- 学習メディア・フォロー制度
- 開講コース・受講料
- 無料体験入学のご案内

など

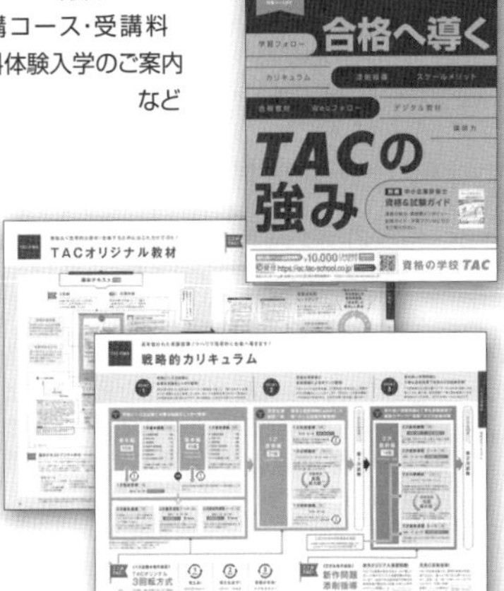

資格&試験ガイド

- 中小企業診断士の魅了
- 実務家インタビュー
- 試験ガイド
- 学習プラン

など

令和4年度 中小企業診断士試験 TAC 合格祝賀パーティー

祝賀会・東京会場

TAC合格者の声

長山 萌音さん

表面的な理解ではなく、根本から理解をすることができた

「財務・会計」が苦手で1年目に独学で勉強していた際には理解しないまま試験を受けておりました。そこでTACに通学し、わからない箇所を講師の方に聞くことで、表面的な理解ではなく、根本から理解をすることができました。また、講義の中で効率的な勉強方法をご教示いただき、勉強への取り組み方を身につけることができました。TACを選んだ理由は、①生徒数が多く、合格ノウハウが集まっている、②一次試験から二次口述試験までのカリキュラムが組まれているため、試験ごとの情報収集や模試の検討などの手間が省けると感じたからです。

中尾 文哉さん

TACを活用し本来行うべき学習に集中して労力を割く

学習開始が12月上旬だったため、1,000時間の逆算が成り立たず、合格の為に効率を求めたこと、初回の受験で全体像を把握しながら学習ができるガイドラインや合格の為のノウハウを徹底的に仕入れたかったため、TACのWeb通信講座を受講しました。講義動画がリリースされるタイミングや、各科目のまとめテストの「養成答練」の提出期限も含め、すべてTACのノウハウに基づいてスケジュール化されています。その為、進度管理には労力をかけず、TACが敷いてくれた時間軸のレールの上で本来行うべき学習に集中して労力を割くことができました。

中小企業診断士講座のご案内

学習したい科目のみのお申込みができる、学習経験者向けカリキュラム

1次上級単科生(応用+直前編)

- □ 必ず押さえておきたい論点や合否の分かれ目となる論点をピックアップ!
- □ 実際に問題を解きながら、解法テクニックを身につける!
- □ 習得した解法テクニックを実践する答案練習!

カリキュラム ※講義の回数は科目により異なります。

1次応用編 2024年10月～2025年4月 / 1次直前編 2025年5月～

1次上級講義
[財務5回/経済5回/中小3回/その他科目各4回]
講義140分/回
過去の試験傾向を分析し、頻出論点や重要論点を取り上げ、実際に問題を解きながら知識の再確認をするとともに、解法テクニックも身につけていきます。
[使用教材]
1次上級テキスト(上・下巻)(デジタル教材付)

➡INPUT⬅

→

1次上級答練
[各科目1回]
答練60分+解説80分
1次上級講義で学んだ知識を確認・整理し、習得した解法テクニックを実践する答案練習です。
[使用教材]
1次上級答練

⬅OUTPUT➡

→

1次完成答練
[各科目2回]
答練60分+解説80分/回
重要論点を網羅した、TAC厳選の本試験予想問題による答案練習です。
[使用教材]
1次完成答練

⬅OUTPUT➡

→

1次最終講義
[各科目1回]
講義140分/回
1次対策の最後の総まとめです。法改正などのトピックを交えた最新情報をお伝えします。
[使用教材]
1次最終講義レジュメ

➡INPUT⬅

1次試験【2025年8月】

1次養成答練 [各科目1回] ※講義回数には含まず。
基礎知識の確認を図るための1次試験対策の答案練習です。
(配布のみ・解説講義なし・採点あり)

⬅OUTPUT➡

さらに! 「1次基本単科生」の教材付き!(配付のみ・解説講義なし)

◇基本テキスト(デジタル教材付) ◇講義サポートレジュメ ◇1次養成答練 ◇トレーニング ◇1次過去問題集

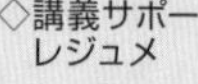

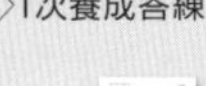

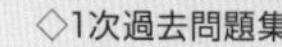

開講予定月

◎企業経営理論/10月 ◎財務・会計/10月 ◎運営管理/10月 ◎経済学・経済政策/10月
◎経営情報システム/10月 ◎経営法務/11月 ◎中小企業経営・政策/11月

学習メディア

 教室講座
 ビデオブース講座
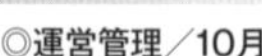 Web通信講座

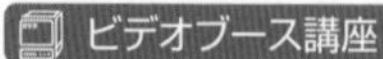

1科目から申込できます! ※詳細はホームページまたは資料をご請求ください。(右上参照)

本試験を体感できる!実力がわかる!

2025(令和7)年合格目標　公開模試

受験者数の多さが信頼の証。全国最大級の公開模試!

中小企業診断士試験、特に2次試験においては、自分の実力が全体の中で相対的にどの位置にあるのかを把握することが非常に大切です。独学や規模の小さい受験指導校では把握することが非常に困難ですが、TACは違います。規模が大きいTACだからこそ得られる成績結果は極めて信頼性が高く、自分の実力を相対的に把握することができます。

1次公開模試
2024年度受験者数
2,504名

2次公開模試
2024年度受験者数
1,708名

TACだから得られるスケールメリット!

規模が大きいから正確な順位を把握し効率的な学習ができる!

TACの成績は全国19の直営校舎にて講座を展開し、多くの方々に選ばれていますので、受験生全体の成績に近似しており、**本試験に近い成績・順位を把握**することができます。
さらに、**他のライバルたちに差をつけられている、自分にとって本当に克服しなければいけない苦手分野を自覚することができ**、より効率的かつ効果的な学習計画を立てられます。

はたして今の成績は
良いの?悪いの?
?
規模の小さい受験指導校で
得られる成績・順位よりも…

この母集団で
今の成績なら大丈夫!
!
規模の大きいTACなら、
本試験に近い成績が分かる!

実施予定

1次公開模試:2025年6/28(土)・29(日)実施予定
2次公開模試:2025年9/7(日)実施予定

詳しくは公開模試パンフレットまたはTACホームページをご覧ください。

1次公開模試:2025年5月上旬完成予定　2次公開模試:2025年7月上旬完成予定

https://www.tac-school.co.jp/　TAC　診断士　検索

2025年度

中小企業診断士試験 (第1次試験・第2次試験)

TAC出版では、中小企業診断士試験(第1次試験・第2次試験)にスピード合格を目指す方のために、科目別、用途別の書籍を刊行しております。資格の学校TAC中小企業診断士講座とTAC出版が強力なタッグを組んで完成させた、自信作です。ぜひご活用いただき、スピード合格を目指してください。

※刊行内容・刊行月・装丁等は変更になる場合がございます。

基礎知識を固める

▶ みんなが欲しかった!シリーズ

みんなが欲しかった!
中小企業診断士　合格へのはじめの一歩
A5判　8月刊行

- フルカラーでよくわかる、「本気でやさしい入門書」!
- 試験の概要、学習プランなどのオリエンテーションと、科目別の主要論点の入門講義を収載。

みんなが欲しかった!
中小企業診断士の教科書
上:企業経営理論、財務・会計、運営管理
下:経済学・経済政策、経営情報システム、経営法務、中小企業経営・政策
A5判　10~11月刊行　全2巻

- フルカラーでおもいっきりわかりやすいテキスト
- 科目別の分冊で持ち運びラクラク
- 赤シートつき

みんなが欲しかった!
中小企業診断士の問題集
上:企業経営理論、財務・会計、運営管理
下:経済学・経済政策、経営情報システム、経営法務、中小企業経営・政策
A5判　10~11月刊行　全2巻

- 診断士の教科書に完全準拠した論点別問題集
- 各科目とも必ずマスターしたい重要過去問を約50問収載
- 科目別の分冊で持ち運びラクラク

▶ 最速合格シリーズ

科目別 全7巻
①企業経営理論
②財務・会計
③運営管理
④経済学・経済政策
⑤経営情報システム
⑥経営法務
⑦中小企業経営・中小企業政策

最速合格のための
スピードテキスト
A5判　9月~12月刊行

- 試験に合格するために必要な知識のみを集約。初めて学習する方はもちろん、学習経験者も安心して使える基本書です。

科目別 全7巻
①企業経営理論
②財務・会計
③運営管理
④経済学・経済政策
⑤経営情報システム
⑥経営法務
⑦中小企業経営・中小企業政策

最速合格のための
スピード問題集
A5判　9月~12月刊行

- 『スピードテキスト』に準拠したトレーニング問題集。テキストと反復学習していただくことで学習効果を飛躍的に向上させることができます。

書籍の正誤に関するご確認とお問合せについて

書籍の記載内容に誤りではないかと思われる箇所がございましたら、以下の手順にてご確認とお問合せをしてくださいますよう、お願い申し上げます。
なお、正誤のお問合せ以外の**書籍内容に関する解説および受験指導などは、一切行っておりません。**
そのようなお問合せにつきましては、お答えいたしかねますので、あらかじめご了承ください。

1 「Cyber Book Store」にて正誤表を確認する

TAC出版書籍販売サイト「Cyber Book Store」の
トップページ内「正誤表」コーナーにて、正誤表をご確認ください。

CYBER BOOK STORE TAC出版書籍販売サイト

URL：https://bookstore.tac-school.co.jp/

2 1の正誤表がない、あるいは正誤表に該当箇所の記載がない ⇒ 下記①、②のどちらかの方法で文書にて問合せをする

★ご注意ください★

お電話でのお問合せは、お受けいたしません。
①、②のどちらの方法でも、お問合せの際には、「お名前」とともに、
「対象の書籍名(○級・第○回対策も含む)およびその版数(第○版・○○年度版など)」
「お問合せ該当箇所の頁数と行数」
「誤りと思われる記載」
「正しいとお考えになる記載とその根拠」
を明記してください。
なお、回答までに1週間前後を要する場合もございます。あらかじめご了承ください。

① ウェブページ「Cyber Book Store」内の「お問合せフォーム」より問合せをする

【お問合せフォームアドレス】

https://bookstore.tac-school.co.jp/inquiry/

② メールにより問合せをする

【メール宛先 TAC出版】

syuppan-h@tac-school.co.jp

※土日祝日はお問合せ対応をおこなっておりません。
※正誤のお問合せ対応は、該当書籍の改訂版刊行月末日までといたします。

乱丁・落丁による交換は、該当書籍の改訂版刊行月末日までといたします。なお、書籍の在庫状況等により、お受けできない場合もございます。
また、各種本試験の実施の延期、中止を理由とした本書の返品はお受けいたしません。返金もいたしかねますので、あらかじめご了承くださいますようお願い申し上げます。

TACにおける個人情報の取り扱いについて
■お預かりした個人情報は、TAC(株)で管理させていただき、お問合せへの対応、当社の記録保管にのみ利用いたします。お客様の同意なしに業務委託先以外の第三者に開示、提供することはございません(法令等により開示を求められた場合を除く)。その他、個人情報保護管理者、お預かりした個人情報の開示等及びTAC(株)への個人情報の提供の任意性については、当社ホームページ(https://www.tac-school.co.jp)をご覧いただくか、個人情報に関するお問い合わせ窓口(E-mail:privacy@tac-school.co.jp)までお問合せください。

(2022年7月現在)

第１分冊

経済学・経済政策

CONTENTS

Part1 ミクロ経済学

Part2 マクロ経済学

Chapter1 国民経済計算と主要経済指標

Chapter2 財市場の分析

Chapter3 貨幣市場とIS－LM分析

Chapter4 雇用と物価水準

Chapter5 その他のマクロ経済の理論

MEMO

問題 1　チェック欄▶ 1 ／ 2 ／ 3 ／

重要度 Ⓐ

総費用曲線①

H29-14

下図には、総費用曲線が描かれている。生産が行われないときの費用は点Aで示されている。この図に関する記述として、最も適切なものを下記の解答群から選べ。

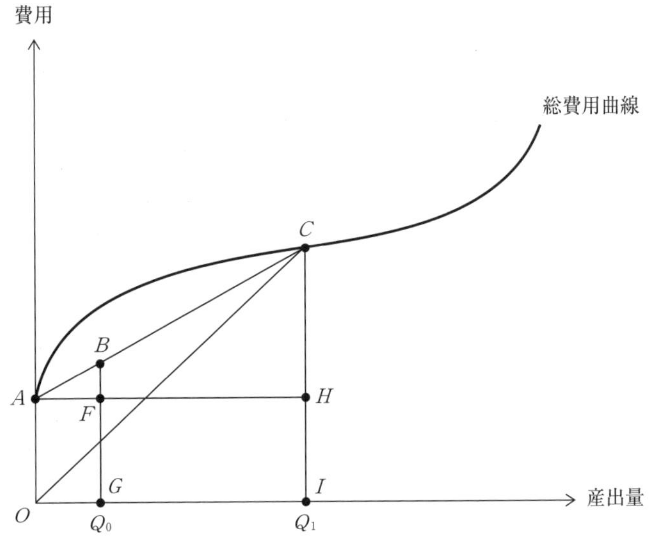

〔解答群〕

ア　AFを1とすると、BFが平均可変費用を表している。

イ　原点と点Cを結ぶ直線の傾きが限界費用を表している。

ウ　産出量Q_0における可変費用はFGに等しい。

エ　産出量Q_1における固定費用は、Q_0における固定費用にHIを加えたものである。

オ　点Cにおける総費用曲線の接線の傾きが平均費用を表している。

解説

ア ○

点Aは生産が行われないときの費用を表していることから、OA（FG、HI）が固定費用、Aから上の部分が可変費用を表している。たとえば生産量Q_1を考えた場合、平均可変費用は「可変費用CH÷生産量AH」であることから、直線ACの傾きが、生産量Q_1における平均可変費用を表している。

ここで、AFを１とした場合のBFの長さは直線AB（あるいは直線AC）の傾きと等しくなるため、これはすなわちQ_1における平均可変費用に相当する（本肢からは、BFがどの生産量における平均可変費用なのかが明記されていないが、他の選択肢がすべて誤りであることから、生産量Q_1における平均可変費用のことをいっているのであろうと推測される）。

イ ×

原点と点Cを結ぶ直線の傾きは「CI÷OI」で計算され、これは「生産量Q_1における総費用÷生産量Q_1」のことを表している。すなわち点Cの状態における生産量１単位あたりの費用であり、**平均費用**を表している（なお、限界費用は接線の傾きで表される）。

ウ ×

FGの長さは、**ア**で確認したとおり**固定費用**に相当する部分である。産出量Q_0における可変費用を表すのは、Fから総費用曲線までの高さである。

エ ×

生産量がQ_0であろうがQ_1であろうが、固定費用はFGあるいはHIで表される部分で、その大きさは常に一定である。

オ ×

総費用曲線の各点における接線の傾きは、**限界費用**を表している。

ア

講師より

逆Ｓ字型の総費用曲線が与えられた場合、どこが固定費用でどこが可変費用に相当するのか、また、平均費用、平均可変費用、限界費用がそれぞれグラフ上でどのように表されるのかの判断が重要です。

問題　2　　チェック欄▶ 1 ／ 2 ／ 3 ／

重要度A **総費用曲線②** R5-14

　下図は企業の短期費用曲線を示し、縦軸のOAが固定費用を表している。ここで、総費用曲線TC上の接線のうち、①その傾きが最小となる点をX、②Aを起点とした直線と接する点をY、③Oを起点とした直線と接する点をZとする。

　この図から読み取れる記述として、最も適切な組み合わせを下記の解答群から選べ。

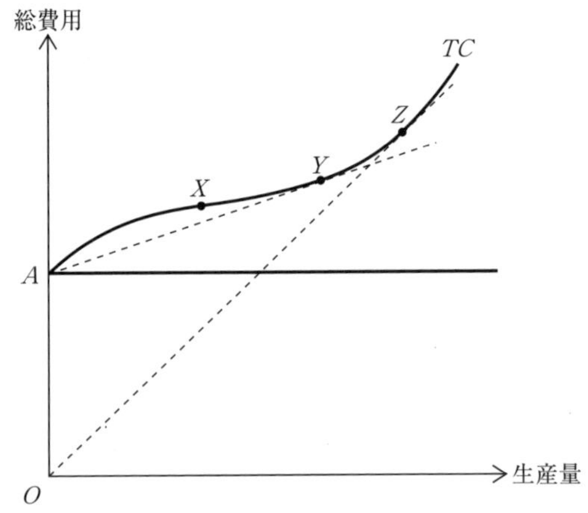

a　点Xでは平均固定費用が最小になっている。

b　点Yでは平均可変費用が最小になっている。

c　点Zでは平均総費用が最小になっている。

d　点Xから点Zにかけて限界費用は逓減している。

〔解答群〕

ア　aとb　**イ**　aとc　**ウ**　aとd　**エ**　bとc　**オ**　bとd

解説

a ×

平均固定費用は、「固定費用÷生産量」で計算される。固定費用は生産量によらず一定なので、この式から生産量が増えるほど平均固定費用は減少していくことがわかる。したがって、点Xで**平均固定費用が最小となっているわけではない**。

なお、点Aから水平に引かれた直線の高さが固定費用を表しているため、平均固定費用は、この直線上の点と原点Oを結んだ直線の傾きで表される。

また、本問の点Xは総費用曲線上の接線の傾きが最小となる点であるため、ここは限界費用が最小となる点である。

---

b ○

平均可変費用は、総費用曲線上の点と点Aを結んだ直線の傾きで表される。また、点Aから総費用曲線に接する直線（接線）を引くとき、その傾きが最小となるため、その接点において平均可変費用は最小化される。

本問では、点Aを起点として総費用曲線に接する直線との接点がYであるため、ここで平均可変費用は最小になっている。

---

c ○

平均総費用は、総費用曲線上の点と原点Oを結んだ直線の傾きで表される。また、原点Oから総費用曲線に接する直線（接線）を引くとき、その傾きが最小となるため、その接点において平均総費用は最小化される。

本問では、点Oを起点として総費用曲線に接する直線との接点がZであるため、ここで平均総費用は最小になっている。

---

d ×

限界費用は、総費用曲線上の点における接線の傾きで表される。点Xから点Zにかけて接線の傾きは増加しているため、この区間で限界費用は**逓増**している。

正解 エ

講師より

逆S字型の総費用曲線において、平均費用、平均可変費用、限界費用がどの部分で表されるかを知っておくとともに、それらが最小となる点を正しく判断できるようにしておきましょう。

問題 3

チェック欄▶ 1 ／ 2 ／ 3 ／

重要度 Ⓐ

総費用曲線③

H27-15

下図には、固定費用Fと可変費用で構成される総費用曲線が描かれている。また、原点から始まり総費用曲線と点Kで接する補助線Aと、固定費用Fから始まり総費用曲線と点Mで接する補助線Bが描かれている。この図に関する説明として、最も適切なものを下記の解答群から選べ。

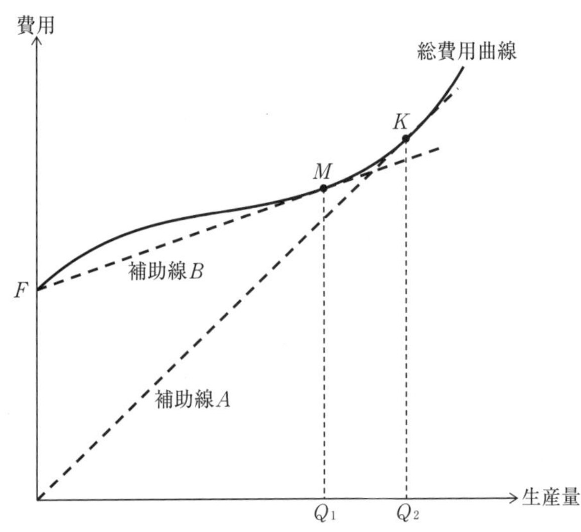

[解答群]

ア　生産量Q_2は、平均費用が最小となる生産量である。

イ　平均可変費用と限界費用が一致する点は操業停止点といわれ、図中で点Kがこれに該当する。

ウ　平均費用と限界費用が一致する点は損益分岐点といわれ、図中で点Mがこれに該当する。

エ　平均費用と平均可変費用は、生産量Q_1で一致する。

解説

ア ○

原点と総費用曲線上の点とを結んだ直線の傾きは「総費用÷生産量」を意味するので、各生産量における平均費用を表している。また、原点から引いた直線が総費用曲線に接するとき（点K）、原点と総費用曲線上の点とを結んだ直線の傾きが最小化される。以上より、点Kにおいて平均費用は最小化し、そのときの生産量はQ_2である。

イ ×

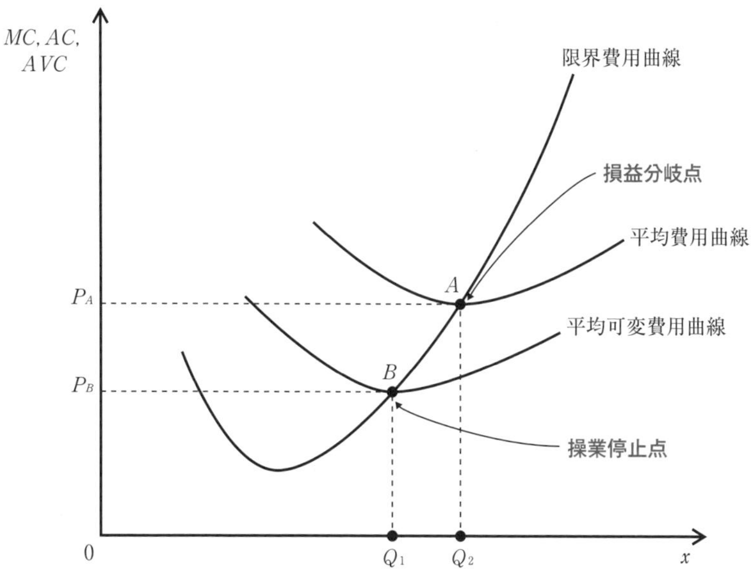

与えられた総費用曲線から、平均費用曲線、平均可変費用曲線、限界費用曲線をそれぞれ描くと上のグラフになる。限界費用曲線は平均費用曲線の最下点（点A）を通り、この点を損益分岐点という。また、限界費用曲線は平均可変費用曲線の最下点（点B）も通り、この点を操業停止点という。

よって本肢の前半部分、平均可変費用曲線と限界費用曲線が一致する点が操業停止点であることは正しい。ただ、点Kは、限界費用（その点における接線の傾き）と平均費用（原点からその点にひいた直線の傾き）が一致する点であり、ここは**損益分岐点**である（解説のグラフの点Aに相当する）。なお、操業停止点は、問題のグラフでは点Mに該当する。

ウ ✖

イの解説のとおり、前半部分は正しい。ただ、点Mは、限界費用（その点における接線の傾き）と平均可変費用（固定費用を表す点Fからその点にひいた直線の傾き）が一致する点であり、ここは**操業停止点**である（解説のグラフの点Bに相当する）。なお、損益分岐点は、問題のグラフでは点Kに該当する。

エ ✖

ウで確認したとおり、生産量Q_1である点Mは、**限界費用**と平均可変費用が一致する点である（なお、本問のように固定費用が存在するケースでは、平均費用は必ず平均可変費用を上回るため、平均費用と平均可変費用が一致することはない）。

 ア

講師より

逆S字型の総費用曲線から、損益分岐点と操業停止点の位置を考えさせる問題です。費用曲線から、平均費用曲線、平均可変費用曲線、限界費用曲線がそれぞれどのように導出されるのかを理解し、損益分岐点と操業停止点がどのように対応するのかを理解しておくことが重要です。

MEMO

問題 4　チェック欄▶ 1 ／ 2 ／ 3 ／

重要度A 平均費用曲線と限界費用曲線

H27-17

いま、下図において、ある財の平均費用曲線と限界費用曲線、および当該財の価格が描かれており、価格と限界費用曲線の交点dによって利潤を最大化する生産量qが与えられている。この図に関する説明として、最も適切なものを以下の解答群から選べ。

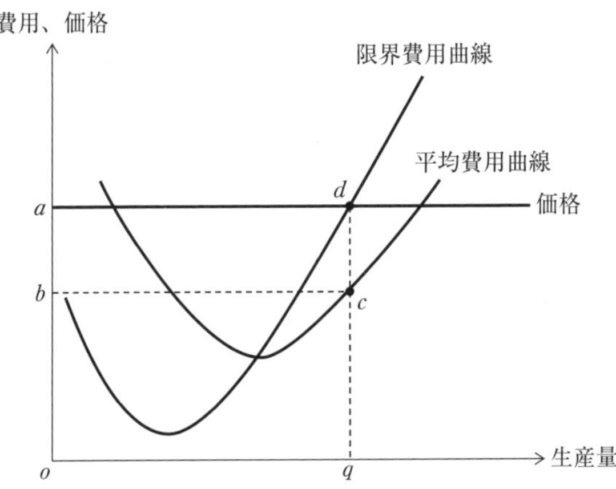

〔解答群〕

ア　利潤が最大となる生産量のとき、四角形$adqo$によって平均可変費用の大きさが示される。

イ　利潤が最大となる生産量のとき、四角形$adqo$によって利潤の大きさが示される。

ウ　利潤が最大となる生産量のとき、四角形$bcqo$によって収入の大きさが示される。

エ　利潤が最大となる生産量のとき、四角形$bcqo$によって総費用の大きさが示される。

解説

完全競争市場における利潤最大化条件は、「価格＝限界費用となるように生産量を決める」ことである。よって、価格がaのとき（完全競争市場では価格は市場で決まるため、操作することはできない）、これと限界費用が等しくなる点d（限界費用曲線と交わる点）が定まり、このとき生産量はqと決まる（本問はこのことがあらかじめ問題文に記されている）。

ア　×

平均可変費用は、ある生産量における平均可変費用曲線の高さで決まる。いま生産量はqだが、図中に平均可変費用曲線が与えられていないため、その大きさは不明である。なお、□$adqo$は、価格oa×生産量oqより、この生産量のもとでの**収入**に相当する。

イ　×

アで確認したとおり、□$adqo$は**収入**を表している。

ウ　×

アで確認したとおり、収入は□$adqo$で表され、□$bcqo$ではない。なお、□$bcqo$は、生産量qのもとでの平均費用（obの長さ）と生産量をかけたもので、**総費用**を表している。

エ　○

ウで確認したとおり、□$bcqo$は総費用を表している。なお、参考までに、この図においての利潤は、収入□$adqo$－費用□$bcqo$＝□$adcb$で表される。

エ

講師より

平均費用曲線、平均可変費用曲線、限界費用曲線から、ある価格が与えられたときの生産量（利潤最大化条件によって決まります）と、その生産量における収入、費用、利潤、可変費用、固定費用がそれぞれどの部分に相当するのかをしっかり判断できるようにしておきましょう。

問題 5

重要度Ⓐ 3つの費用曲線

R6-16

短期の完全競争市場下における価格と企業の生産との関係を考える。下図には、ある財の生産に関する限界費用曲線MC、平均費用曲線ACおよび平均可変費用曲線AVCが描かれており、価格が与えられると企業は最適生産を実現するものとする。ただし、P_1はACの最小値、P_3はAVCの最小値に対応している。

この図に基づいて、下記の設問に答えよ。

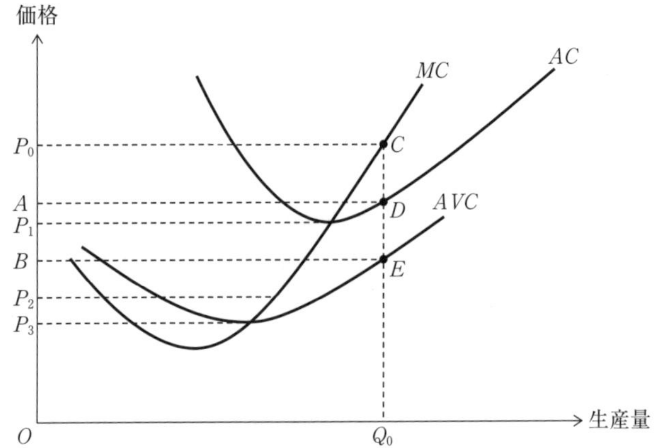

設問1

価格がP_0のときの生産者余剰として、最も適切なものはどれか。

ア 四角形 $ABED$
イ 四角形 AOQ_0D
ウ 四角形 BOQ_0E
エ 四角形 P_0ADC
オ 四角形 P_0BEC

設問２

この図に関する記述の正誤の組み合わせとして、最も適切なものを下記の解答群から選べ。

a　価格がP_1のとき、企業の総収入は可変費用と固定費用の合計に等しくなる。

b　価格がP_2のとき、企業の損失は固定費用の一部のみとなる。

c　価格がP_3のとき、企業の損失は可変費用のみとなる。

〔解答群〕

ア　a：正　b：正　c：正

イ　a：正　b：正　c：誤

ウ　a：正　b：誤　c：誤

エ　a：誤　b：正　c：正

オ　a：誤　b：誤　c：誤

解説

設問1

価格がP_0のとき、完全競争企業の利潤最大化条件により、価格と限界費用が等しくなる（価格がP_0のもとで限界費用曲線MCと交わる）生産量Q_0が決まる。

生産者余剰は「収入－可変費用」で計算できるので、収入の大きさを表す部分と、可変費用の大きさを表す部分がわかればよい（なお生産者余剰については、「Chapter3 市場均衡と厚生分析」の「余剰分析」で学習する）。

収入は、価格×生産量で計算されるため、$P_0 \times Q_0$すなわち四角形P_0OQ_0Cで表される。また、可変費用は、平均可変費用×生産量で計算されるため、$EQ_0 \times Q_0$すなわち四角形BOQ_0Eで表される。

以上より、生産者余剰＝四角形P_0OQ_0C－四角形BOQ_0E＝四角形P_0BECとなる。

オ

設問2

a ○

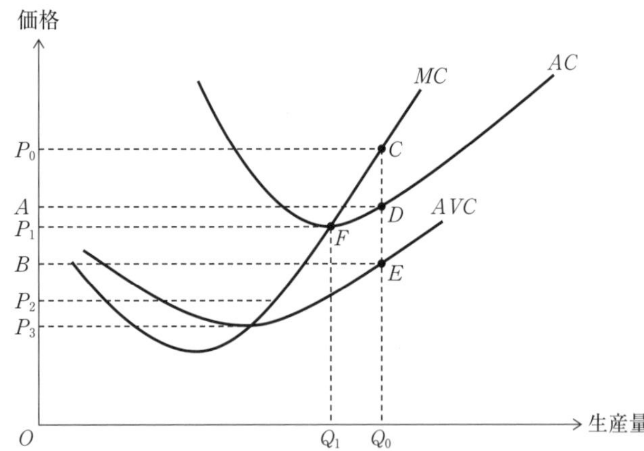

価格がP_1のとき、利潤最大化条件により生産量は図のQ_1で決まる。

このとき、総収入は、価格×生産量＝$P_1 \times Q_1$すなわち四角形P_1OQ_1Fとなる。

また可変費用と固定費用の合計は総費用であり、総費用は、平均費用×生産量で計算される。生産量Q_1のもとでの平均費用はACまでの高さであるFQ_1であるため、総費用は、$FQ_1 \times Q_1$すなわち四角形P_1OQ_1Fとなる。

よって価格がP_1のとき、総収入と総費用（可変費用と固定費用の合計）はともに四角形P_1OQ_1Fで等しくなる。

なお、この点Fを損益分岐点という。

---

b ○

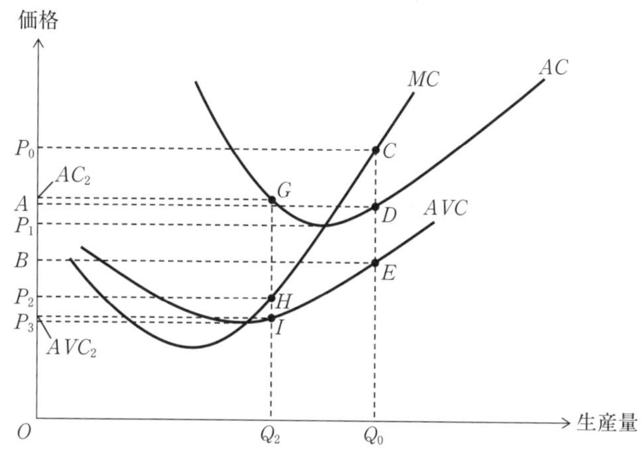

価格がP_2のとき、利潤最大化条件により生産量は図のQ_2で決まる。

このとき、総収入は、価格×生産量＝$P_2 \times Q_2$＝四角形P_2OQ_2Hとなり、総費用は、平均費用×生産量＝$AC_2 \times Q_2$＝四角形AC_2OQ_2Gとなる。よって利潤は、総収入－総費用＝四角形P_2OQ_2H－四角形AC_2OQ_2G＝－四角形AC_2P_2HGとなることから、損失は四角形AC_2P_2HGで表される。

一方固定費用は、総費用－可変費用であり、可変費用は、平均可変費用×生産量＝$AVC_2 \times Q_2$＝四角形AVC_2OQ_2Iであるため、固定費用＝四角形AC_2OQ_2G－四角形AVC_2OQ_2I＝四角形AC_2AVC_2IGとなる。

以上より、損失（四角形AC_2P_2HG）は固定費用（四角形AC_2AVC_2IG）の一部のみとなっていることがわかる。

c　×

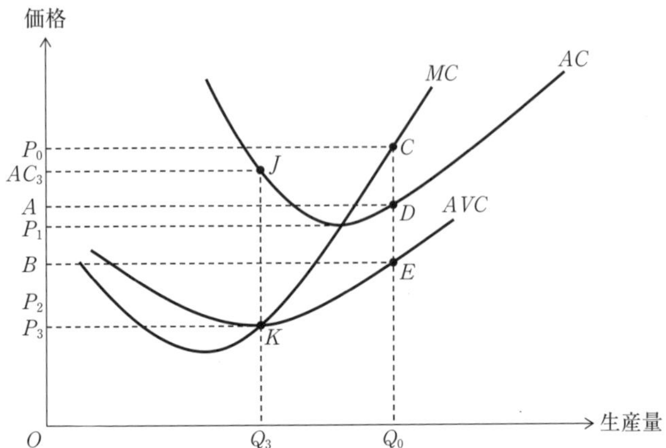

価格がP_3のとき、利潤最大化条件により生産量は図のQ_3で決まる。

このとき、総収入は、価格×生産量＝$P_3 \times Q_3$＝四角形P_3OQ_3K、総費用は、平均費用×生産量＝$AC_3 \times Q_3$＝四角形AC_3OQ_3Jとなるので、利潤は、総収入－総費用＝四角形P_3OQ_3K－四角形AC_3OQ_3J＝－四角形AC_3P_3KJとなり、損失は四角形AC_3P_3KJで表される。

可変費用は、平均可変費用×生産量＝$P_3 \times Q_3$＝四角形P_3OQ_3Kであるため、これは**損失の大きさとは異なっている**（正しくは、損失の大きさは**固定費用と等しく**なっている）。

なお、この点Kを損益分岐点という。

講師より

それぞれの価格に対し、生産量（利潤最大化条件により、限界費用曲線で決まります）が決まります。その生産量のもとでの価格、平均費用、平均可変費用から、収入、総費用、可変費用が決まり、利潤、固定費用、生産者余剰が決まります。この流れをマスターしておきましょう。

MEMO

問題 6

チェック欄▶ 1 ／ 2 ／ 3 ／

重要度A 損益分岐点・操業停止点

H23-20

完全競争下における企業の短期供給曲線の説明として、最も適切なものの組み合わせを下記の解答群から選べ。

a 「価格＝限界費用＝平均費用」のとき、操業停止の状態に陥る。

b 「価格＝限界費用＞平均費用」のとき、利潤は黒字になる。

c 「価格＝限界費用＝平均可変費用」のとき、利潤は赤字になり、その赤字幅は可変費用に等しくなる。

d 「平均費用＞価格＝限界費用＞平均可変費用」のとき、利潤は赤字になるが、可変費用のすべてを回収した上で、固定費用の一部をまかなった状態にある。

〔解答群〕

ア aとc　**イ** aとd　**ウ** bとc　**エ** bとd

解説

問題文中にグラフは示されていないが、問題3の解説で扱った、平均費用曲線、平均可変費用曲線、限界費用曲線のグラフを自分で描くと考えやすくなる。

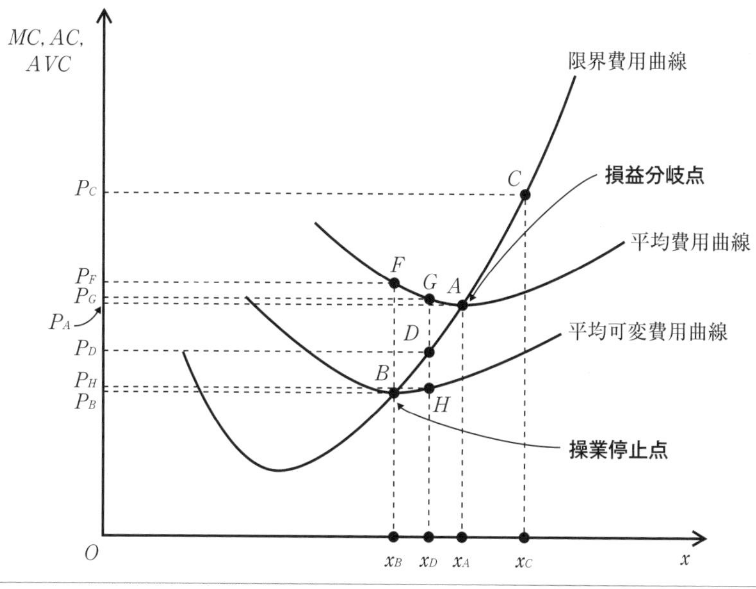

a ×

「価格＝限界費用」は完全競争企業の利潤最大化条件なので、常に成り立つ。これらと平均費用が等しいときとは、上のグラフで限界費用曲線と平均費用曲線の交点である点Aの状態である。この点は損益分岐点であり、**利潤がゼロの状態**である。なお、操業停止の状態に陥る点（操業停止点）は点Bである。

b ○

利潤＝収入－費用で計算される。また、収入＝価格×生産量、費用＝平均費用×生産量であることから、利潤がプラスになるかマイナスになるかは、価格と平均費用の大小関係から決まる。すなわち、価格＞平均費用のとき収入が費用を上回るため利潤はプラス（黒字）、逆に価格＜平均費用のとき費用が収入を上回るため利潤はマイナス（赤字）となる。本肢は価格＞平均費用なので、利潤はプラス（黒字）である。

ちなみに、「価格＝限界費用＞平均費用」とは、グラフで見ると点C、すなわち損益分岐点の右上の状態である。

---

c　×

限界費用と平均可変費用が等しいのは、グラフの限界費用曲線と平均可変費用曲線の交点である点Bである（操業停止点）。

このとき利潤最大化条件により生産量はx_Bで決まり、このとき価格P_Bは平均費用P_Fを下回る。よって、**b**で確認したとおり利潤は赤字である。ただこの赤字額は、収入－費用＝□P_BBx_BO－□P_FFx_BO＝－□P_FFBP_Bであり、この部分は費用（□P_FFx_BO）から可変費用（□P_BBx_BO）を引いた**固定費用**に相当する。

---

d　○

与えられた条件は、グラフの点Dの状態（生産量x_D）である。このとき、平均費用P_Gが価格P_Dを上回るため、**b**で確認したとおり利潤は赤字である。また、収入（□P_DDx_DO）は可変費用（□P_HHx_DO）よりも大きいので、可変費用分は収入によってすべて回収できる。さらに、固定費用（□P_GGHP_H）の一部を、可変費用を上回る収入（□P_DDHP_H）によってカバーできていることがわかる。

エ

講師より

このように、グラフが与えられていない問題でもグラフで考えた方が解きやすい問題は多くあります。そのためにも、**平均費用曲線、平均可変費用曲線、限界費用曲線のグラフ**（特に位置関係）**はいつでも何も見ずに描けるようにしておきましょう。**

MEMO

問題 7　チェック欄▶ 1 ／ 2 ／ 3 ／

重要度A　総収入曲線と総費用曲線　R4-15

利潤最大化を達成するための最適生産について考えるためには、総収入と総費用の関係を見ることが重要である。下図には、総収入曲線TRと総費用曲線TCが描かれている。

この図に基づいて、下記の設問に答えよ。

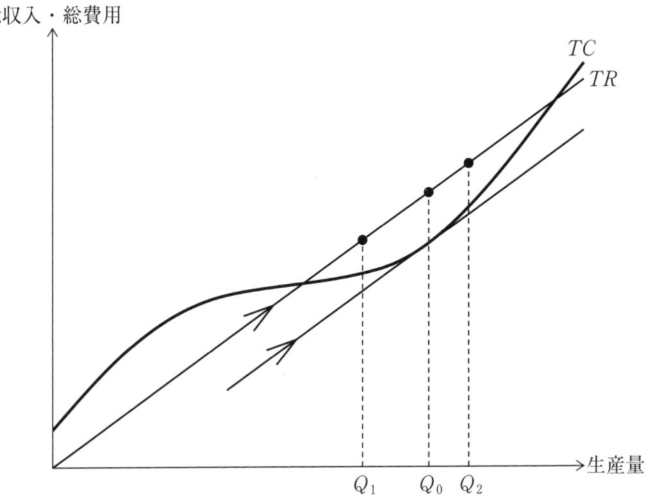

設問1

費用関数に関する記述の正誤の組み合わせとして、最も適切なものを下記の解答群から選べ。

a　総費用曲線TCの縦軸の切片は、固定費用に等しい。

b　平均費用が最小値を迎えるところでは、限界費用と平均費用が一致する。

c　生産量の増加に比例して、平均費用も増加していく。

〔解答群〕

ア a：正 b：正 c：正
イ a：正 b：正 c：誤
ウ a：正 b：誤 c：誤
エ a：誤 b：正 c：正
オ a：誤 b：誤 c：正

設問2

利潤に関する記述の正誤の組み合わせとして、最も適切なものを下記の解答群から選べ。

a Q_1の生産量では、価格が限界費用を上回っており、生産を増やせば利潤が増加する。
b Q_0の生産量では、総収入曲線の傾きと、総費用曲線の接線の傾きが等しくなっており、利潤最大化と最適生産が実現している。
c Q_2の生産量では、限界費用が価格を上回っており、生産を減らせば利潤が増加する。

〔解答群〕

ア a：正 b：正 c：正
イ a：正 b：正 c：誤
ウ a：正 b：誤 c：正
エ a：誤 b：正 c：正
オ a：誤 b：正 c：誤

解説

設問1

a ○

総費用曲線の縦軸の切片は、生産量が0のときの費用を表しており、これは固定費用に相当する。

---

b ○

平均費用は、原点と総費用曲線上の点とを結んだ直線の傾きで表される。これが最小になるのは、原点から総費用曲線へ接線を引いたときであり、その接線の傾きが最小化された平均費用となる。また、限界費用は総費用曲線の接線の傾きであるので、平均費用が最小であるとき、それは限界費用と等しくなる。

---

c ×

bで述べたとおり、平均費用は総費用曲線上の各点と原点とを結んだ直線の傾きで表される。生産量が少ない状況では、生産量が増加するほど原点から引いた直線の傾き、すなわち**平均費用は小さくなっていく**のがわかる。

ところが、あるところ（これがbで考えた平均費用が最小となる状態）を境に、今度は、逆に生産量を増加させれば平均費用は増加していく。よって、この記述は誤りである。

正解 イ

設問2

a ○

価格とは総収入曲線TR（実際には直線）の傾きであり、限界費用とは総費用曲線のある点における接線の傾きである。生産量Q_1のもとでは、価格（総収入曲線の傾き）が限界費用（総費用曲線の接線の傾き）よりも大きくなっていることがわかる。

価格とは生産量を１単位増やしたときに得られる収入（すなわち限界収入）のことであり、これが限界費用（生産量を１単位増やしたときに発生する費用）

よりも大きい場合、生産量を増やすことでより利潤を増加させることができる。

---

b ○

生産量Q_0において、総収入曲線の傾きと総費用曲線の接線の傾きが一致している。これは、価格と限界費用が等しいことを意味しており、このとき企業の利潤は最大化される。これは言い換えれば、最適生産が実現していることを表している。

---

c ○

生産量Q_2では、価格（総収入曲線の傾き）よりも限界費用（総費用曲線の接線の傾き）のほうが大きいことが見て取れる。これは、生産量を1単位増やしたときに得られる収入（すなわち価格）よりも発生する費用（すなわち限界費用）のほうが大きくなり、生産量を増やすほど利潤は減少する。このとき、逆に生産量を減らせば利潤は増加する。

ア

講師より

総収入曲線の傾きが価格を表わしていること、また総費用曲線から各生産量における平均費用、平均可変費用、限界費用がグラフ上のどの直線の傾きで表されるかを確認しておきましょう。また、競争企業の利潤最大化条件が「価格＝限界費用となるように生産量を決める」こと、そしてグラフ上でどの生産量がそれに相当するのかを判断できるようにしておきましょう。

問題 8

チェック欄 1 ／ 2 ／ 3 ／

重要度A 生産関数①

H28-20

いま、ある1つの投入要素のみを使って、1つの生産財を生産する企業を考える。この企業の生産活動を規定する生産関数は、下図のような形状をしているものとし、要素投入量はゼロより大きい。下図に関する記述として、最も適切なものの組み合わせを下記の解答群から選べ。なお、ある要素投入量Xに対する生産量がYであるとき、$\frac{Y}{X}$を「平均生産物」と呼び、ある要素投入量に対応する生産関数の接線の傾きを「限界生産物」と呼ぶこととする。

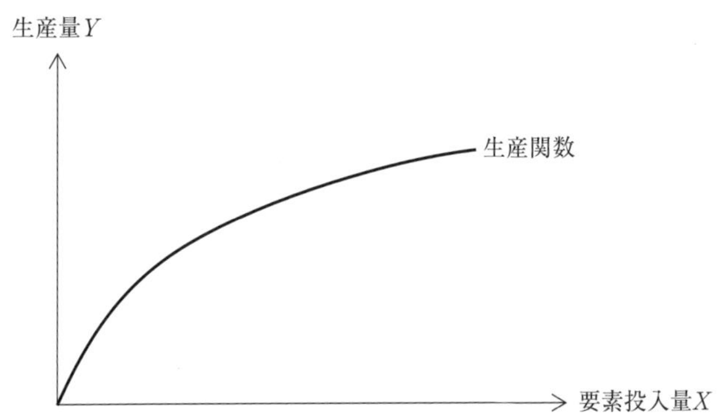

a　平均生産物の大きさは、要素投入量が増えるほど小さくなる。

b　限界生産物の大きさは、要素投入量には依存しない。

c　どの要素投入量においても、平均生産物の大きさは、限界生産物の大きさよりも大きい。

d　要素投入量がある程度まで大きくなると、限界生産物の大きさは、平均生産物の大きさよりも大きくなる。

〔解答群〕

ア　aとc　　**イ**　aとd　　**ウ**　bとc　　**エ**　bとd

解説

a ○

問題文にあるとおり、平均生産物とは「生産量Y÷要素投入量X」であり、これは原点と生産関数上の各点とを結んだ直線の傾きに相当する。グラフからわかるように、要素投入量が増えるほど生産関数上の各点と原点を結んだ直線の傾きは小さくなっているため、平均生産物も小さくなる。

---

b ×

問題文にあるとおり、限界生産物は生産関数の各点における接線の傾きで表される。グラフからわかるように、要素投入量が増えるほど生産関数上の各点における接線の傾きは小さくなっているため、限界生産物も小さくなる。つまり、限界生産物の大きさは、要素投入量に**依存している**。

---

c ○

ある点（ある要素投入量）について、その点と原点とを結んだ直線の傾き（平均生産物）と、その点における接線の傾き（限界生産物）を比べた場合、どの点についても必ず平均生産物のほうが限界生産物よりも大きいことが、グラフからわかる。

---

d ×

cで確認したとおり、あらゆる要素投入量について、**平均生産物は限界生産物よりも大きくなる**。

 ア

講師より

生産関数も頻出論点です。生産関数のグラフにおいて、平均生産物、限界生産物がどのように表されるのか、また収穫逓増なのか収穫逓減なのかの判断ができる状態にしておきましょう。また、限界生産物価値、要素価格といった用語の意味と、生産関数を使った利潤最大化条件も確認しておきましょう。

問題 9

チェック欄▶ 1 ／ 2 ／ 3 ／

重要度A 生産関数②

R元-14

労働と生産水準の関係について考える。労働は、生産水準に応じてすぐに投入量を調整できる可変的インプットである。資本投入量が固定されているとき、生産物の産出量は労働投入量のみに依存し、下図のような総生産物曲線を描くことができる。

この図に関する記述として、最も適切なものを下記の解答群から選べ。

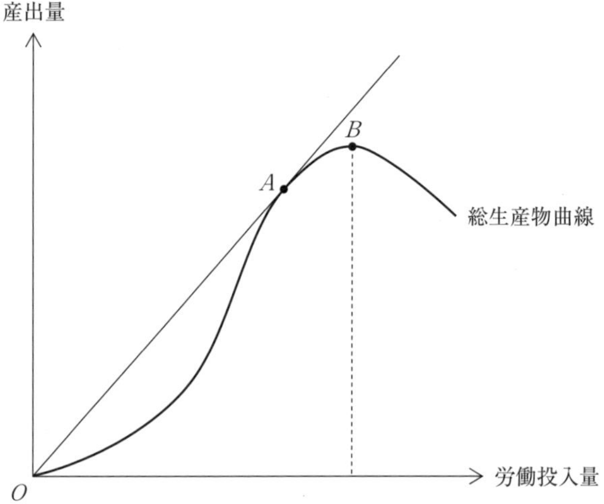

〔解答群〕

ア 労働投入量を増加させるほど、総生産物は増加する。

イ 労働の限界生産物は、原点Oから点Aの間で最小を迎え、それ以降は増加する。

ウ 労働の平均生産物と限界生産物は、点Aで一致する。

エ 労働の平均生産物は、点Aにおいて最小となり、点Bにおいて最大となる。

解説

ア ✕

総生産物は、グラフの縦軸（産出量）で読み取ることができる。点Bまでは、労働投入量の増加とともに産出量（総生産物）は増加しているが、点Bを超えると逆に、労働投入量が増加すると産出量（総生産物）が**減少**している。

イ ✕

労働の限界生産物は、総生産物曲線（生産関数）の接線の傾きで表される。点Oから点Aまでの接線の傾きを見ると、初めのうちは増加し続け、点Aの手前から減少していることがわかる。また、それ以降はずっと減少している。（つまり、点Oと点Aの間で**最大**を迎え、それ以降は**減少**している）。

ウ ○

労働の平均生産物とは、総生産物曲線上の各点と原点Oを結んだ直線の傾きで表される。一方、労働の限界生産物は、総生産物曲線の接線の傾きである。点Aにおいてこれらが一致していることから、点Aでは労働の平均生産物と限界生産物が一致していることがわかる。

エ ✕

労働の平均生産物は、総生産物曲線上の各点と原点Oを結んだ直線の傾きである。グラフより、点Aまでは増加し、それ以降は減少していることがわかる（つまり、点Aにおいて**最大**となる）。

講師より

このように生産関数のグラフの形状がノーマルのものと違っていても、平均生産物の表され方、限界生産物の表され方から、それらがどの部分で増加し、どの部分で減少しているのかを判断できるようにしておきましょう。

問題 **10**　チェック欄▶ 1 ／ 2 ／ 3 ／

重要度 B

無差別曲線

R元-12

Aさんは、夕食時にビールと焼酎を飲むことにしている。Aさんの効用水準を一定とした場合、ビールを1杯余分に飲むことと引き換えに減らしてもよいと考える焼酎の数量が、徐々に減ることを描いた無差別曲線として、最も適切なものはどれか。

ア

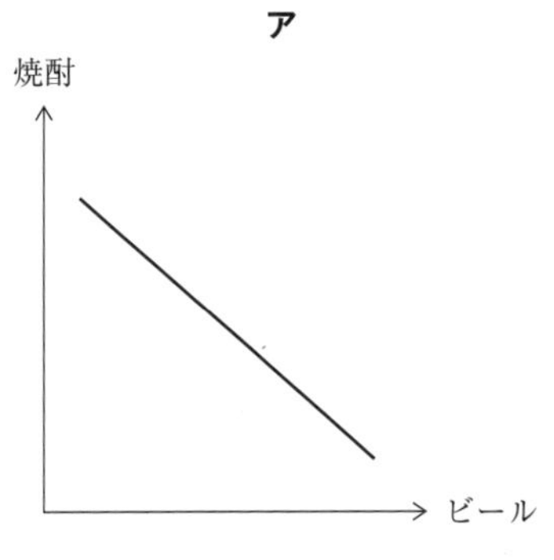

イ

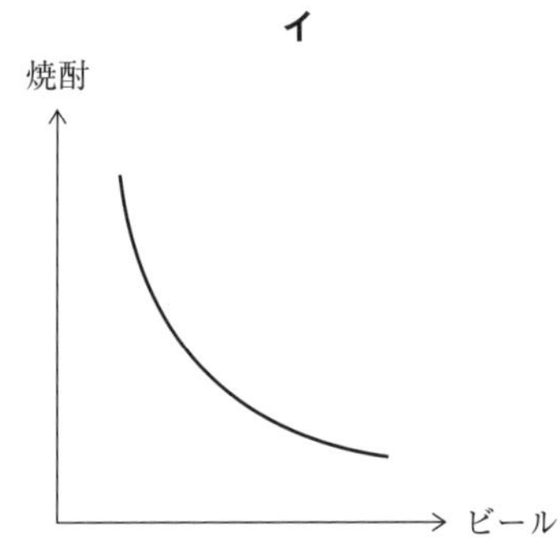

ウ

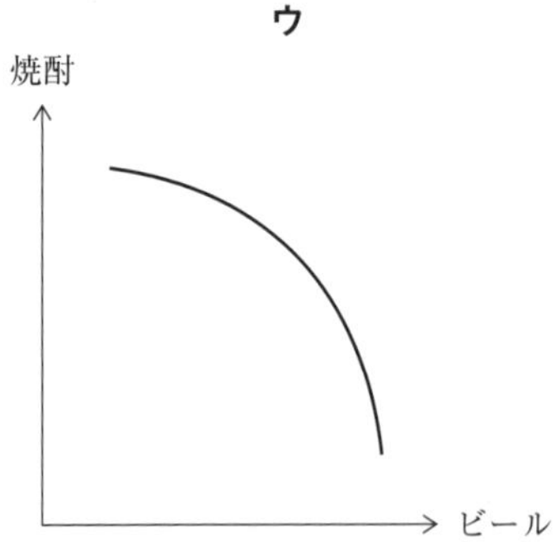

エ

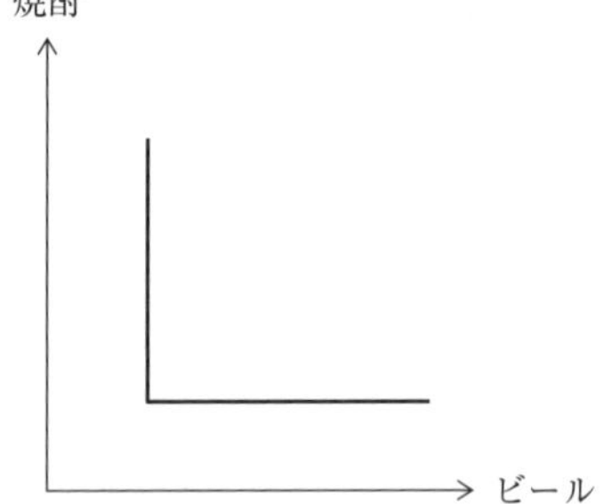

解説

「効用水準を一定とした場合」というのは、「同じ無差別曲線上の移動を考えた場合」という意味になる。また、「ビール１杯余分に飲むことと引き換えに減らしてもよいと考える焼酎の数量」とは、ビールの焼酎に対する限界代替率のことをいっている。限界代替率は無差別曲線の接線の傾きで表されるので、これが徐々に減っている（逓減している）とは、無差別曲線の接線の傾きが徐々に減っているというように読み替えることができる。

ア ×

アのグラフは、無差別曲線の**接線の傾きが常に一定**である。このように２財の代替関係が常に変わらない財同士を、完全代替財という。

イ ○

この無差別曲線では、ビールの消費量が増えるほどその接線の傾きが徐々に小さくなっている。よって、これが正解である。

ウ ×

イとは逆に、この無差別曲線では、ビールの消費量が増えるほどその接線の傾きが**徐々に大きく**なっている。

エ ×

この無差別曲線は、あるビールの消費量で接線の傾き（限界代替率）が**無限大**で、それより大きい消費量のもとでは、接線の傾き（限界代替率）が**ゼロ**となっている。このように無差別曲線がL字型になっているとき、２財が完全な補完関係にあるといえるので、このような財同士を完全補完財という。

イ

講師より

もっともノーマルな無差別曲線が**イ**で、このとき限界代替率（無差別曲線の接線の傾き）は逓減します。また特殊な場合として、**ア**の無差別曲線が完全代替財を表し、**エ**の無差別曲線が完全補完財を表していることも知っておきましょう。また通常の無差別曲線では、右上にいくほど効用水準が高くなることも押さえておきましょう。

問題 11 チェック欄▶ 1 ／ 2 ／ 3 ／

重要度 B 予算制約線のシフト R2-13

家計においては、効用を最大化するために、予算制約を考えることが重要となる。この家計は、X財とY財の２財を消費しているものとする。

下図に関する記述として、最も適切なものを下記の解答群から選べ。

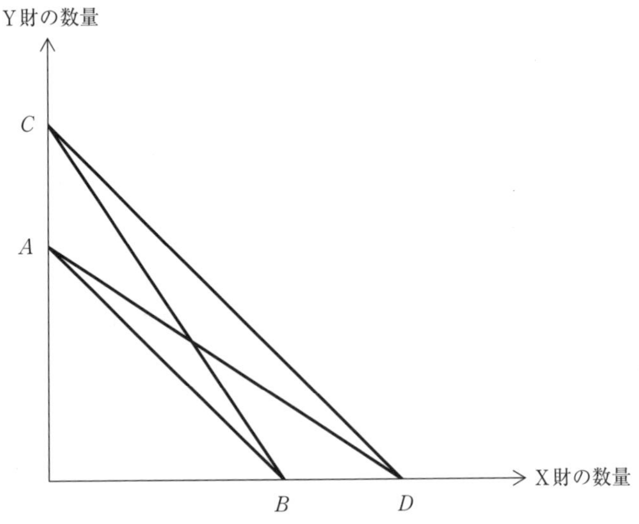

〔解答群〕

ア 予算線*AB*は、この家計の所得とY財の価格を一定としてX財の価格が下落すると、*AD*へと移動する。

イ 予算線*AB*は、この家計の所得を一定としてX財とY財の価格が同じ率で上昇すると、*CD*へと平行移動する。

ウ 予算線*CD*は、この家計の所得が増加すると、*AB*に平行移動する。

エ 予算線*CD*は、この家計の所得とX財の価格を一定としてY財の価格が上昇すると、*CB*へと移動する。

解説

ア ○

予算線ABの状態から、所得とY財の価格を一定としX財の価格が下落することを考える。この場合、X財の数量が0のときY財の数量は変化せず、Y財の数量を0としたときX財の数量は増加するはずである。よって、Y切片は変わらずX切片のみが増加する。すなわち、予算線はADへと移動することになる。

イ ×

予算線の傾きはX財とY財の価格比を表している。よって、X財とY財の価格が同じ率で上昇した場合、予算線の傾きは変化しないまま、**予算集合が狭くなる方向（左下）**に予算線が平行移動することになる。**イ**の記述は、逆に予算集合が広くなる方向（右上）への平行移動を示しているため、誤りである。

ウ ×

X財とY財の価格が一定のまま所得が増加すると、予算線は**予算集合が広くなる方向（右上）**に平行移動する。**ウ**の記述は、予算集合が狭くなる方向（左下）への平行移動を示しているため、誤りである。

エ ×

予算線CDの状態から、所得とX財の価格を一定としY財の価格が上昇することを考える。この場合、Y財の数量が0のときX財の数量は変化せず、X財の数量を0としたときY財の数量は減少するはずである。よって、X切片は変わらずY切片のみが減少する。すなわち、予算線は**ADへと移動**することになる。

正解 ア

講師より

予算制約線のシフトに関する問題です。X財の価格が上がった場合・下がった場合、Y財の価格が上がった場合・下がった場合、所得が増加した場合・減少した場合に、それぞれ予算制約線がどのようにシフトするのかを、しっかり判断できるようにしておきましょう。また、予算制約線の傾きが両財の価格比を表していることも押さえておきましょう。

問題 12

チェック欄▶ 1 ／ 2 ／ 3 ／

重要度 B

無差別曲線・予算制約線・最適消費点

H28-15

ある個人が限られた所得を有しており、財X_1と財X_2を購入することができる。下図には、同一の所得にもとづいて、実線の予算制約線Aと破線の予算制約線Bとが描かれている。また、予算制約線Aと点Eで接する無差別曲線と、予算制約線Bと点Fで接する無差別曲線も描かれている。下図に関する記述として、最も適切なものを下記の解答群から選べ。

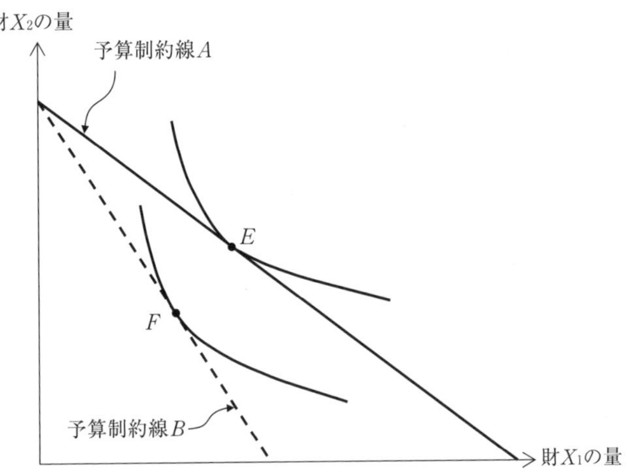

〔解答群〕

ア　等しい所得の下で予算制約線が描かれているので、点Eと点Fから得られる効用水準は等しい。

イ　予算制約線Aと予算制約線Bを比較すると、予算制約線Bの方が、財X_2の価格が高いことを示している。

ウ　予算制約線Aと予算制約線Bを比較すると、予算制約線Bの方が、実質所得が高いことを示している。

エ　予算制約線Aと予算制約線Bを比較すると、両財の相対価格が異なることが示されている。

解説

ア ×

同じ効用水準であるような消費量の組み合わせを描いたものが無差別曲線で、通常の無差別曲線では右上にあるものほど効用水準は大きくなる。よって、点Eの方が点Fよりも**効用水準が大きい**ことがわかる。

イ ×

予算制約線Aと予算制約線Bのそれぞれの形状から、予算制約線Bは予算制約線Aよりも**財X_1の価格が高い**ことがわかる（ヨコ切片の値は、財X_2をまったく消費しないときの財X_1の消費量であり、この値が小さいとは、同じ所得で購入できる財X_1の量が少ないことを意味している。これはすなわち、財X_1の価格が高いことを示している）。

ウ ×

予算制約線Bがつくる予算集合（予算制約線の左下の領域）は、予算制約線Aがつくる予算集合よりも狭くなっている。これは、購入できる財X_1と財X_2の組み合わせが少ないことを意味しており、**実質所得が低い**ことを示している。

エ ○

両財の相対価格は、予算制約線の傾きで表される。予算制約線Aと予算制約線Bでは傾きが異なるため、両財の相対価格も異なる。

エ

講師より

無差別曲線が何を表しているのか、予算制約線が何を表しているのか、しっかり理解しておきましょう。また、無差別曲線と効用の関係、価格変化や所得変化による予算制約線のシフトの仕方も判断できるようにしておきましょう。

問題 13

チェック欄▶ 1 ／ 2 ／ 3 ／

重要度 C 最適消費点

H26-15

下図には、予算制約線Aと予算制約線Bおよび、これらの予算制約線上にあるa, b, c, d, eという５つの点が描かれている。ある合理的な消費者にとって最も高い効用をもたらすのは、予算制約線A上ならば点cであり、予算制約線B上ならば点dであることがわかっている。この図の説明として最も適切なものを下記の解答群から選べ。

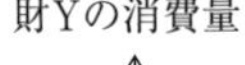

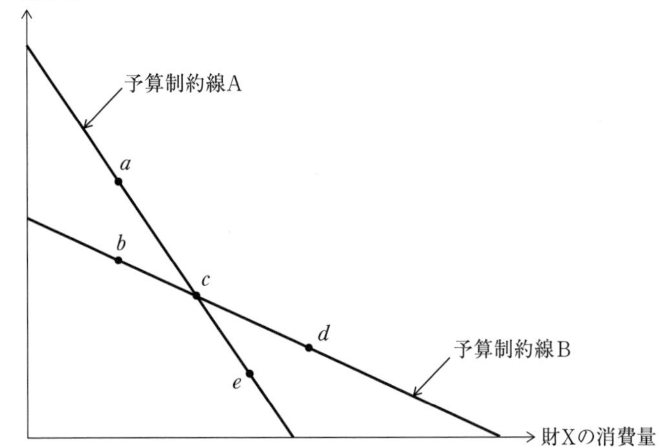

〔解答群〕

ア　図中に点cより効用が高い点はない。

イ　図中で点cより効用が高い点は、点aと点eである。

ウ　図中で点dより効用が高い点は、点cである。

エ　図中に点dより効用が高い点はない。

解説

予算制約線がAのとき、この消費者が予算制約の中で選択できる消費量の組み合わせは、点a、b、c、eである。この中で点cが選ばれたことから、これらの点の効用の大小が、$c>a$、b、eであることがわかる。

予算制約線がBであるとき、この消費者が予算制約の中で選択できる消費量の組み合わせは、点b、c、d、eである。この中で点dが選ばれたことから、これらの点の効用の大小が、$d>b$、c、eであることがわかる。

以上から、各点の効用の大小は、$d>c>a$、b、eであることがわかる。

よって、これを正確に表した**エ**が正解である。

エ

表面上の知識の暗記だけでなく、予算制約線の意味、最適消費点の決定のされ方を理解しておくことが求められる問題です。普段から、なぜその結論になるのか、その理由や過程を理解する意識をもつようにしておきましょう。

問題 14　チェック欄▶ 1 ／ 2 ／ 3 ／

重要度 Ⓐ スルツキー分解①

H26-16

下図は、財Xと財Yを消費する合理的個人が予算制約線Aに直面し、予算制約線Aと無差別曲線U_1との接点Lで効用を最大化する状態を描いている。他の条件を一定として、財Xの価格の低下によって予算制約線がBへと変化すると、この合理的個人は、予算制約線Bと無差別曲線U_2との接点Nを選択することで効用を最大化することができる。なお、破線で描かれた補助線は、予算制約線Bと同じ傾きを有し、点Mで無差別曲線U_1と接している。この図に関する説明として最も適切なものを下記の解答群から選べ。

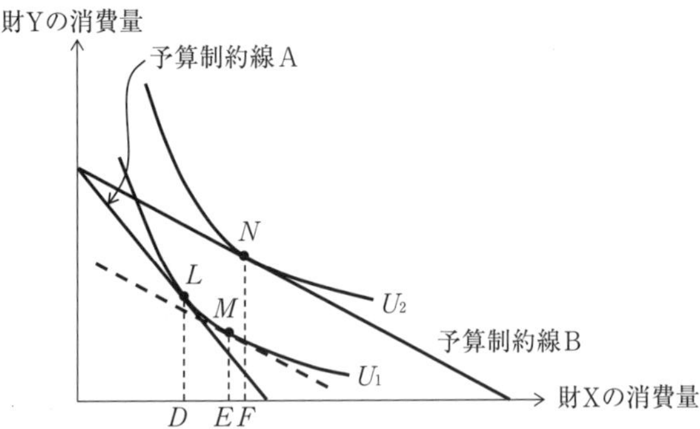

〔解答群〕

ア　この図における財Xは、下級財の特性を示している。

イ　財Xの価格の低下によって効用を最大化する消費の組み合わせは点Lから点Nへ変化した。この変化のうち「所得効果」は点Lから点Mへの変化によって示されている。

ウ　財Xの価格の低下によって効用を最大化する消費の組み合わせは点Lから点Nへ変化した。この変化のうち「代替効果」は点Mから点Nへの変化によって示されている。

エ　財Xの価格の低下による「代替効果」のみを考えると、財Yの消費量が減少することが示されている。

解説

選択肢の正誤判断に入る前に、財の価格変化による最適消費点の変化と、代替効果、所得効果に相当する箇所をグラフで確認しておこう。

もとの予算制約線がAであり、財Xの価格が下がったことにより、予算制約線がBに移動した。また、はじめ点Lにあった最適消費点が点Nへと移動した。

変化後の予算制約線Bと平行で、もとの無差別曲線U_1に接するような補助線（図の破線）を引き、この補助線ともとの無差別曲線U_1との接点がMである。このとき、点Lから点Mへの動きが代替効果を、点Mから点Nへの動きが所得効果を表している。さらに、これらを合わせた点Lから点Nへの動きが、X財の価格が低下したことによる最適消費点の全体の変化で、価格効果を表している。

また、財Xの消費量は、代替効果によってDからEへ増加し、所得効果によってEからFに増加、また価格効果（代替効果＋所得効果）でDからFに増加していることがわかる。

以上をふまえて、各選択肢を検討する。

ア ×

財の特性（上級財・下級財など）は、実質所得の変化と所得効果（価格効果ではないので注意）による消費量の変化によって決まる。

いま財Xの価格が下がったため、実質所得は増加している。また、所得効果によって財Xの消費量はE→Fに増えている。つまり、実質所得の増加に伴い所得効果によって消費量が増えているため、財Xは**上級財**であることがわかる（上級財では、実質所得の増減と所得効果による消費量の増減が一致する）。

イ ×

上で説明したとおり、財Xの価格低下による全体の最適消費点の移動（価格効果）は点Lから点Nで正しいが、点Lから点Mへの変化は、「**代替効果**」を示している（「所得効果」は、点Mから点Nへの変化である）。

ウ ×

前半の記述は正しいが、**イ**で述べたように、点Mから点Nへの変化は、

「**所得効果**」を示している（「代替効果」は、点Lから点Mへの変化である）。

エ ○

確認したとおり、代替効果は点Lから点Mへの変化で表される。ここで財Xの消費量（ヨコ）は増加（右に移動）しているが、財Yの消費量（タテ）は減少（下に移動）していることがわかる。

エ

講師より

スルツキー分解の問題は、まず、①どちらの財の価格が上がったのか下がったのか、②その結果、実質所得は上がったのか、下がったのかを確認します。さらに、③疑似線を引き、代替効果を表す箇所と所得効果を表す箇所を確認し、④それぞれの財の消費量の変化（と向き）を判断するという手順になります。また、実質所得の増減と所得効果の増減によって、財の性質（上級財・下級財など）が判断できます。

MEMO

問題 **15** チェック欄▶ 1 ／ 2 ／ 3 ／

重要度 A スルツキー分解②

H24-17

下図は、2つの財（X財とY財）のみを消費する消費者の効用最大化行動を描いたものである。当初の予算制約線はABで与えられ、効用を最大にする消費量の組み合わせは、無差別曲線U_1との接点すなわち座標（G, E）として与えられている。このとき、X財の価格が下落し予算制約線がACへと変化すると、効用を最大にする消費量の組み合わせは無差別曲線U_2との接点すなわち座標（I, D）へと変化する。なお、補助線（破線）は、予算制約線ACと同じ傾きを持ち、無差別曲線U_1と接するものとする。

この図の説明として、最も適切なものを下記の解答群から選べ。

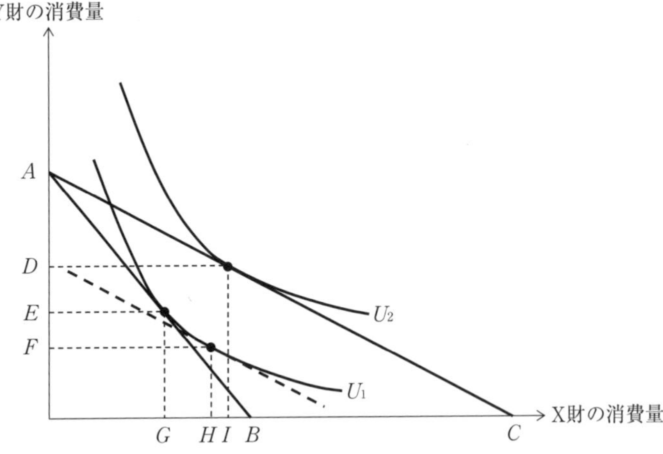

〔解答群〕

ア　X財に生じた所得効果は線分HIの長さで測られ、Y財に生じた所得効果は線分EFの長さで測られる。

イ　X財の価格の低下は、X財の消費量の減少を引き起こしている。

ウ　X財はギッフェン財である。

エ　Y財に生じた所得効果の絶対値は、Y財に生じた代替効果の絶対値よりも大きい。

オ　座標（H, F）の効用水準は、座標（G, E）の効用水準よりも低い。

解説

当初の予算制約線がAB、最適消費点が（G, E）で、X財の価格が下落した結果、予算制約線はACに移動し、最適消費点は（I, D）に移っている。

変化後の予算制約線ACと平行でもとの無差別曲線U_1に接する補助線が図の破線であり、接点が（H, F）である。

よって、（G, E）から（H, F）の動きが代替効果、（H, F）から（I, D）の動きが所得効果となる。

以上をふまえ、選択肢を検討する。

ア ×

X財（ヨコ）に生じた所得効果は線分HIの長さであることは正しいが、Y財（タテ）に生じた所得効果は**線分FD**の長さである。

イ ×

X財の価格が低下した結果、最適消費点は（G, E）から（I, D）に移動し、X財の消費量はGからIへと**増加**している。

ウ ×

ギッフェン財とは、その財の価格が下がった（あるいは上がった）場合に、消費量が減る（増える）財のことをいう。いま、X財の価格が下がり、X財の消費量はGからIに増えているため、この財は**ギッフェン財ではない**。

エ ○

Y財に生じた所得効果の絶対値は線分FDの長さで、代替効果の絶対値は線分EFの長さである。よって、Y財の所得効果の絶対値は代替効果の絶対値よりも大きいことがわかる。

オ ×

座標（H, F）と座標（G, E）は同じ無差別曲線上の点なので、これらの効用水準は**等しい**。

講師より

問題14と同様、スルツキー分解により価格効果を代替効果と所得効果に分けます。そのうえで、代替効果によって各財の消費量がどう変化するか、所得効果によって各財の消費量がどう変化するかを確認します。

問題 16

チェック欄▶ 1 ／ 2 ／ 3 ／

重要度 C 期待効用仮説

H26-23

下図は、あるリスク回避的な個人における資産額と効用水準の関係を示したものである。下図で、50%の確率で高い資産額*B*になり、50%の確率で低い資産額*A*となるような不確実な状況を「状況R」と呼ぶことにする。また、*A*と*B*のちょうど中間の資産額*C*を確実に得られる状況を「状況S」と呼ぶことにする。「状況R」の期待効用と「状況S」の期待効用とを比較したときの説明として、最も適切なものを下記の解答群から選べ。

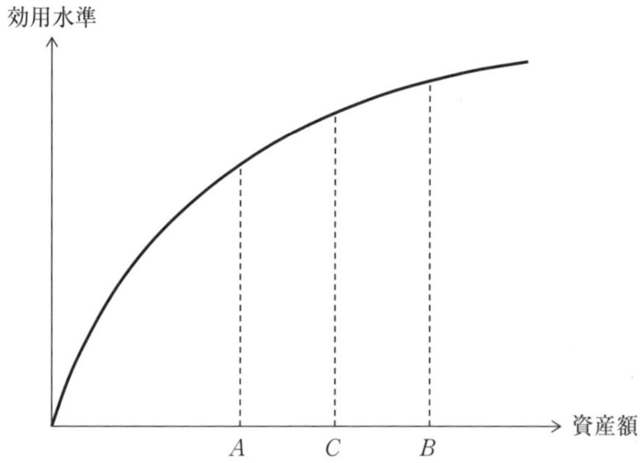

〔解答群〕

ア 期待効用は「状況R」の方が大きく、この個人のリスクプレミアムは正の値となる。

イ 期待効用は「状況R」の方が大きく、この個人のリスクプレミアムは負の値となる。

ウ 期待効用は「状況R」の方が小さく、この個人のリスクプレミアムは正の値となる。

エ 「状況R」と「状況S」の期待効用は等しく、この個人のリスクプレミアムはゼロとなる。

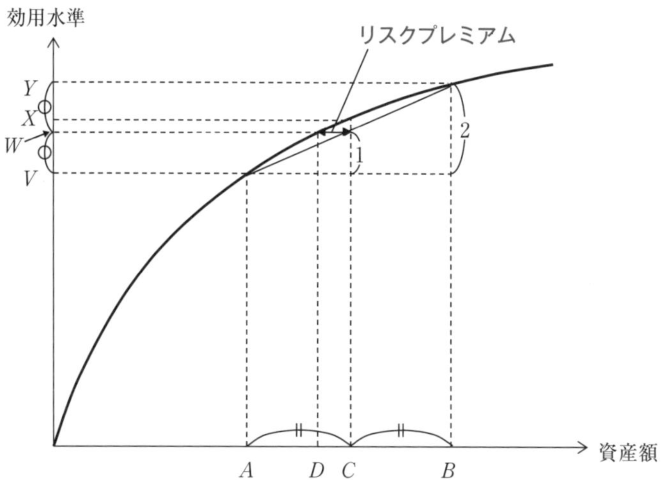

まず、「状況R」と「状況S」のそれぞれの期待効用を考えてみよう。

期待効用とは、効用の期待値のことである。「状況R」は、50%の確率で資産額*A*、50%の確率で資産額*B*となる。このとき、上のグラフにおいて50%の確率で*V*の効用水準（資産額*A*における効用水準）、50%の確率で*Y*の効用水準（資産額*B*における効用水準）が得られることになる。よって、「状況R」の期待効用は、図中の*Y*と*V*のちょうど中間にある点*W*で与えられることになる。

一方、「状況S」は100%の確率で*A*と*B*のちょうど中間の資産額*C*が得られるため、効用水準も必ず*X*（資産額*C*における効用水準）が実現される。すなわち、期待効用はXである。

グラフの形状から、*W*（不確実性をともなう「状況R」での期待効用）のほうが*X*（不確実性のない「状況S」での期待効用）よりも小さいことが確認できる。すなわち期待効用は、**「状況R」のほうが小さくなる**ことがわかる。これは、このグラフがリスク回避的な個人の効用水準を表しており、その場合は不確実性をともなう状況のほうが効用が低くなってしまうことからも理解できる。

続いて、リスクプレミアムの値を考える。

リスクプレミアムとは、資産額の理論上の期待値から、確実性等価（不確実性をともなう状況において、効用水準が期待効用となるときの資産額）を引くことで計算される。

グラフで見ると、資産額の期待値はAとBの中間であるC、また確実性等価は、不確実性をともなう「状況R」のもとでの期待効用Wに相当する資産額であるDとなる。

資産額の期待値であるCが確実性等価Dよりも大きいことから、リスクプレミアムは**正の値**であることがわかる（そもそもリスクプレミアムとは、不確実性をともなう状況における危険負担料の性質をもつため、危険回避的な人の場合リスクプレミアムは必ず正の値をとる）。

よって、**ウ**が正しい選択肢である。

ウ

講師より

リスクプレミアムの問題は、①資産の期待値を求める、②期待効用（効用の期待値）を求める、③期待効用から確実性等価を求める、④資産の期待値と確実性等価の差からリスクプレミアムを求める、という手順で考えます。また、危険回避的な人の場合、リスクプレミアムはプラスの値になることも知っておきましょう。

MEMO

問題 17

チェック欄▶ 1 ／ 2 ／ 3 ／

重要度 B 市場不安定

H22-16

「レモン」市場のように情報が不完全な場合、買い手は価格が低くなると品質が低下することを予想する。下図は、「レモン」市場における需要曲線と供給線について、２つのパターンを示している。「レモン」市場における需要曲線の形状ならびに、ワルラス的調整およびマーシャル的調整に関し、最も適切なものを下記の解答群から選べ。

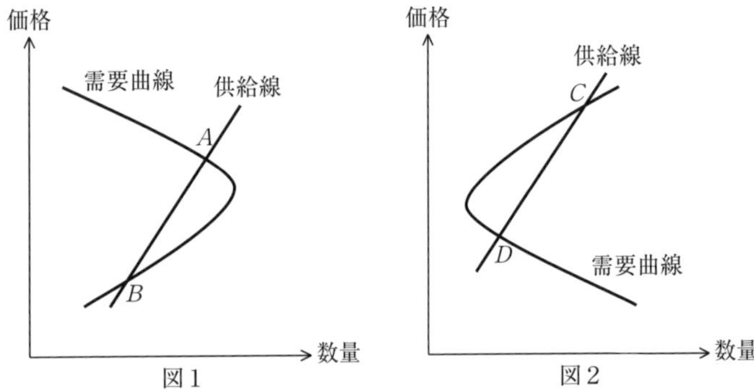

〔解答群〕

ア　需要曲線は図１のように描かれ、*A*点の近傍ではワルラス的調整、マーシャル的調整とも安定である。

イ　需要曲線は図１のように描かれ、*B*点の近傍ではワルラス的調整、マーシャル的調整とも不安定である。

ウ　需要曲線は図２のように描かれ、*C*点の近傍ではワルラス的調整は安定で、マーシャル的調整は不安定である。

エ　需要曲線は図２のように描かれ、*D*点の近傍ではワルラス的調整は不安定で、マーシャル的調整は安定である。

解説

ワルラス的調整とは、価格による調整のことである。

ある点の近傍でワルラス的に安定か不安定かを判断するためには、その付近のある価格から考える。そして、その価格のもとでの需要量と供給量の大小によって価格が下がる方向に向かうのか上がる方向に向かうのかを調べることで、安定か不安定か（交点に近づくか離れていくか）を判断する。

〈A点の近傍〉

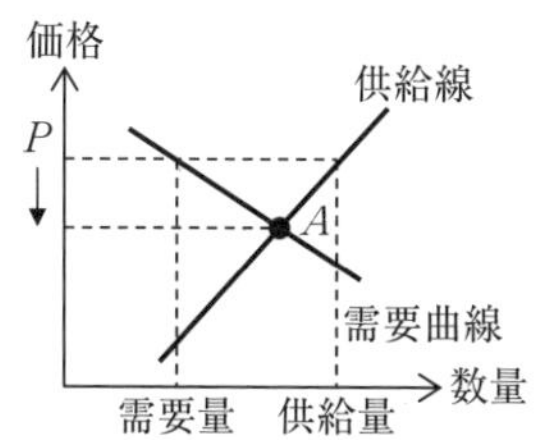

A点より少し価格が高い状況（図中の価格P）を考えてみよう。

このとき、需要曲線と供給線より需要量＜供給量であるため、売れ残りが生じ、これを解消しようと価格が下がる方向に調整が行われる。

よって、A点の価格に向かうため、ここでは**ワルラス的に安定**であることがわかる。

（いまA点の上側で考えたが、下側で考えても同様に安定であることが判断できる。）

〈B点の近傍〉

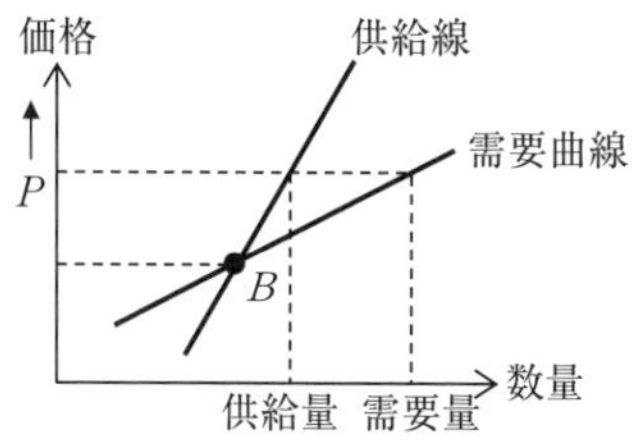

B点より少し上の価格（図中の価格P）を考えてみる。

このとき、供給線と需要曲線より供給量＜需要量であるため、品不足の状態が発生し、これを解消しようと価格は上がる方向に向かう。

すると、B点から離れる方向に進んでしまうため、ここではワルラス的に不安定であることがわかる。

〈C点の近傍〉

*C*点での需要曲線と供給線の位置関係は、*B*点と同じであるため、結果は*B*点と同様、ワルラス的調整で不安定となる。

〈D点の近傍〉

*D*点での需要曲線と供給線の位置関係は、*A*点と同じであるため、結果は*A*点と同様、ワルラス的調整で安定となる。

マーシャル的調整とは、供給量による調整のことである。ある点の近傍でマーシャル的に安定か不安定かを判断するためには、その付近のある供給量から考える。

ところで、ある供給量において、需要曲線から導かれる価格を需要者価格、供給曲線から導かれる価格を供給者価格という。需要者価格とは、消費者が支払おうとしている価格のことをいい、供給者価格とは、生産者が支払ってほしいと期待する価格のことをいう。

供給者価格＜需要者価格の場合、生産者が支払ってほしいと期待する価格よりも多くの額を消費者は支払おうとするため、購入が進み、生産者は供給量を増やす。逆に、需要者価格＜供給者価格の場合、生産者が支払ってほしいと期待する価格よりも、消費者が支払うつもりのある額の方が小さいため、購売は行われず、供給量が抑えられることになる。

以上をふまえ、各点を見ていこう。

〈A点の近傍〉

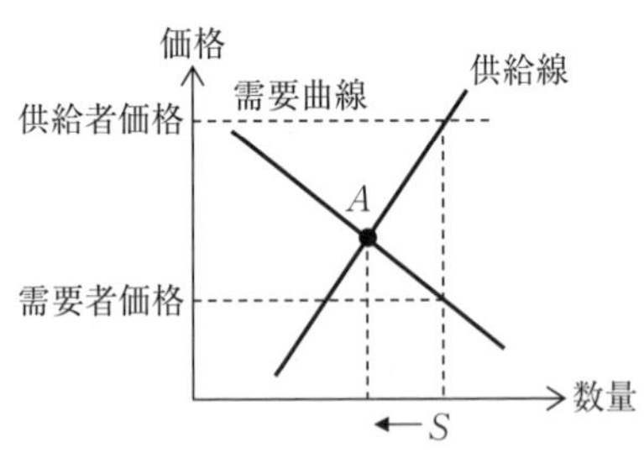

*A*点より少し右の供給量（図中の供給量*S*）を考えてみよう。

このとき、需要者価格（想定する供給量に対する需要曲線の高さ）＜供給者価格（想定する供給量に対する供給線の高さ）であるため、上で確認したように供給量は抑えられる。よってA点に近づくため、ここでは**マーシャル的に安定**であることがわかる。

（いまA点の右側で考えたが、左側で考えても同様に安定であることが判断できる。）

〈B点の近傍〉

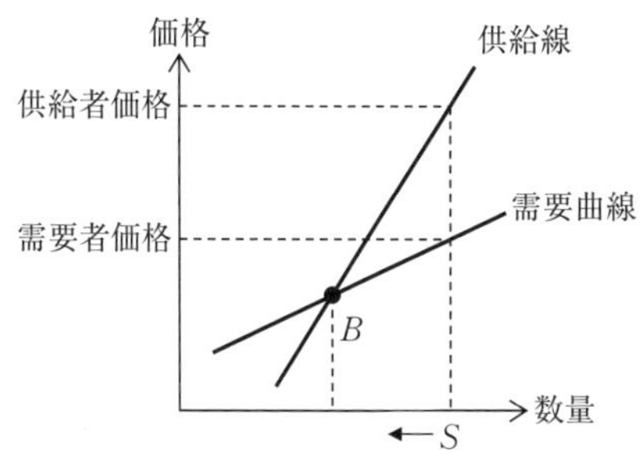

B点より少し右の供給量（図中の供給量S）を考えてみる。

このときも先ほどと同じく、需要者価格＜供給者価格なので供給量が抑えられ、B点に近づく。よって、マーシャル的に安定であることがわかる。

〈C点の近傍〉

C点での需要曲線と供給線の位置関係は、B点と同じであるため、B点と同様マーシャル的調整では安定となる。

〈D点の近傍〉

D点での需要曲線と供給線の位置関係は、A点と同じであるため、A点と同様マーシャル的調整では安定となる。

以上を考慮して選択肢を判断し、**ア**が正しいことがわかる。

ア

講師より

市場が均衡から外れている場合に、価格によってなされる調整をワルラス的調整過程、供給量によってなされる調整をマーシャル的調整過程といいます。ある価格や、ある供給量を想定したときに、均衡に向かえば「安定」、均衡と逆の方向に向かえば「不安定」となります。

問題 **18** チェック欄▶ 1 ／ 2 ／ 3 ／

重要度Ⓐ 消費者余剰と生産者余剰の変化 R元-10

市場取引から発生する利益は、「経済余剰」といわれる。この経済余剰は、売り手にも買い手にも生じ、売り手の経済余剰は「生産者余剰」、買い手の経済余剰は「消費者余剰」と呼ばれる。

下図に基づき、需要曲線または供給曲線のシフトに伴う余剰の変化に関する記述として、最も適切なものの組み合わせを下記の解答群から選べ。なお、点Eが初期の均衡を示している。

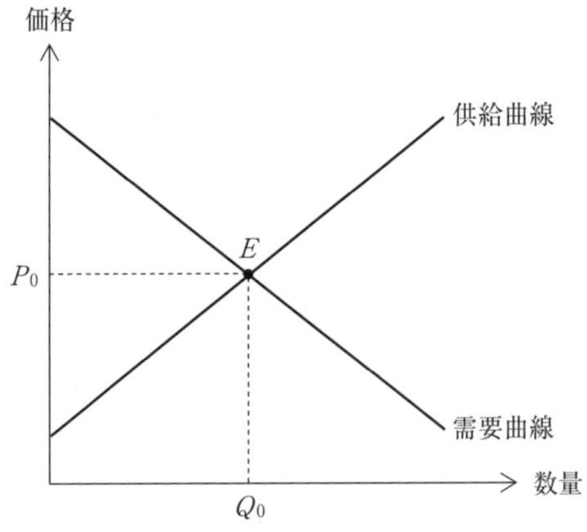

a　所得の増加によって需要曲線が右方シフトすると、生産者余剰は減少する。

b　技術進歩によって供給曲線が右方シフトすると、消費者余剰は増加する。

c　好みの変化によって需要曲線が左方シフトすると、生産者余剰は減少する。

d　原材料費の上昇によって供給曲線が左方シフトすると、消費者余剰は増加する。

〔解答群〕

ア　aとb　　**イ**　aとd　　**ウ**　bとc　　**エ**　cとd

解説

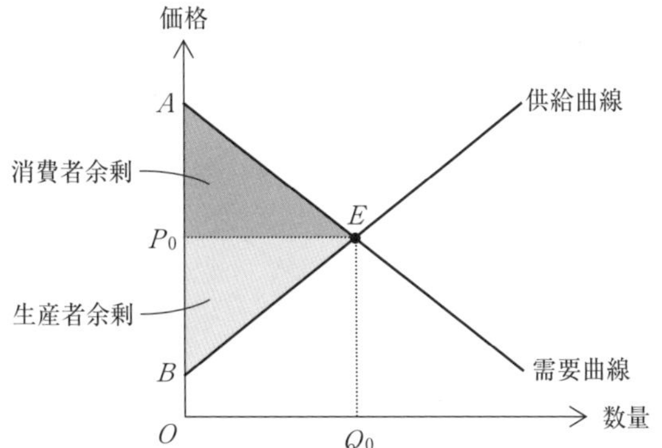

買い手の経済余剰である「消費者余剰」は、「支払うつもりのある額」－「実際に支払った額」で計算される。また、「支払うつもりのある額」は需要曲線の下側の面積で表され、「実際に支払った額」は価格×消費量（需要量）で計算される。

よって、シフトする前の消費者余剰は、支払うつもりのある額（$\square AOQ_0E$）－実際に支払った額（$\square P_0OQ_0E$）より、$\triangle AP_0E$で表される。

一方、売り手の経済余剰である「生産者余剰」は、「収入」－「可変費用」で計算される。また、「収入」は価格×生産量（販売量）で計算され、「可変費用」は供給曲線の下側の面積で表される。

よって、シフトする前の生産者余剰は、収入（$\square P_0OQ_0E$）－可変費用（$\square BOQ_0E$）より、$\triangle P_0BE$で表される。

続いて、需要曲線および供給曲線が左右にシフトした場合の余剰の変化を見ていこう。

まず需要曲線がシフトした場合の生産者余剰の変化（**a**と**c**の場合）を考える。

---

a ✖

所得の増加により需要曲線が右にシフトした場合、均衡点はEからE_1に移動し、均衡数量がQ_1、価格がP_1となる。

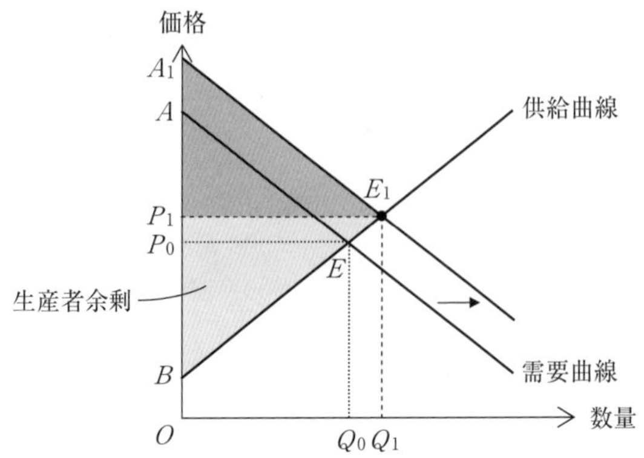

このときの生産者余剰は、収入（□$P_1OQ_1E_1$）－可変費用（□BOQ_1E_1）＝△P_1BE_1となり、当初の生産者余剰△P_0BEに比べて**増加**していることがわかる。

---

c ○

好みの変化により需要曲線が左にシフトした場合、均衡点はEからE_2に移動し、均衡数量がQ_2、価格がP_2となる。

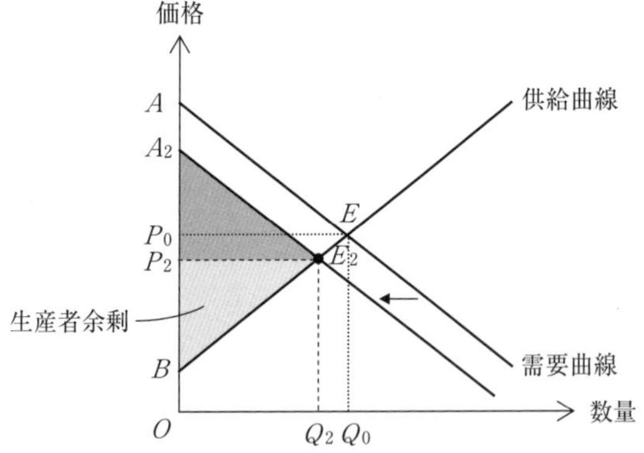

このときの生産者余剰は、収入（□$P_2OQ_2E_2$）－可変費用（□BOQ_2E_2）＝△P_2BE_2となり、当初の生産者余剰△P_0BEに比べて減少していることがわかる。

次に供給曲線がシフトした場合の消費者余剰の変化（**b**と**d**の場合）を考える。

b ○

技術進歩により供給曲線が右にシフトした場合、均衡点はEからE_3に移動し、均衡数量がQ_3、価格がP_3となる。

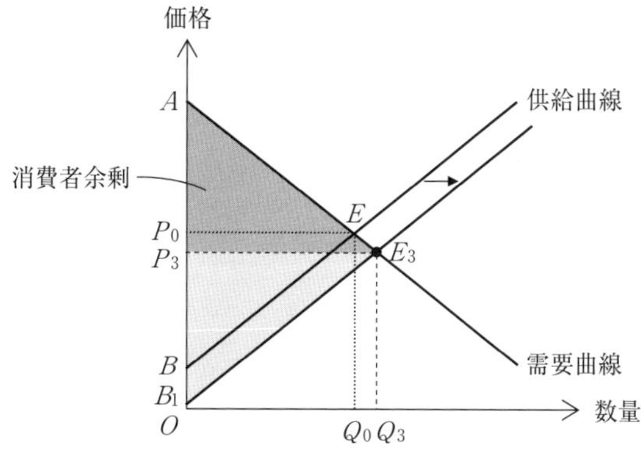

このときの消費者余剰は、支払うつもりのある額(□AOQ_3E_3)－実際に支払った額(□$P_3OQ_3E_3$)＝△AP_3E_3となり、当初の消費者余剰△AP_0Eに比べて増加していることがわかる。

d ×

原材料費の上昇により供給曲線が左にシフトした場合、均衡点はEからE_4に移動し、均衡数量がQ_4、価格がP_4となる。

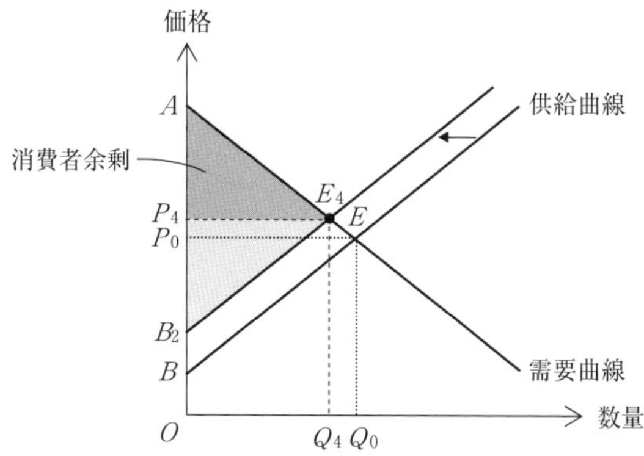

このときの消費者余剰は、支払うつもりのある額（□AOQ_4E_4）－実際に支払った額（□$P_4OQ_4E_4$）＝△AP_4E_4となり、当初の消費者余剰△AP_0Eに比べて**減少**していることがわかる。

以上より、**b**と**c**が正しく、**ウ**が正解である。

講師より

消費者余剰の意味、生産者余剰の意味とともに、グラフ上でどこが消費者余剰を示し、どこが生産者余剰を示すのかをしっかり判断できるようにしておきましょう。また、需要曲線や供給曲線がシフトした場合、各余剰がどのように変化したのか、またその大きさがどれだけ増えたのか減ったのかの判断ができるようにしておきましょう。

MEMO

問題 19　チェック欄▶ 1 ／ 2 ／ 3 ／

重要度 B

余剰分析①

R元-11

下図は、供給曲線の形状が特殊なケースを描いたものである。座席数に上限があるチケットなどは、ある一定数を超えて販売することができないため、上限の水準において垂直になる。なお、需要曲線は右下がりであるとする。

この図に関する記述として、最も適切なものを下記の解答群から選べ。

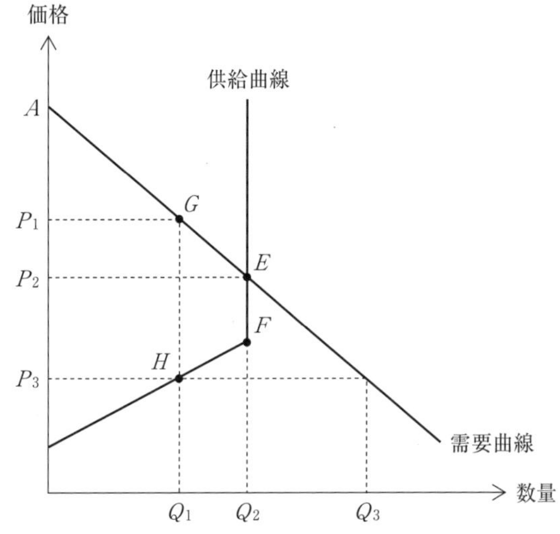

〔解答群〕

ア　供給曲線が垂直になってからは、生産者余剰は増加しない。

イ　このイベントの主催者側がチケットの価格をP_1に設定すると、超過需要が生じる。

ウ　チケットがP_3で販売されると、社会的余剰は均衡価格の場合よりも□*GEFH*の分だけ少ない。

エ　チケットがQ_1だけ供給されている場合、消費者は最大P_2まで支払ってもよいと考えている。

解説

ア ×

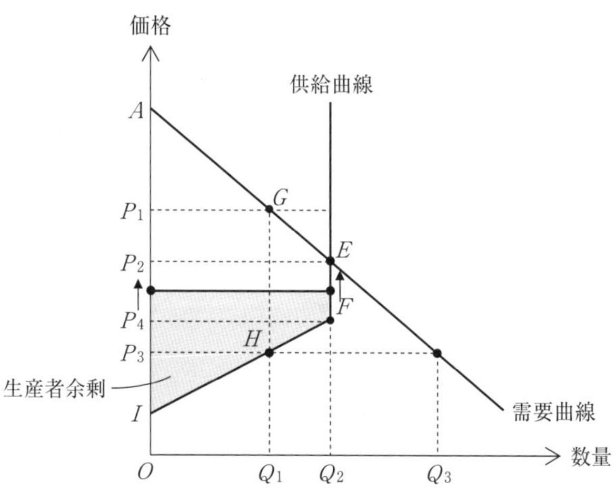

供給曲線が垂直となる部分で、価格が変化する場合を考える。

価格が図のP_4のときの生産者余剰は△P_4IFであり、価格がP_2に上がると生産者余剰は□P_2IFEとなる。よって供給曲線が垂直の部分で、生産者余剰は**増加している**。

イ ×

価格がP_1のとき、供給量は供給曲線よりQ_2である。一方、価格P_1のもとでの需要量は、需要曲線よりQ_1となる。よって供給が需要を上回っているため、**超過供給**が生じている。

ウ ○

均衡価格が成立する場合、その価格は需要曲線と供給曲線の交点Eに対応するP_2である。このときの社会的総余剰（消費者余剰＋生産者余剰）と、価格P_3における社会的総余剰を比較する。

〈均衡価格P_2のとき〉

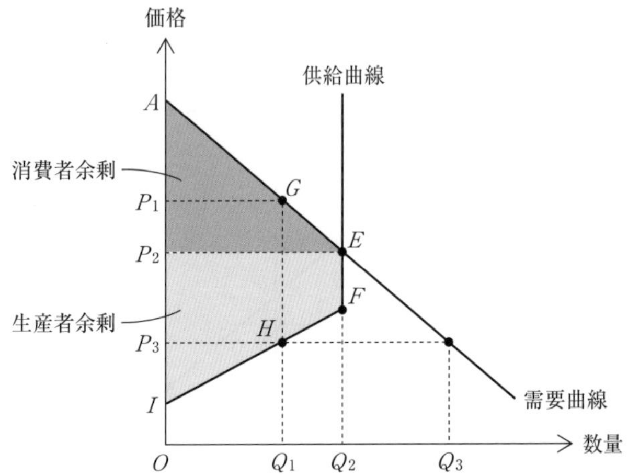

消費者余剰：支払うつもりのある額（□AOQ_2E）－実際に支払った額（□P_2OQ_2E）
＝△AP_2E

生産者余剰：収入（□P_2OQ_2E）－可変費用（□IOQ_2F）＝□P_2IFE

社会的総余剰：消費者余剰（△AP_2E）＋生産者余剰（□P_2IFE）＝□$AIFE$

〈価格P_3のとき〉

価格がP_3のとき、供給曲線より販売量はQ_1に留まる。このときの各余剰を考える。

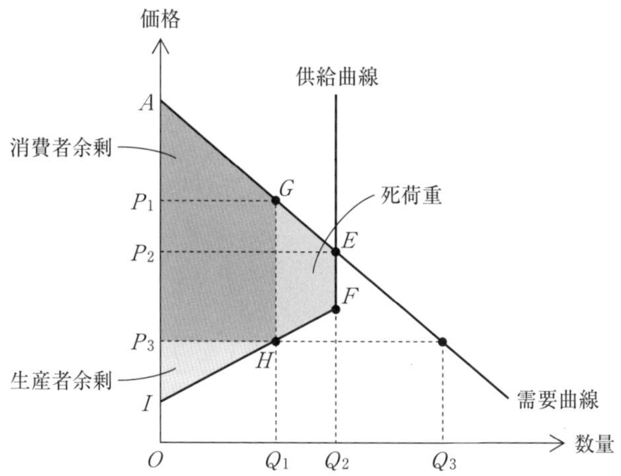

消 費 者 余 剰：支払うつもりのある額（□AOQ_1G）－実際に支払った額（□P_3OQ_1H）
＝□AP_3HG

生 産 者 余 剰：収入（□P_3OQ_1H）－可変費用（□IOQ_1H）＝△P_3IH

社会的総余剰：消費者余剰（□AP_3HG）＋生産者余剰（△P_3IH）＝□$AIHG$

以上より、P_3でのもとでの社会的総余剰は、均衡価格（P_2）のもとでの社会的総余剰よりも□$GEFH$だけ少ないことがわかる。

エ ×

ある供給量のもとでの消費者が支払おうとする価格は、需要曲線で決まる。よって、供給量がQ_1のとき、消費者が最大支払ってもよいと考える価格はP_1である。

ウ

講師より

需要曲線や供給曲線が通常とは異なる形状になっていたとしても、基本的な余剰分析の仕方は同じです。ただ、価格が設定されているときの実現される取引数量や、数量が設定されているときの価格（需要曲線で決まります）を正しく判断することが求められます。過去問などを通して、いろいろなパターンを練習しておきましょう。

問題 **20** チェック欄▶ 1 ／ 2 ／ 3 ／

重要度Ⓐ 余剰分析②（課税の効果） H24-14

下図には、需要曲線と供給曲線が描かれており、市場で決まる「課税前の価格」はD点によって与えられる。ここで、当該財へ政府が税を課すと、「課税後の買い手の支払い価格」はA点で与えられ、「課税後の売り手の受取価格」はC点で与えられることになるとする。

この図の説明として、最も適切なものを下記の解答群から選べ。

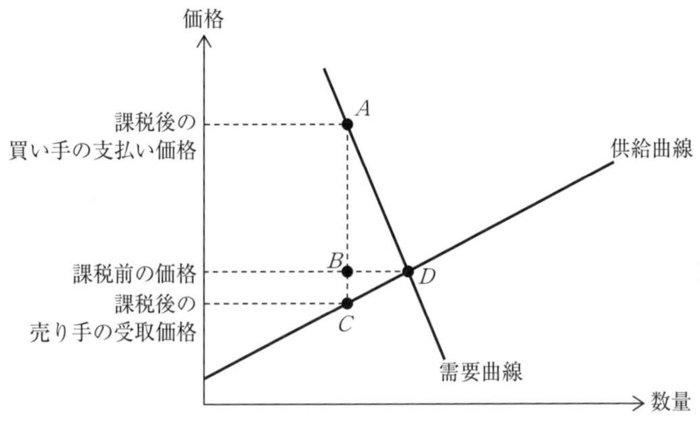

〔解答群〕

ア 課税によって生じる負担は需要者（買い手）の方が重い。

イ この財市場の需要曲線は、供給曲線に比べて価格弾力性が高い。

ウ 三角形ABDは、課税によって失う生産者余剰である。

エ 線分BCの長さは、課税によって生じる需要量の減少を意味している。

「課税後の買い手の支払い価格」がA点、「課税後の売り手の受取価格」がC点であることから、当該財への課税の結果、供給曲線がシフトし、課税後の供給曲線が需要曲線とA点で交わることがわかる。

問題では税の種類は示されていないが、考えやすい従量税を想定することにしよう（従価税で考えても結論は同じになる）。従量税を課した場合、供給曲線が上方にシフトする。その結果、課税後の供給曲線がグラフの位置に移動し、需要曲線とA点で交わったとする。

なお、説明のためグラフの各領域にa ～ iの記号を付した。

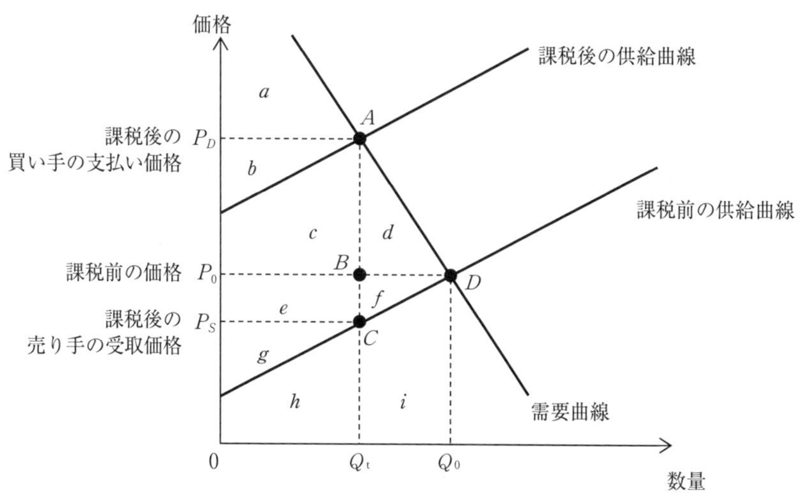

では、各選択肢の正誤を判断していこう。

ア　○

課税前の均衡点はD点で、需要者（買い手）の支払い価格と生産者（売り手）の受取り価格はともにP_0で等しい状態である。ここで課税が行われ供給曲線がシフトした結果、均衡点がAに移動し、取引数量がQ_0からQ_tに減少する。その結果、買い手の支払い価格はP_0からP_Dに上がり、売り手の受取り価格はP_0からP_Sに下がる。つまり、課税によって、買い手の支払い額が増え（この増加分が需要者の負担である）、売り手の受取り額が減っている（この減少分が生産者の負担である）ことがわかる。

またグラフから、その負担額の大きさ（価格の変化の大きさ）は需要者（買い手）のほうが大きいことがわかる。

イ　×

需要曲線・供給曲線ともに、曲線（実際には直線）の傾きが大きいほど価格弾力性は小さくなる。

いまグラフより、需要曲線の傾きの方が供給曲線の傾きよりも大きいことが読み取れるため、価格弾力性は、需要曲線のほうが供給曲線に比べて**小さい**ことがわかる。

ウ　×

グラフに付与した記号で考える。課税前の生産者余剰は収入（$e+f+g+h+i$）－可変費用（$h+i$）より$e+g+f$であり、課税後の生産者余剰はいったん受け取る収入（$b+c+e+g+h$）－支払う税額（$b+c+e$）－可変費用（h）よりgとなる。したがって、課税によって失う生産者余剰は**$e+f$の部分**（□P_0P_SCD）となる。

エ　×

線分BCの長さは、課税によって生じる**生産者（売り手）の受取り価格の減少額**を表している（なお、課税によって生じる需要量および供給量の減少は、グラフのQ_0-Q_tで表される）。

ア

講師より

課税によって、需要者価格（買い手の支払い価格）と供給者価格（売り手の受取り価格）がどこになるのかの判断が求められます。またそこから、課税によって生じる消費者の負担分と生産者の負担分を比べ、どちらの負担が大きいのかの判断と、需要曲線・供給曲線の価格弾力性の大小との関係がどうなるのかが重要です。しっかり理解しておきましょう。

MEMO

問題 21

チェック欄▶ 1 ／ 2 ／ 3 ／

重要度B 関税撤廃の効果

H26-21

関税撤廃の経済効果を、ある小国の立場から、ある1財の市場のみに注目した部分均衡分析の枠組みで考える。下図は当該財の国内供給曲線と、当該財に対する国内需要曲線からなる。関税撤廃前には当該財の輸入に関税が課され、当該財の国内価格はP_0であり、関税収入は消費者に分配されていた。関税が撤廃されると当該財の国内価格はP_1となった。

関税撤廃による変化に関する記述として最も適切なものを下記の解答群から選べ。

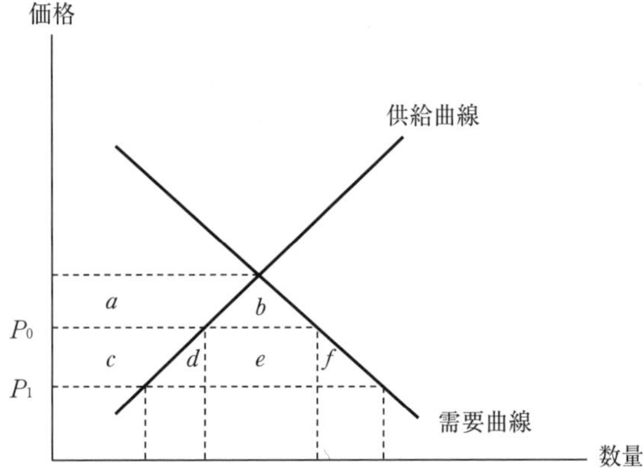

[解答群]

ア　関税収入はeだけ減少する。

イ　消費者余剰と生産者余剰の合計は$b+d+e+f$だけ増加する。

ウ　消費者余剰はcだけ増加する。

エ　生産者余剰は$d+e+f$だけ減少する。

関税が課せられた状態と、関税が撤廃された状態について、それぞれ余剰分析してみよう（解説のため、下のグラフには問題に与えられた以外の領域にも記号を加えている）。

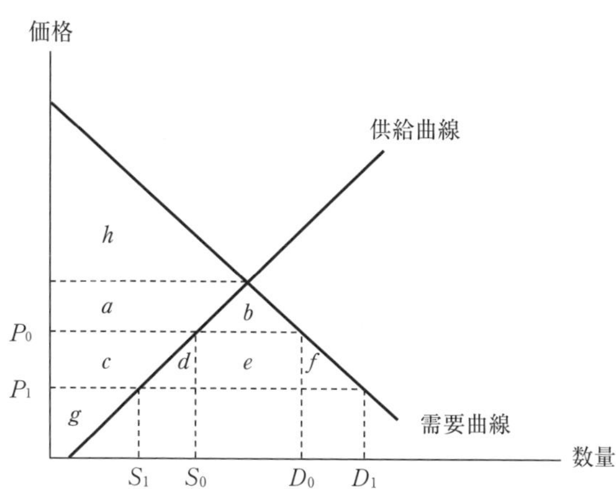

〈関税が課せられた状態〉

価格はP_0であり、そのもとでの需要量D_0と供給量S_0との差分であるD_0-S_0だけの数量が輸入される。

消費者余剰：$h+a+b$（需要曲線の下、価格P_0の上、需要量D_0の左の領域）

生産者余剰：$c+g$（供給曲線の上、価格P_0の下、供給量S_0の左の領域）

関税収入の余剰：e（1単位あたりの関税(P_0-P_1)×輸入量(D_0-S_0)）

ここで問題文より、関税収入は消費者に分配されるため、これも含めた消費者余剰は「$h+a+b+e$」となる。

〈関税が撤廃された状態〉

価格はP_1であり、そのもとでの需要量D_1と供給量S_1との差分であるD_1-S_1だけの数量が輸入される。

消費者余剰：$h+a+b+c+d+e+f$（需要曲線の下、価格P_1の上、需要量D_1の左の領域）

生産者余剰：g（供給曲線の上、価格P_1の下、供給量S_1の左の領域）

関税撤廃により、関税収入の余剰はなくなる。

以上をふまえて選択肢を見ていこう。

ア　○

関税収入は、当初eだったものがゼロになるため、eだけ減少している。

イ　×

消費者余剰と生産者余剰の合計は、「$a+b+c+e+g+h$」から「$a+b+c+d+e+f+g+h$」に変化したため、増加分は「**d＋f**」であることがわかる。

ウ　×

消費者余剰は、「$a+b+e+h$」から「$a+b+c+d+e+f+h$」に変化したため、増加分は「**c＋d＋f**」であることがわかる。

エ　×

生産者余剰は、「$c+g$」から「g」に変化したため、減少分は「**c**」であることがわかる。

　ア

講師より

財の輸入国に関税を賦課した場合の余剰分析です。本問では「関税収入は消費者に分配され」ていますが、それ以外は基本のパターンです。特に、国内の需要量、国内の供給量、輸入量の判別と、関税収入がどの部分で表されるかの判断がポイントです。

MEMO

問題 **22**　チェック欄▶ 1 ／ 2 ／ 3 ／

重要度 Ⓐ

独占市場の余剰分析

R6-17

下図は、ある財の生産販売を１社が完全に独占した市場を示している。この財の需要曲線がDであり、MCが生産者の限界費用、MRが同じく限界収入である。ここで、独占企業は利潤を最大化するように、価格と生産量を決定するものとする。

この図に基づき、独占均衡に関する記述の正誤の組み合わせとして、最も適切なものを下記の解答群から選べ。

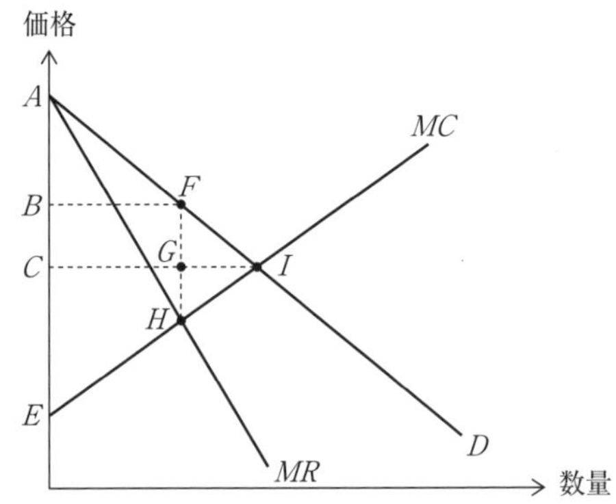

a　企業は価格をCとすることで利潤を最大化できる。

b　消費者余剰は、三角形ABFである。

c　生産者余剰は、四角形$CEHG$である。

d　このとき生じる死荷重は、三角形FGIである。

〔解答群〕

ア　a：正　b：正　c：誤　d：正

イ　a：正　b：誤　c：正　d：正

ウ　a：正　b：誤　c：正　d：誤

エ　a：誤　b：正　c：正　d：正

オ　a：誤　b：正　c：誤　d：誤

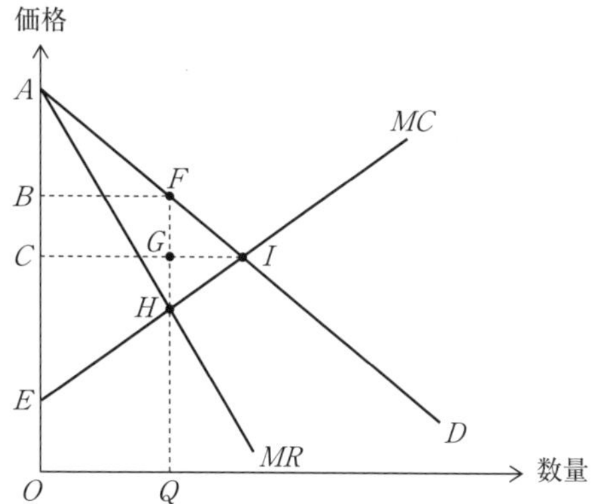

a　×

独占企業は、限界収入と限界費用が等しくなるように生産量を決める（独占企業の利潤最大化条件）。つまり、限界収入曲線MRと限界費用曲線MCの交点Hの生産量Qを決定する。

また、ある生産量のもとでの価格は需要曲線で決まる。いま生産量がQであるため、価格は需要曲線までの高さである**B**となる。

b　○

消費者余剰は、「消費者が支払うつもりのある総額－実際に支払った額」で計算される。

消費者が支払うつもりのある総額は、需要曲線の下側の面積で表されるため、四角形$AOQF$となる。一方実際に支払った額は、価格×数量＝$OB \times OQ$＝四角形$BOQF$である。

よって消費者余剰は、四角形$AOQF$－四角形$BOQF$＝三角形ABFとなる。

c　×

生産者余剰は、「収入－可変費用」で計算される。

収入は、価格×生産量＝$OB \times OQ$＝四角形$BOQF$で表される。一方可変費用は供給曲線の下側の面積で表されるため、四角形$EOQH$となる。

よって生産者余剰は、四角形$BOQF$－四角形$EOQH$＝**四角形BEHF**となる。

d　×

生じる死荷重は、独占市場の社会的総余剰と完全競争市場を想定した場合の社会的総余剰の差で考える。

独占市場では、bとcの結果から、社会的総余剰＝消費者余剰＋生産者余剰＝三角形ABF＋四角形$BEHF$＝四角形$AEHF$である。

また完全競争市場を想定した場合、市場均衡点は限界費用曲線（＝供給曲線）と需要曲線の交点である点Iで決まり、消費者余剰＝三角形ACI、生産者余剰＝三角形CEIであるため、社会的総余剰は、三角形ACI＋三角形CEI＝三角形AEIとなる。

以上より死荷重は、三角形AEI（完全競争市場の社会的総余剰）－四角形$AEHF$（独占市場の社会的総余剰）＝**三角形FHI**とわかる。

　**オ**

独占市場の利潤最大化条件と、そのときの価格がどこになるのかはしっかりと理解しておきましょう。また、完全競争を想定した場合の各余剰と、独占市場の各余剰の箇所をきちんと判断できるようにしておきましょう。

MEMO

問題 23　チェック欄▶ 1 ／ 2 ／ 3 ／

重要度 B　独占企業の利潤

H26-19

下図は、独占市場におけるある企業の短期の状況を描いたものである。ACは平均費用曲線、MCは限界費用曲線、Dは需要曲線、MRは限界収入曲線であり、独占企業が選択する最適な生産量は、MCとMRの交点で定まるWとなる。この図に関する説明として最も適切なものを下記の解答群から選べ。

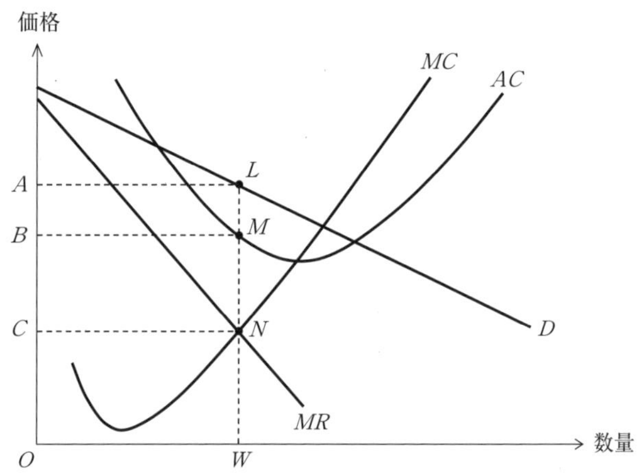

〔解答群〕

ア　この独占企業が得る利潤は、□$ALMB$で示される。

イ　この独占企業が得る利潤は、□$ALNC$で示される。

ウ　生産量Wのとき、限界収入曲線が平均費用を下回るため、□$BMNC$の損失が発生する。

エ　生産量Wのとき、需要曲線が平均費用を上回るため、□$ALMB$の損失が発生する。

解説

独占市場の場合、利潤最大化条件により「限界収入MR＝限界費用MCとなるように生産量を決める」ので、MRとMCが交わる点にて生産量Wが実現される（これはすでに問題文で示されている）。また、購買は最終的に消費者が決定するので、市場価格は需要曲線で決まる。すなわち、生産量Wにおける需要曲線を見ることにより、価格はAとなる。

選択肢より、価格A、生産量Wのもとでの利潤の大きさを考える（利潤がマイナスになれば、損失になる）。

利潤＝収入－費用なので、収入と費用をそれぞれ考える。

収入は価格×生産量なので、□$ALWO$に相当する。費用は平均費用AC×生産量であるが、生産量Wのもとでの平均費用はMまでの高さで表されるので、費用は□$BMWO$である。

したがって、利潤＝収入（□$ALWO$）－費用（□$BMWO$）＝□$ALMB$となり、**ア**が正解である。

正解　ア

講師より

独占企業の利潤最大化条件は、「限界収入MR＝限界費用MCとなるように生産量を決める」ことです。グラフでは、限界収入曲線MRと限界費用曲線MCの交点によって生産量が決まります。また、価格は需要曲線によって決まります。さらに平均費用曲線によって費用も決まるため、利潤が計算されます。

問題 **24** チェック欄▶ 1 ／ 2 ／ 3 ／

重要度Ⓐ ゲーム理論

H22-11

いま、A国とB国間の貿易において、各国が自由貿易を選択するか、それとも保護貿易を選択するか、を迫られているとする。下表は、このときの利得を表したものである。

両国が自由貿易を選択すれば、ともに40兆円の利益を得る。しかし、一方の国が保護貿易を選択すれば、当該国の利益は50兆円であるが、自由貿易を選択する他方の国の利益は８兆円である。さらに、両国が保護貿易を選択すれば、両国の利益はともに10兆円である。

下表の説明として、最も適切なものを下記の解答群から選べ。

		B国	
		保護貿易	自由貿易
A国	保護貿易	A国：10兆円 B国：10兆円	A国：50兆円 B国：８兆円
	自由貿易	A国：８兆円 B国：50兆円	A国：40兆円 B国：40兆円

〔解答群〕

ア 協力ゲームの解は、両国が保護貿易を選択することである。

イ ナッシュ均衡の解は、両国が保護貿易を選択することであり、パレート最適になる。

ウ 非協力ゲームの解は、両国が自由貿易を選択することである。

エ 両国が自由貿易協定を締結した場合、両国全体の利益は最大になる。

解説

ア ×

協力ゲームでは、お互いがこの利得表を見ながら両者の利益が最大化されるような行動を取ると考える。そうすると、当然お互い40兆円ずつの利益を獲得できるよう、両国とも**「自由貿易」を選択**するだろう。

イ ×

ナッシュ均衡とは、お互いが非協力ゲームを行った結果、両者の行動が一致する状態のことをいう。今回のケースでのナッシュ均衡を考えてみよう。

A国の立場で、相手（B国）が仮に保護貿易を行ったとする。このとき、A国は得られる可能性のある10兆円と８兆円を比べ、自らの利益がより高くなる「保護貿易」を選ぶはずである。また相手（B国）が仮に自由貿易を行ったとすると、A国は50兆円と40兆円を比べ、自らの利益が高くなる「保護貿易」を選ぶ。すなわち、A国は相手がどちらを選択しようが、必ず「保護貿易」を選ぶことになる（これを支配戦略という）。B国も同様に考えると、A国の出方によらず、必ず「保護貿易」を選択することがわかる（B国にとっても「保護貿易」が支配戦略となる）。

よって、非協力ゲームの結果、A国・B国とも「保護貿易」を選択することになり、結局、A国・B国がそれぞれ10兆円の利益を得る状態が実現される。これがナッシュ均衡である。なので、前半は正しい。

後半のパレート最適とは、それ以上全体の利益を増やすことができない状態をいうが、今の場合、お互いが協力してともに「自由貿易」を選択することで互いの利益をさらに増加させることができる。よって、ともに「保護貿易」を選んでいる状態は、**パレート最適ではない**ことになる。

なお、非協力ゲームの結果、パレート最適ではない状態に陥ることを囚人のジレンマという。

ウ ×

イで確認したとおり、非協力ゲームでは両国は「**保護貿易**」を選択する。

エ ○

これまで見てきたとおり、両国が話し合いにより「自由貿易」を選択するとき、両国全体の利益は最大となる。

正解　エ

講師より

ゲーム理論の問題では、非協調的行動（非協力ゲーム）によって、ナッシュ均衡がどこにあるのかを判断します。また、協調的行動（協力ゲーム）で実現される状況とナッシュ均衡を比較し、囚人のジレンマが発生しているかどうかを判断できることも重要です。また、支配戦略についても合わせて確認しておきましょう。

MEMO

問題 25　チェック欄▶ 1 ／ 2 ／ 3 ／

重要度 A

外部不経済

H22-15

ある財の生産において公害が発生し、私的限界費用線と社会的限界費用線が下図のように乖離している。ここで、政府は企業が社会的に最適な生産量を産出するように、1単位当たり$t=BG$の環境税の導入を決定した。その際、社会的な余剰は、どれだけ変化するか。最も適切なものを下記の解答群から選べ。

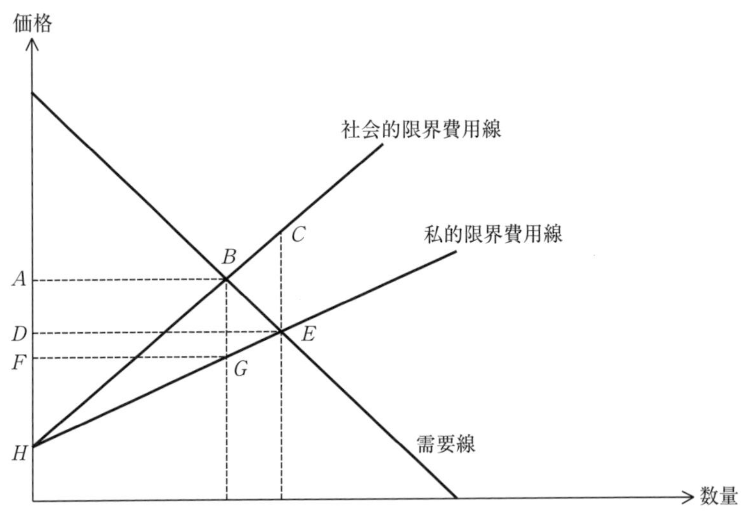

〔解答群〕

ア　三角形BCE分の増加

イ　三角形CEH分の減少

ウ　三角形CEH分の増加

エ　四角形$BCEG$分の減少

オ　四角形$BCEG$分の増加

解説

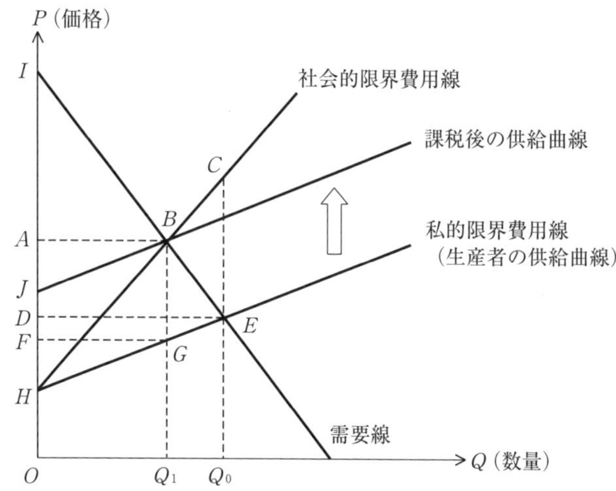

社会的に最適な生産量とは、需要線と社会的限界費用線が交わる点Bが実現する生産量（グラフのQ_1）である。これが実現するように、企業に1単位あたり$t=BG$の環境税（従量税）を課した結果、私的限界費用線（供給曲線に相当）がBGの長さだけ上方にシフトし、課税後の供給曲線はグラフのJBになる。

この課税の前後で、社会的総余剰がどう変化するのかを見ていこう。

〈課税前：均衡点E、数量Q_0、価格D〉

消費者余剰：$\triangle IDE$（支払うつもりのある額$\square IOQ_0E$－実際に支払った額$\square DOQ_0E$）

生産者余剰：$\triangle DHE$（収入$\square DOQ_0E$－可変費用$\square HOQ_0E$）

外部不経済：$\triangle CEH$

（外部不経済とは、公害の発生により社会が負担する費用（外部費用）とみなすことができ、マイナスの余剰として、余剰分析に組み入れる。なお、外部不経済の大きさは、私的限界費用線と社会的限界費用線で囲まれた部分に相当する）

社会的総余剰：$\triangle IDE + \triangle DHE - \triangle CEH = \triangle IHB - \triangle BCE$

〈課税後：均衡点B、数量Q_1、価格A〉

消費者余剰：$\triangle IAB$（支払うつもりのある額$\square IOQ_1B$－実際に支払った額$\square AOQ_1B$）

生産者余剰：$\triangle AJB$（収入$\square AOQ_1B$－税$\square JHGB$－可変費用$\square HOQ_1G$）

政府の余剰：$\square JHGB$（1単位あたりの税額JH（またはBG）×生産量OQ_1）

外部不経済：$\triangle HGB$

社会的総余剰：$\triangle IAB + \triangle AJB + \square JHGB - \triangle HGB = \triangle IHB$

以上より、環境税を導入した結果、社会的総余剰は△BCE分だけ改善されて（**増加**して）いることがわかる。

 ア

講師より

外部不経済の問題では、自由放任の場合（需要曲線と私的限界費用曲線で考えます）と社会的に望ましい場合（需要曲線と社会的限界費用曲線で考えます）それぞれで実現される供給量を確認します。そして、余剰分析では、外部不経済をマイナスの余剰として算入させます。なお、外部不経済は、私的限界費用曲線と社会的限界費用曲線で囲まれた部分で表されます。

MEMO

問題 26

チェック欄▶ 1 ／ 2 ／ 3 ／

重要度 B モラルハザード

R元-19

情報の非対称性がもたらすモラルハザードに関する記述として、最も適切なものの組み合わせを下記の解答群から選べ。

a 雇用主が従業員の働き具合を監視できないために従業員がまじめに働かないとき、この職場にはモラルハザードが生じている。

b 失業給付を増加させることは、失業による従業員の所得低下のリスクを減らすことを通じて、モラルハザードを減らす効果を期待できる。

c 食堂で調理の過程を客に見せることには、料理人が手を抜くリスクを減らすことを通じて、モラルハザードを減らす効果を期待できる。

d 退職金の上乗せによる早期退職の促進が優秀な従業員を先に退職させるとき、この職場にはモラルハザードが生じている。

〔解答群〕

ア aとb

イ aとc

ウ bとd

エ cとd

解説

「モラルハザード」とは、行動に関する情報の非対称性が存在する状況で、契約後に相手の行動を完全に知ることができないために、当初想定していたものとは異なる行動が取られることにより、契約の際に約束された条件が守られなくなることをいう。

a ○

モラルハザードの例そのものである。

b ×

失業給付を増加させ、失業による従業員の所得低下のリスクを減らせば、従業員の働く意欲は逆に低下すると考えられる。よって、モラルハザードを減らす効果は期待できないであろう。

c ○

調理の過程を客に見せることにより、料理人はきちんと美味しい料理を提供しようという意欲が生まれるであろう。よって、モラルハザードが軽減できるといえる。

d ×

退職金の上乗せによって優秀な従業員が先に退職した場合、これは**逆選択**が生じている。

以上より、**a**と**c**が正しく、**イ**が正解である。

講師より

モラルハザードは、行動に関する情報の非対称性が存在するときに発生し、契約のために当初の約束が正しく履行されない状況を指します。また、モラルハザードは、契約後に発生するという特徴があります。一方、逆選択は、性質に関する情報の非対称性が存在するときに発生し、良い財よりも悪い財が世に出回る状況を指します。逆選択は、契約前に発生するという特徴があります。

問題 27　チェック欄▶ 1 ／ 2 ／ 3 ／

重要度 B　GDPとGNP（GNI）の関係　H23-1

GDP（国内総生産）とGNP（国民総生産）の関係について、次の式の空欄にあてはまる最も適切なものを下記の解答群から選べ。

GDP＝GNP＋（　　　）

〔解答群〕

ア　海外からの要素所得受取－海外への要素所得支払

イ　海外への要素所得支払－海外からの要素所得受取

ウ　固定資本減耗＋間接税－補助金

エ　固定資本減耗＋補助金－間接税

解説

GDP（国内総生産）とは、日本国内で行われたすべての生産のことをいい、一方GNP（国民総生産）とは、日本人によって行われたすべての生産のことをいう（なお、GNPは現在GNI（国民総所得）という名称に変更されており、試験で問われる際は、GNIとして出題される。ただし、これらは同じものを指すと考えて差し支えない）。

つまりGDPを基準にすると、GDPに海外に住む日本人の生産（所得）を加え、日本国内で行われた外国人による生産（所得）を引いたものがGNP（GNI）になる。

すなわち、GNP（GNI）＝GDP＋「海外からの要素所得受取（海外に住む日本人が生み出した所得）」−「海外への要素所得支払（日本国内にいる外国人が生み出した所得）」の関係が成り立つ。

これを式変形すると、GDP＝GNP（GNI）＋「海外への要素所得支払」−「海外からの要素所得受取」となる。

イ

講師より

GDPとGNIの関係式は、単純暗記ではなく理屈として理解しておきたいです（Domestic＝国内、National＝国民）。また、GDPに関しては、帰属計算や三面等価の原則に関する問題も過去よく問われています。しっかり準備しておくようにしましょう。

問題 28

チェック欄▶ 1 ／ 2 ／ 3 ／

重要度 B デフレーション

H28-7

デフレーションからの脱却は、日本経済が抱える長年の課題である。デフレーションが経済に及ぼす影響として、最も適切なものはどれか。

ア デフレーションは、実質利子率を低下させる効果をもち、投資を刺激する。

イ デフレーションは、賃借契約における負債額の実質価値を低下させるので、債務を抑制する。

ウ デフレーションは、保有資産の実質価値の増加を通じて、消費を抑制する。

エ デフレーションは、名目賃金が財・サービスの価格よりも下方硬直的である場合には実質賃金を高止まりさせる。

解説

ア ×

デフレーションとは、継続的な物価下落のことをいう。また、実質利子率と名目利子率には、以下の関係がある（これをフィッシャー方程式という）。

実質利子率＝名目利子率－物価上昇率

デフレーション時は物価上昇率がマイナスとなるため、名目利子率が一定とすると、**実質利子率は上昇**することになる。

また、実質利子率が上昇すると企業が銀行からお金を借りる際のコストが増えるため、**投資が抑制される**。

イ ×

負債額の名目価値（額面上の値）は、物価水準の変化に対し以下の式で実質価値に変換することができる。

$$負債額の実質価値=\frac{負債額の名目価値}{物価水準}$$

よって、デフレーションによって物価水準が下がった場合、負債額の名目価値が一定であるとき、**実質価値は上昇する**。

このとき、実質的な債務の額が増えることになるため、新たな債務を抑制するようになる（よって後半は正しい）。

ウ ×

デフレーションは、**イ**で見たように負債の実質価値を高めるとともに、保有資産の実質価値を増加させる。資産の実質価値が上がった場合、保有する資産の実質額が増えるために、それだけ消費を増やそうとする心理がはたらくと考えられる（これを資産効果という）。よって、**消費は促進される**。

エ ○

「名目賃金が財・サービスの価格よりも下方硬直的」とは、「財・サービスの価格が下がった場合でも、名目賃金がそれ以下に下がりにくい」ということである。よって物価の下落に対し、実質賃金（＝名目賃金／物価）は高止まり（高い状態で維持されそれ以上は下がりにくい状態）する。

 **エ**

講師より

デフレーションとは継続的な物価下落のことで、貨幣等の資産や負債の実質価値を上昇させます。また物価水準は、物価変動の影響が含まれる名目値を、物価変動の影響を排除した実質値に変換するときにも使われます。実質値＝名目値／物価水準の関係式は、マクロ経済のさまざまな論点で登場するので、しっかりと覚えておきましょう。

MEMO

問題 29　チェック欄▶ 1 ／ 2 ／ 3 ／

重要度A 総需要曲線と45度線分析　H30-7

下図は45度線図である。総需要は$AD=C+I$（ただし、ADは総需要、Cは消費、Iは投資）、消費は$C=C_0+cY$（ただし、C_0は基礎消費、cは限界消費性向、YはGDP）によって表されるものとする。

この図に基づいて、下記の設問に答えよ。

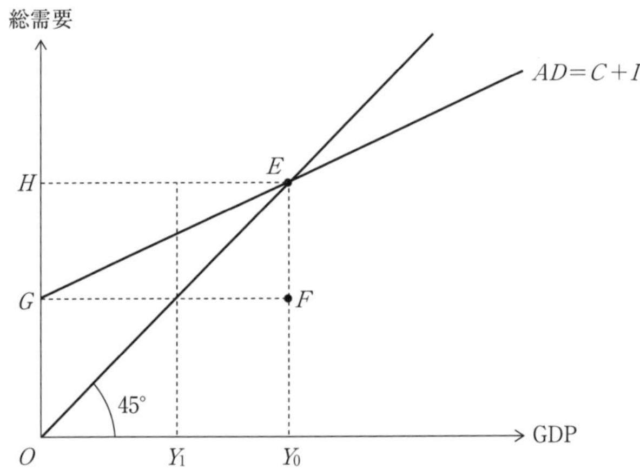

設問1

この図に関する記述として、最も適切なものはどれか。

ア　GDPがY_1であるとき、生産物市場にはGHだけの超過需要が生じている。

イ　均衡GDPの大きさはY_0であり、このときの総需要の大きさはOHである。

ウ　図中で基礎消費の大きさはOGで表され、これは総需要の増加とともに大きくなる。

エ　図中で限界消費性向の大きさは$\frac{EF}{FG}$で表され、これは総需要の増加とともに小さくなる。

設問2

均衡GDPの変化に関する記述として、最も適切なものはどれか。

ア　限界消費性向が大きくなると、均衡GDPも大きくなる。

イ　限界貯蓄性向が大きくなると、均衡GDPも大きくなる。

ウ　貯蓄意欲が高まると、均衡GDPも大きくなる。

エ　独立投資が増加すると、均衡GDPは小さくなる。

解説

設問1

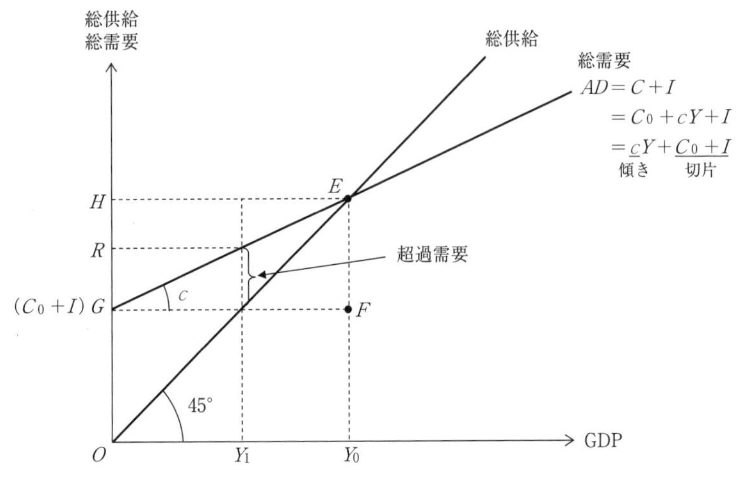

ア ✕

GDPがY_1であるとき、総需要がORの高さ、総供給がOGの高さとなるので、総需要が総供給を上回っており、超過需要である。ただ、その大きさは***RG***である。

イ ○

生産物市場が均衡する（総需要と総供給が一致する）のは、総需要曲線と総供給曲線が交わる点Eである。このときのGDPが均衡GDPで、その大きさはY_0である。またこのときの総需要は、総需要曲線の高さであるOHである（なお、総供給の大きさも同じくOHである）。

ウ ✕

総需要関数は、$AD=C+I$に消費関数$C=C_0+cY$を代入した、$AD=C_0+cY+I$である。横軸はGDPのYであるので、$\mathrm{AD}=cY+C_0+I$と書き直すことにより、総需要曲線の傾きがc、切片がC_0+Iとわかる。よって、OGの長さは**基礎消費＋投資**である。また、総需要が大きくなっても基礎消費は**不変で増加しない**。

エ ×

ウで見たように、限界消費性向は総需要曲線の傾きになるため、その大きさが$\frac{EF}{FG}$であることは正しい。ただ、この傾きは総需要によらず**一定**である（なお、平均消費性向は、総需要の増加とともに小さくなる）。

 **イ**

設問2

ア ○

設問1 **ウ**より、限界消費性向が大きくなれば、総需要関数の傾きが大きくなる。このとき、総供給曲線との交点はEから右上に移るため、均衡GDPは大きくなる。

イ ×

限界貯蓄性向が大きくなると、限界消費性向は小さくなる。よって、総需要曲線の傾きが小さくなるため、**ア**とは逆に、均衡GDPは**小さく**なる。

ウ ×

貯蓄意欲が高まるとは、裏を返せば消費意欲が抑えられるということである。このとき、限界消費性向は小さくなるため、**イ**と同様均衡GDPは**小さく**なる。

エ ×

独立投資Iが増加すると、総需要曲線の傾きが変わらないまま、切片が上方に動く（つまり、総需要曲線が上方にシフトする）。よって、総供給曲線との交点はEから右上に移動するため、均衡GDPは**大きく**なる。

 **ア**

講師より

45度に引かれた総供給曲線は動かないため、均衡GDPは総需要曲線がどう動くかで決まってきます。具体的には、総需要曲線の傾きと切片の動きによって、均衡点がどのように移動するのかを調べます。本問は、傾きが限界消費性向c、切片がC_0+Iというシンプルな形でしたが、設定によって変わるので注意しましょう。

問題 30

チェック欄▶ 1 ／ 2 ／ 3 ／

重要度A 乗数理論①

R6-7

生産物市場の均衡条件が以下のように表されるとき、減税の乗数効果を大きくするものとして、最も適切なものを下記の解答群から選べ。

生産物市場の均衡条件　$Y = C + I + G$

消費関数　$C = C_0 + c(Y - T)$

投資支出　$I = I_0$

政府支出　$G = G_0$

ただし、Yは所得、Cは消費支出、C_0は基礎消費、c $(0 < c < 1)$ は限界消費性向、Tは租税、Iは投資支出、Gは政府支出である。

[解答群]

ア　基礎消費の増加

イ　限界消費性向の上昇

ウ　限界貯蓄性向の上昇

エ　政府支出の増加

オ　投資支出の増加

減税の乗数効果とは、ある大きさの減税を行った場合に、その減少額の何倍も所得額が増加する効果のことである。

これを考えるために、租税と均衡所得の関係式を導く。

まず生産物市場の均衡条件$Y=C+I+G$の式に、消費関数$C=C_0+c(Y-T)$を代入する。

$$Y=C_0+c(Y-T)+I+G$$
$$=C_0+cY-cT+I+G$$

なお、投資支出と政府支出は変化しないものとして、$I=I_0$、$G=G_0$を当てはめる。

$$Y=C_0+cY-cT+I_0+G_0$$

次に、左辺にcYを移項し、最終的に「$Y=$」の形にする。

$$Y-cY=C_0-cT+I_0+G_0$$
$$(1-c)Y=C_0-cT+I_0+G_0$$
$$Y=\frac{1}{1-c}(C_0-cT+I_0+G_0)$$

これが均衡所得を表す式である。

これにより、租税の変化（ΔT）と所得の変化（ΔY）の関係は、次であることがわかる。

$$\Delta Y=-\frac{c}{1-c}\Delta T$$

つまり、減税の乗数効果が大きいとは、$\frac{c}{1-c}$が大きくなることである（この値を租税乗数という）。

ここで選択肢を見ると、**ア**、**エ**、**オ**は租税乗数に影響を与えないため、不適である。

選択肢**イ**について、限界消費性向cが上昇すると、分子のcが大きくなり分母の$1-c$が小さくなるため、租税乗数$\frac{c}{1-c}$は大きくなり、正解である。

なお**ウ**については、限界貯蓄性向が上昇すれば、限界消費性向は小さくなるため、**イ**と逆で租税乗数は小さくなる。

イ

生産物市場（財市場）の均衡式から均衡国民所得を導くまでの式変形は、自分でできることが望ましいです。そのうえで、投資、政府支出、租税が変化したときに、国民所得がどのように変化するか（乗数効果）を理屈として理解しておきましょう。

MEMO

問題 31

チェック欄▶ 1 ／ 2 ／ 3 ／

重要度Ⓐ 乗数理論②

R4-5

生産物市場の均衡条件が、次のように表されるとする。

生産物市場の均衡条件	$Y=C+I+G$
消費関数	$C=10+0.8Y$
投資支出	$I=30$
政府支出	$G=60$

ただし、Yは所得、Cは消費支出、Iは投資支出、Gは政府支出である。

いま、貯蓄意欲が高まって、消費関数が$C=10+0.75Y$になったとする。このときの政府支出乗数の変化に関する記述として、最も適切なものはどれか。

ア 貯蓄意欲が高まったとしても、政府支出乗数は4のままであり、変化しない。

イ 貯蓄意欲が高まったとしても、政府支出乗数は5のままであり、変化しない。

ウ 貯蓄意欲の高まりによって、政府支出乗数は4から5へと上昇する。

エ 貯蓄意欲の高まりによって、政府支出乗数は5から4へと低下する。

貯蓄意欲の高まりにより生産物市場（財市場）の消費関数が変化したとき、政府支出乗数がどのように変化するのか（あるいは変化しないのか）を問う問題である。

消費関数が$C=10+0.8Y$から$C=10+0.75Y$へと変化している。ここから限界消費性向が0.8から0.75に減少しており、それだけ消費が抑えられた、つまり貯蓄意欲が高まった、と解釈することができる。

変化前の政府支出乗数と変化後の政府支出乗数を、それぞれ計算して比較しよう。

まず変化前は、消費関数は$C=10+0.8Y$で与えられているため、生産物市場の均衡条件は、

$$Y=10+0.8Y+I+G$$

となる。この際、政府支出Gには与えられた値60を代入しないことがポイントである。

この式を変形すると、

$$0.2Y=10+I+G$$

$$Y=\frac{1}{0.2}(10+I+G)$$

$$=5(10+I+G)$$

となり、ここから政府支出乗数が5であることがわかる。

次に変化後は、消費関数は$C=10+0.75Y$となるため、生産物市場の均衡条件は、

$$Y=10+0.75Y+I+G$$

となる。この式を変形すると、

$$0.25Y=10+I+G$$

$$Y=\frac{1}{0.25}(10+I+G)$$

$$=4(10+I+G)$$

となり、ここから政府支出乗数が4であることがわかる。

よって、政府支出乗数は5から4へと低下している。

正解　エ

講師より

生産物市場（財市場）の均衡条件の式、および消費関数、投資支出、政府支出がそれぞれ与えられたときに、どのように政府支出乗数、投資乗数、租税乗数が導出できるのか、その手順を確認し、実際に導けるようにしておきましょう（場合によっては結論を覚えても結構です）。なお、消費関数において限界消費性向がどの部分かの判断も重要です。

MEMO

問題 32

チェック欄▶ 1 ／ 2 ／ 3 ／

重要度Ⓐ 均衡GDPと乗数理論①

H22-5

いま、家計、企業、政府から構成される閉鎖経済モデルを考える。ここで、各記号は、Y：GDP、C：消費支出、I：民間投資支出、G：政府支出、T：租税収入、C_0：独立消費を意味し、単位は兆円とする。また、cは限界消費性向とする。

生産物市場の均衡条件　$Y=C+I+G$

消費関数　$C=C_0+c(Y-T)$

$C_0=60$、$c=0.6$

民間投資支出　$I=120$

政府支出　$G=50$

租税収入　$T=50$

ここから得られる結果として、最も適切なものの組み合わせを下記の解答群から選べ。

a　均衡GDPは500兆円である。

b　均衡時における消費は330兆円、貯蓄は170兆円である。

c　均衡予算を編成した上で政府支出を５兆円増加させた場合、均衡GDPは５兆円増加する。

d　減税を５兆円規模で実施した場合、均衡GDPは12.5兆円増加する。

[解答群]

ア　aとb　**イ**　aとc　**ウ**　aとd

エ　bとc　**オ**　bとd

a ○

均衡GDPは、生産物市場（財市場のこと）の中の均衡条件の式の中のCに消費関数$C=C_0+c(Y-T)$を代入し、さらに与えられた値をすべて代入することで求められる。すなわち、

$$
\begin{aligned}
Y &= C_0+c(Y-T)+I+G \\
&= 60+0.6\times(Y-50)+120+50 \\
&= 0.6Y+200 \\
0.4Y &= 200 \\
Y &= 500
\end{aligned}
$$

よって、均衡GDPは500兆円となる。

---

b ×

均衡時における消費は、消費関数のYに**a**で求めた均衡GDPである500を代入すれば求まる。

$$
\begin{aligned}
C &= C_0+c(Y-T) \\
&= 60+0.6\times(500-50) \\
&= 330
\end{aligned}
$$

よって、前半は正しい。

次に貯蓄Sは、GDP（均衡GDP）から租税と消費を引く（租税も引かれることに注意）ことにより、

$$S=500-50-330=120$$

となり、**170にはならない。**

---

c ○

「均衡予算を編成した上で」とあるので、均衡予算乗数の定理が成り立つ（なお、均衡予算乗数の定理は定額税かつ貿易がないときに成立することに注意する）。

つまり、予算を均衡させる（政府支出をすべて租税でまかなう）形で政府支出を５兆円増加させた場合、均衡GDPも同額の５兆円増加する。

---

d ×

租税乗数を考えてみよう。均衡条件の式に限界消費性向cの値のみ代入

し、あとは文字のままで残して均衡GDPを計算する。すなわち、

$$
\begin{aligned}
Y &= C_0 + 0.6 \times (Y - T) + I + G \\
&= 0.6Y - 0.6T + C_0 + I + G \\
0.4Y &= -0.6T + C_0 + I + G \\
Y &= -1.5T + 2.5(C_0 + I + G)
\end{aligned}
$$

となる。

このTの係数が租税乗数を表しており、租税の変化量の1.5倍だけ均衡GDPが変化することがわかる（なお、係数の符号－は、租税の増減と均衡GDPの増減が逆の動きをすることを意味している）。

よって、減税を５兆円規模で実施した場合、均衡GDPは５×1.5＝**7.5兆円**増加する。

イ

講師より

均衡GDPを求めるには、財市場の均衡式である「総供給（常に国民所得Yと一致します）＝総需要」に、必要な数値をすべて代入し、国民所得Yを計算します。乗数の値を求めるためには、投資I、政府支出G、租税Tを文字のまま残し、Y＝の式に変形してやります。その結果の、IやGやTの係数が乗数の値になります。

MEMO

問題 33

チェック欄▶ 1 ／ 2 ／ 3 ／

重要度Ⓐ 均衡GDPと乗数理論②

H24-7

家計、企業、政府から構成される閉鎖経済モデルを考える。各記号は、Y：GDP、C：民間消費支出、I：民間投資支出、G：政府支出、T：租税収入を意味し、単位は兆円とする。

生産物市場の均衡条件	$Y = C + I + G$
消費関数	$C = 0.8(Y - T) + 20$
租税関数	$T = 0.25Y - 10$
民間投資支出	$I = 32$
政府支出	$G = 20$

このモデルから導かれる記述として、最も適切なものはどれか。

ア 生産物市場が均衡しているときのGDPは360兆円である。

イ 生産物市場が均衡しているときの財政収支（$T - G$）は、30兆円の赤字になる。

ウ 政府支出乗数は5である。

エ 政府支出を10兆円拡大させると、生産物市場が均衡しているときのGDPは25兆円増加する。

解説

問題32では、租税が$T=50$と一定であった（定額税）。本問は、租税が$T=0.25Y-10$とGDPによって変化するケース（定率税）を扱っている。

ア ×

均衡GDPは、生産物市場（財市場のこと）の均衡条件に消費関数と租税関数を代入し、与えられた数値をすべて代入することで計算できる。

$$
\begin{aligned}
Y &= 0.8(Y-T)+20+32+20\\
&= 0.8\{Y-(0.25Y-10)\}+72\\
&= 0.8\times 0.75Y+80\\
&= 0.6Y+80\\
0.4Y &= 80\\
Y &= 200
\end{aligned}
$$

よって、**360兆円ではない**。

イ ×

生産物市場が均衡しているとき、租税Tは、均衡GDPである200兆円を租税関数に代入することで

$$T=0.25\times 200-10=40$$

となる。よって、財政収支（$T-G$）は

$$T-G=40-20=\mathbf{20}$$

の**黒字**になる。

ウ ×

政府支出乗数は、与えられた均衡式を文字のまま変形して均衡国民所得を計算することで求められる。

$$
\begin{aligned}
Y &= 0.8\{Y-(0.25Y-10)\}+20+I+G\\
&= 0.8\times 0.75Y+8+20+I+G\\
&= 0.6Y+28+I+G\\
0.4Y &= 28+I+G\\
Y &= 2.5(28+I+G)
\end{aligned}
$$

これは、政府支出の変化量の2.5倍均衡GDPが変化することを意味している。すなわち、政府支出乗数は**2.5**である。

エ　○

ウで求めたとおり、政府支出乗数は2.5なので、政府支出を10兆円拡大させると、均衡GDPは10×2.5＝25兆円増加する。

　**エ**

講師より

考え方としては問題32と同様ですが、本問は定率税のパターンになっています。財市場の均衡条件から均衡GDPを求める問題、また、乗数効果に関する問題は最頻出事項なので、類題を多く解いて確実に身につけておきましょう。

MEMO

問題 34

チェック欄▶ 1 ／ 2 ／ 3 ／

重要度 B　均衡GDPと乗数理論③

H23-6

いま、家計、企業、政府、外国から構成される経済モデルを考える。各々の記号は、Y：GDP、C：消費支出、I：民間投資支出、G：政府支出、T：租税収入、X：輸出、M：輸入、C_0：独立消費、M_0：独立輸入であり、単位は兆円とする。また、c：限界消費性向、m：限界輸入性向である。

生産物市場の均衡条件	$Y=C+I+G+X-M$
消費関数	$C=C_0+c(Y-T)$
	$C_0=50,\ c=0.6$
民間投資支出	$I=110$
政府支出	$G=50$
租税収入	$T=50$
輸　出	$X=80$
輸入関数	$M=M_0+mY$
	$M_0=10,\ m=0.1$

このモデルから導かれる記述として最も適切なものはどれか。

ア　均衡GDPは600兆円である。

イ　減税が５兆円の規模で実施された場合、均衡GDPは６兆円増加する。

ウ　政府支出が５兆円増加した場合、均衡GDPは12.5兆円増加する。

エ　輸出が10兆円減少した場合、均衡GDPは20兆円増加する。

解説

本問は、需要項目に輸出入が含まれており、また輸入関数がGDPの影響を受けるケースである。これまでと同様、与えられた式と数値を必要に応じて代入して考える。

選択肢をざっと見ると、**ア**は均衡GDPを求める問題、**イ・ウ・エ**は乗数を求める問題である。

ア ×

均衡GDPを求めるには、すべての数値を代入する必要がある。式をたどっていこう。

$$
\begin{aligned}
Y &= C+I+G+X-M \\
&= C_0+c(Y-T)+I+G+X-(M_0+mY) \\
&= 50+0.6(Y-50)+110+50+80-(10+0.1Y) \\
&= 0.5Y+250 \\
0.5Y &= 250 \\
Y &= 500
\end{aligned}
$$

よって、均衡GDPは**600兆円ではない**。

イ ○、ウ ×、エ ×

乗数を求めるためには、Yの係数に含まれる限界消費性向cと限界輸入性向mの数値についてのみ代入し、あとは文字で残したまま式変形する。

$$
\begin{aligned}
Y &= C+I+G+X-M \\
&= C_0+c(Y-T)+I+G+X-(M_0+mY) \\
&= C_0+0.6Y-0.6T+I+G+X-M_0-0.1Y \\
Y-0.6Y+0.1Y &= C_0-0.6T+I+G+X-M_0 \\
0.5Y &= -0.6T+I+G+X+C_0-M_0 \\
Y &= -1.2T+2(I+G+X+C_0-M_0)
\end{aligned}
$$

これより、租税乗数は-1.2（大きさは1.2）、政府支出乗数と輸出の乗数は2であることがわかる。

これをもとに、**イ**、**ウ**、**エ**の選択肢を確認していこう。

租税が５兆円減少した場合、均衡GDPはその1.2倍の５×1.2＝６兆円増加する。よって、**イ**は正しい。

政府支出が５兆円増加した場合、均衡GDPはその２倍の５×２＝**10兆円**増加する。よって、**ウ**は誤りである。

輸出が10兆円減少した場合、均衡GDPはその２倍の10×２＝20兆円**減少**する。よって、**エ**は誤りである。

講師より

本問は、需要項目に輸出*X*と輸入*M*が含まれており、かつ輸入*M*がGDP（国民所得）の影響を受けるパターンの問題です。やや複雑な式変形になりますが、処理が増えるだけで基本的な解き方は同じです。このような問題にも対応したいところです。

MEMO

問題 35

チェック欄▶ 1 ／ 2 ／ 3 ／

重要度 B デフレギャップ

H25-3

いま、総需要Dは、GDPをYとするとき、$D=50+0.8Y$で与えられるものとする。完全雇用GDPを300としたときの説明として最も適切なものはどれか。

ア 均衡GDPは250であり、10のインフレギャップが生じている。

イ 均衡GDPは250であり、10のデフレギャップが生じている。

ウ 均衡GDPは250であり、50のデフレギャップが生じている。

エ 均衡GDPは300であり、50のインフレギャップが生じている。

解説

まず、均衡GDPを求めよう。

均衡GDPは、総供給S＝総需要Dを考える。総供給はつねにGDPと等しく$S=Y$、総需要は与えられた$D=50+0.8Y$より

$$Y=50+0.8Y$$
$$0.2Y=50$$
$$Y=250$$

よって、**均衡GDPは250**である。

インフレギャップかデフレギャップかの判断は、完全雇用GDPのもとでの総需要と総供給の大小関係によって求められる。

完全雇用GDPにおいて総需要が総供給を上回る場合、経済全体の供給能力よりも需要が超過している。このとき十分な生産が追いつかず、価格が上昇（インフレ）する圧力がかかる。この状態での需要と供給のかい離を、インフレギャップという。

一方、完全雇用GDPにおいて総供給が総需要を上回る場合、需要が経済全体の供給能力に満たない状態である。この場合、生産したモノに売れ残りが発生し、価格が下落（デフレ）する圧力がかかる。この状態での供給と需要のかい離をデフレギャップという。

いま完全雇用GDPは300なので、このもとでの総需要は、

$$D=50+0.8\times300=290$$

である。また、総供給はつねにGDPと等しいので、完全雇用GDP300のもとでの総供給は、300となる。

よって、総供給300＞総需要290であるため、デフレギャップが発生する。またその大きさは、総供給と総需要の差から、**10**であることがわかる。

イ

なお、本問の状況をグラフで表すと、次のように表される。

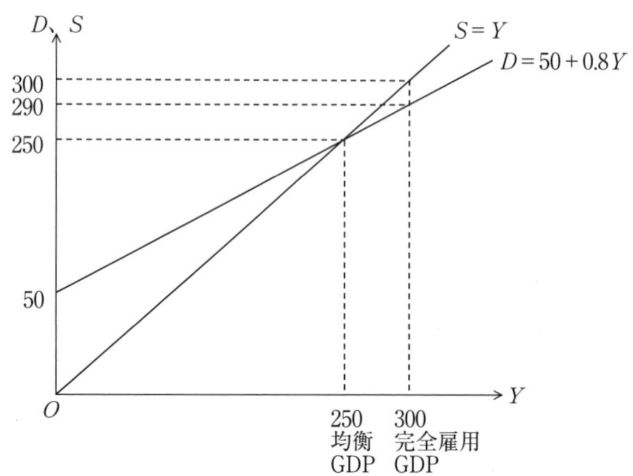

講師より

インフレギャップやデフレギャップは、完全雇用国民所得が実現した場合の総需要と総供給の差で判断します。需要が供給を上回るとき、市場は過熱状態にありインフレギャップが発生します。また供給が需要を上回るとき、需要が冷え込んでいる状態でデフレギャップとなります。

MEMO

問題 36

チェック欄▶ 1 ／ 2 ／ 3 ／

重要度 Ⓐ マネタリーベース

H29-7

2016年９月、日本銀行は金融緩和強化のための新しい枠組みとして「長短金利操作付き量的・質的金融緩和」を導入した。この枠組みでは、「消費者物価上昇率の実績値が安定的に２％を超えるまで、マネタリーベースの拡大方針を継続する」こととされている。

マネタリーベースに関する記述として、最も適切なものの組み合わせを下記の解答群から選べ。

a マネタリーベースは、金融部門から経済全体に供給される通貨の総量である。

b マネタリーベースは、日本銀行券発行高、貨幣流通高、日銀当座預金の合計である。

c 日本銀行による買いオペレーションの実施は、マネタリーベースを増加させる。

d 日本銀行によるドル買い・円売りの外国為替市場介入は、マネタリーベースを減少させる。

〔解答群〕

ア aとc　　**イ** aとd　　**ウ** bとc　　**エ** bとd

解説

a ×

金融部門から経済全体に供給される通貨の総量を、**マネーサプライ**（またはマネーストック）という。マネタリーベース（またはハイパワードマネー）とは、中央銀行（日本銀行）が直接供給する通貨のことである。

---

b ○

aで確認したように、マネタリーベースは、日本銀行が直接市中に供給する通貨のことをいう。これは結局、流通現金（日本銀行券発行高（紙幣）＋貨幣流通高（硬貨））と日銀当座預金として振り分けられる。

---

c ○

買いオペレーションとは、日本銀行が市中から国債などの債券を買うことをいう。このとき、債券を買った対価として市中に現金を供給するため、マネタリーベースは増加する。

---

d ×

日本銀行がドル買い・円売りを行った場合、市中に円が供給されることになる。よって、マネタリーベースは**増加**する。

正解 ウ

講師より

マネタリーベースに関する基本的な問題です。各選択肢の正誤判断をしっかりできる状態にしておきましょう。

問題 37

チェック欄▶ 1 ／ 2 ／ 3 ／

重要度 Ⓐ 金融政策

H24-8設問1

金融政策に関する記述として、最も適切なものの組み合わせを下記の解答群から選べ。

a 貨幣の供給メカニズムで中央銀行が直接的に操作するのは、マネタリーベース（ハイパワードマネー）というよりも、マネーサプライ（マネーストック）である。

b 市中銀行の保有する現金を分子、預金を分母とする比率が上昇すると、信用乗数（貨幣乗数）は上昇する。

c 市中銀行から中央銀行への預け金を分子、市中銀行の保有する預金を分母とする比率が上昇すると、信用乗数（貨幣乗数）は低下する。

d 信用乗数（貨幣乗数）は、分子をマネーサプライ（マネーストック）、分母をマネタリーベース（ハイパワードマネー）として算出される比率のことである。

〔解答群〕

ア aとb　　**イ** aとd　　**ウ** bとc　　**エ** cとd

解説

a ×

中央銀行が直接的に操作するのは、マネーサプライ（マネーストック）というよりも、**マネタリーベース**（ハイパワードマネー）である（本肢はこれらが逆になっている）。

b ×

市中銀行の保有する現金を分子、預金を分母とする比率が上昇するとき、分母の預金が小さくなり、分子の市中銀行が保有する現金が大きくなる。よって、民間の預金が少なくなり、市中銀行による融資も少なくなる。このため、預金によるお金の回転の連鎖（信用創造）が起こりにくくなることから、信用乗数（貨幣乗数）は**低下する**。

c ○

市中銀行から中央銀行への預け金を分子、市中銀行の保有する預金を分母とする比率を準備預金比率（または準備率）という。この数値が上昇するとき、分子の中央銀行への預け金が大きくなり、分母の市中銀行が保有する預金が小さくなるため、市中に存在する現金が少なくなることになる。よって、市中の貨幣の回りは弱くなるため、信用乗数（貨幣乗数）は低下する。

d ○

信用乗数（貨幣乗数）とは、中央銀行が直接供給するマネタリーベース（ハイパワードマネー）の何倍、世の中を回る貨幣（マネーサプライ（マネーストック））が存在するかを表しており、分子がマネーサプライ（マネーストック）、分母がマネタリーベース（ハイパワードマネー）で算出される。

エ

講師より

マネタリーベース（ハイパワードマネー）、マネーサプライ（マネーストック）と信用乗数（貨幣乗数）の理解を問う問題です。それぞれの意味と関係性を押さえるとともに、信用乗数がどのような場合に上昇し、どのような場合に低下するのか、イメージとともに判断できるようにしておきましょう。

問題 38

チェック欄▶ 1 ／ 2 ／ 3 ／

重要度 B 貨幣市場と債券市場

H25-6

資産は貨幣と債券の２つから構成されており、貨幣に利子は付かないと想定する。

貨幣供給量を増加させた場合、これが企業の設備投資や家計の住宅投資に与える影響に関する説明として、以下の⑴と⑵において、最も適切なものの組み合わせを下記の解答群から選べ。ただし、資産市場ではワルラス法則が成立しているものとする。

⑴ 債券市場では、

a 超過需要が発生し、債券価格が上昇することで、利子率が低下する。

b 超過供給が発生し、債券価格が下落することで、利子率が上昇する。

⑵ ⑴における利子率の変化により、

c 債券から貨幣への需要シフトが起こり、また投資を行う際に必要な資金調達コストが低下するため、投資が促進される。

d 貨幣から債券への需要シフトが起こり、また投資を行う際に必要な資金調達コストが上昇するため、投資が減退する。

〔解答群〕

ア ⑴：a ⑵：c **イ** ⑴：a ⑵：d

ウ ⑴：b ⑵：c **エ** ⑴：b ⑵：d

解説

(1)貨幣供給量を増加させたとき、貨幣需要量が変化しないとすると、貨幣市場は超過供給の状態になる。

資産が貨幣と債券の2つから構成されているため、貨幣市場が超過供給であるとき、債券市場は**超過需要**の状態になる（これが問題文中にあるワルラス法則である）。一般に需要が増加するとその価値は増加するため、**債券価格は上昇**する。

また、債券価格が上昇すると債券価格に対する利子の割合は低下する。すなわち、**利子率は低下**する。

よって、**a**は正しく、**b**が誤りとなる。

(2)貨幣市場・債券市場はともに均衡に向かおうとするため、(1)の変化後、貨幣市場では超過供給を解消する方向、つまり貨幣需要が増加する方向に、債券市場では超過需要を解消する方向、つまり債券需要が減少する方向に圧力がかかる。すなわち、**債券から貨幣へと需要シフトが起こる**。

また、利子率とは投資を行う際の資金調達コストであり、(1)によりこれが低下したため、財市場では企業が借入を行いやすくなり**投資が促進される**。

よって、**c**は正しく、**d**が誤りとなる。

 ア

講師より

貨幣市場と債券市場の関連性、また債券価格と利子率の関連性について、しっかり押さえておきましょう。また、利子率の上下動が貨幣市場、財市場においてそれぞれどのような影響を与えるのかを整理しておきましょう。

問題 39 チェック欄▶ 1 ／ 2 ／ 3 ／

重要度Ａ ＩＳ-ＬＭ分析①

H29-9設問1

下図は、*IS*曲線と*LM*曲線を描いている。この図に基づいて、下記の設問に答えよ。

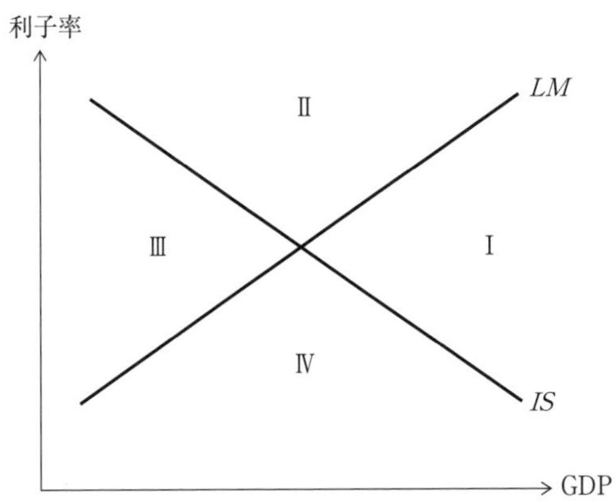

*IS*曲線、*LM*曲線は、それぞれ生産物市場と貨幣市場を均衡させるGDPと利子率の関係を表している。下記の記述のうち、最も適切なものはどれか。

ア　Ⅰの領域では、生産物市場が超過需要であり、貨幣市場が超過供給である。

イ　Ⅱの領域では、生産物市場と貨幣市場がともに超過供給である。

ウ　Ⅲの領域では、生産物市場と貨幣市場がともに超過需要である。

エ　Ⅳの領域では、生産物市場が超過供給であり、貨幣市場が超過需要である。

解説

*IS*曲線は、生産物市場（財市場のこと）の需要と供給が等しくなるGDPと利子率の組み合わせを描いたもので、***IS*曲線の上側は生産物市場が超過供給**、下側は生産物市場が超過需要の状態を表している。

*LM*曲線は、貨幣市場の需要と供給が等しくなるGDPと利子率の組み合わせを描いたもので、***LM*曲線の上側は貨幣市場が超過供給**、下側は貨幣市場が超過需要の状態を表している。

以上より、正しい選択肢は、**イ**である。

イ

*IS*曲線上の点はすべて財市場が均衡している状態で、*LM*曲線上の点はすべて貨幣市場が均衡している状態です。ですので、ここから外れた点（国民所得と利子率の組み合わせ）では、財市場や貨幣市場は、需要か供給のどちらかが超過しています。その理由とともに結論を押さえておきましょう。

問題 40

チェック欄▶ 1 ／ 2 ／ 3 ／

重要度 A

ＩＳ-ＬＭ分析②

H28-11設問1

財政・金融政策の効果を理解するためには、*IS-LM*分析が便利である。*IS*曲線と*LM*曲線が下図のように描かれている。下記の設問に答えよ。

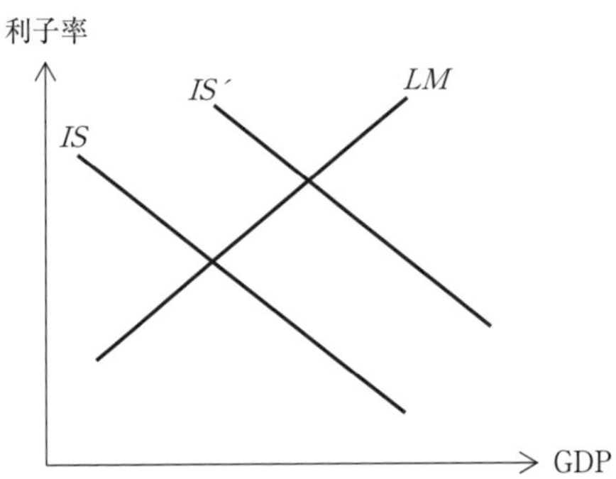

*IS*曲線と*LM*曲線の傾きに関する説明として、最も適切なものはどれか。

ア　*IS*曲線は、限界消費性向が大きいほど、より緩やかに描かれる。

イ　*LM*曲線は、貨幣の利子弾力性が小さいほど、より緩やかに描かれる。

ウ　利子率が高くなるほど貨幣需要が拡大すると考えており、したがって*LM*曲線は右上がりとなる。

エ　利子率が高くなるほど投資需要が拡大すると考えており、したがって*IS*曲線は右下がりとなる。

解説

教科書 Ch2 Sec4、Ch3 Sec3

*IS*曲線、*LM*曲線の傾きの大きさと、形状についての問題である。

ア ○

限界消費性向が大きいほど、*IS*曲線の傾きは緩やかになる。

イ ×

貨幣需要の利子率弾力性が小さいほど、*LM*曲線の傾きは**急**になる。

ウ ×

利子率が高くなると、債券の需要が高まるため、**貨幣の（投機的）需要は減少する**。つまり、この段階で貨幣市場は超過供給の状態になる。

これを解消し貨幣市場を均衡に戻すために、貨幣需要が増加する必要がある。すなわち、貨幣の取引需要が増える。貨幣の取引需要はGDPの増加関数であるため、その結果GDPが増加する。

つまり、利子率が高くなればGDPが増加するため、*LM*曲線は右上がりとなる（よって、後半は正しい）。

エ ×

利子率が高くなると企業の借入コストが増えるため、投資需要は**減少する**。よってこの時点で、財市場は超過供給の状態になる。これを解消し財市場を均衡に戻すために財の供給が抑えられ、GDPが減少する。

つまり、利子率が高くなればGDPが減少するため、*IS*曲線は右下がりとなる（よって、後半は正しい）。

ア

講師より

*IS*曲線、*LM*曲線の形状と、どのような場合に傾きが急になり、緩やかになるのかをしっかり押さえておきましょう。その際に、単純な結論の暗記だけでなく、**なぜそのような結論になるのかの過程をしっかり理解しておく**ことも、得点力アップのために重要です。

問題 41

チェック欄▶ 1 ／ 2 ／ 3 ／

重要度 Ⓐ ＩＳ-ＬＭ分析③

H24-9

*IS-LM*モデルでは、横軸にGDP、縦軸に利子率をとり、*IS*曲線と*LM*曲線を描く。*IS*曲線と*LM*曲線の形状とシフトに関する説明として、最も適切なものはどれか。

ア GDPが増えると貨幣の取引需要も大きくなることから、貨幣市場の均衡利子率は低くなり、*LM*曲線は右上がりに描かれる。

イ 貨幣供給量を増やすと、貨幣市場を均衡させる利子率が低下することから、*LM*曲線は上方向にシフトする。

ウ 政府支出を拡大させると、生産物の供給も拡大することから、*IS*曲線は右方向にシフトする。

エ 利子率が高い水準にあると投資水準も高くなると考えられることから、生産物市場の均衡を表す*IS*曲線は、右下がりに描かれる。

オ 流動性のわなが存在する場合、貨幣需要の利子弾力性がゼロになり、*LM*曲線は水平になる。

解説

ア ×

GDPが増えると貨幣市場において貨幣の取引需要が大きくなるため、この時点で貨幣市場は超過需要の状態になる。これを解消し貨幣市場を均衡させるように、貨幣の投機的需要が抑えられる。そのために債券需要が高くなり、**貨幣市場の均衡利子率が高くなる**。すなわち、貨幣市場においてGDPが増えると利子率が上昇するため、*LM*曲線は右上がりに描かれる。

イ ×

貨幣供給量を増やすと、GDPが一定のもとで利子率が低下するため、*LM*曲線は**下方向**（右方向）にシフトする。

ウ ○

政府支出を拡大させると、利子率が一定のもとで生産物市場の需要が増えるため、生産物の供給も増加し、GDPも増加する。よって、*IS*曲線は右方向にシフトする。

エ ×

利子率が高い水準にあると、企業の借入コストが増えるため、**投資水準は低くなる**。よって、生産物市場の需要が抑えられ、それに伴いGDPも低くなる。その結果、*IS*曲線は右下がりに描かれることになる。

オ ×

流動性のわなが存在するとき、**貨幣需要の利子弾力性は無限大**になる。貨幣需要の利子率弾力性が大きいほど*LM*曲線の傾きは小さくなることから、流動性のわなの状態では、*LM*曲線は水平になる。

正解 ウ

講師より

*IS*曲線、*LM*曲線の形状やシフト、流動性のわなに関する問題です。結論を覚えておくことはもちろん、なぜそうなるのかの理由まで押さえておきましょう。

問題 42

チェック欄▶ 1 ／ 2 ／ 3 ／

重要度 A　IS-LM分析④

R3-6

下図は、*IS*曲線と*LM*曲線を描いている。この図に基づいて、下記の設問に答えよ。

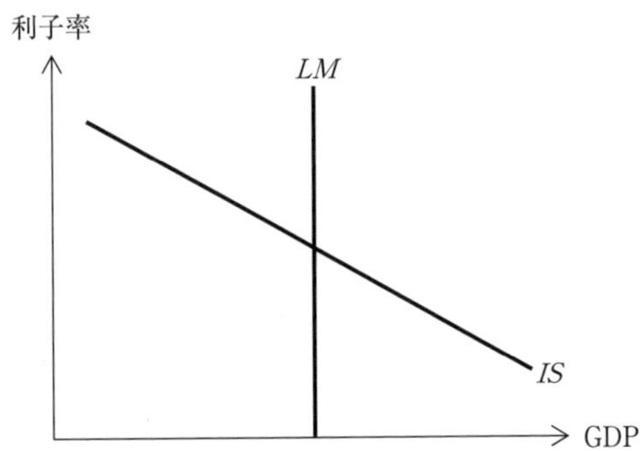

設問 1

*LM*曲線が垂直になる例として、最も適切なものはどれか。

ア　貨幣需要の利子弾力性がゼロである。

イ　貨幣需要の利子弾力性が無限大である。

ウ　投資需要の利子弾力性がゼロである。

エ　投資需要の利子弾力性が無限大である。

設問2

LM曲線が垂直であるときの財政政策と金融政策の効果に関する記述として、最も適切な組み合わせを下記の解答群から選べ。なお、ここでは物価水準が一定の短期的な効果を考えるものとする。

a 政府支出を増加させると、完全なクラウディング・アウトが発生する。
b 政府支出を増加させると、利子率の上昇を通じた投資支出の減少が生じるが、GDPは増加する。
c 貨幣供給を増加させると、利子率の低下を通じた投資支出の増加が生じるが、GDPは不変である。
d 貨幣供給を増加させると、利子率の低下を通じた投資支出の増加によって、GDPは増加する。

〔解答群〕

ア aとc　**イ** aとd　**ウ** bとc　**エ** bとd

解説

設問1

*LM*曲線の傾きは、貨幣需要の利子弾力性に影響される。貨幣需要の利子弾力性が大きい場合に*LM*曲線の傾きは緩やかに（小さく）なり、逆に、貨幣需要の利子弾力性が小さい場合に*LM*曲線の傾きは急に（大きく）なる。

本問の*LM*曲線は垂直であり、これは傾きが限りなく大きい（無限大である）ことを表している。このとき、貨幣需要の利子弾力性は限りなく小さく（ゼロに）なる。

よって、**ア**が正解である。

ア

設問2

a ○ **b** ×

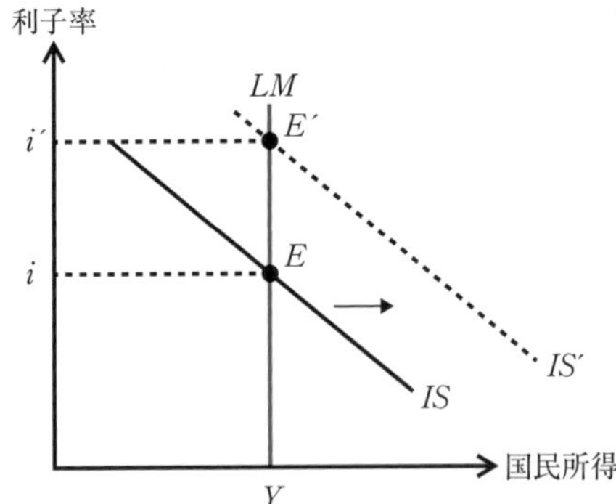

政府支出が増加すると、*IS*曲線が右方にシフトする。その結果、図より均衡点は*E*から*E′*へと真上に移動するため、GDPは変化せず、利子率がiからi'へと上昇していることがわかる。つまりGDPは増加しないので、**b**は誤りである。

これは、政府支出の増加（拡張的財政政策）によって増加したGDPが、利子率の上昇による投資の抑制によりすべて打ち消された状態であり、完全なクラウディング・アウトが発生している状態である。よって**a**は正しい。

---

c ✖ **d** ○

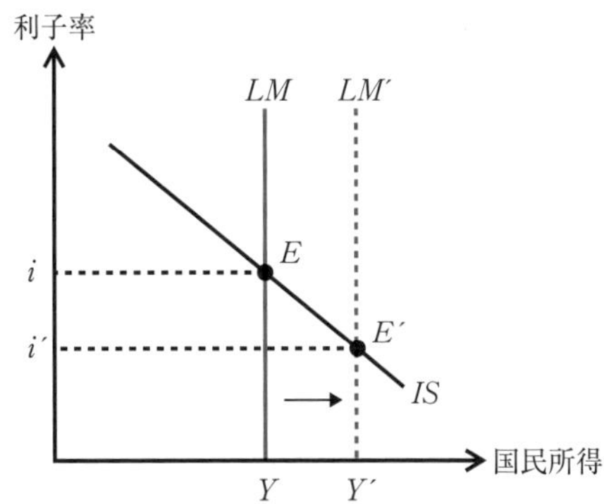

貨幣供給が増加すると、*LM*曲線が右方にシフトする。その結果、図より均衡点はEからE'に移動するため、GDPはYからY'へと増加し、利子率はiからi'へと低下することがわかる。つまりGDPは増加するので、**c**は誤りである。

また、このGDPの増加は、利子率の低下により投資支出が増加するためである。よって**d**は正しい。

以上より、**a**と**d**が正しく、正解は**イ**である。

講師より

*IS*曲線や*LM*曲線の傾きが、どんな要因によって大きくなったり小さくなったりするのかは頻出ですので、確実に押さえておきましょう。また、*IS*曲線・*LM*曲線が垂直や水平といった特殊なケースで、利子率や国民所得がどう変化するかの判断ができるとともに、クラウディング・アウトや流動性のわなについても確認しておきましょう。

問題 43

チェック欄▶ 1 ／ 2 ／ 3 ／

重要度 Ⓐ クラウディング・アウト

H26-5

以下の２つの図は、標準的な*IS-LM*分析の図である。両図において、初期状態が*IS*と*LM*の交点であるE_0として与えられている。政府支出の増加によって*IS*が*IS'*に変化したとき、以下の両図に関する説明として最も適切なものを下記の解答群から選べ。

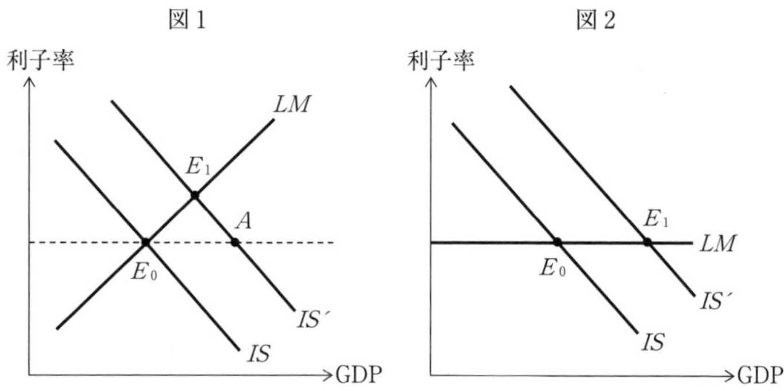

〔解答群〕

ア　図１が示すところによれば、政府支出の増加による総需要刺激効果は、クラウディング・アウトによって完全に相殺されている。

イ　図１で点*A*から点E_1までの動きは、「流動性の罠」と呼ばれる状況が生じていることを示している。

ウ　図１で点E_0から点*A*までの動きは、政府支出の増加によるクラウディング・アウトの効果を示している。

エ　図２では、政府支出の増加によって利子率が上昇することを示している。

オ　図２では、政府支出の増加によるクラウディング・アウトは発生していない。

解説

*IS-LM*分析で頻出の、クラウディング・アウトと「流動性の罠」についての問題である。

図1

通常の*IS*曲線・*LM*曲線が描かれており、政府支出の増加（拡張的財政政策）によって*IS*曲線が*IS*から*IS'*へと右にシフトしている。

拡張的な財政政策によって増加したGDPは、点E_0から点Aの動きで表される。ところがいま、貨幣市場も同時に考えているため、政府支出の増加によってGDPが増加したために、貨幣市場の均衡を保つように利子率が上昇することになる。この利子率の上昇により財市場の投資が抑制され、GDPが押し戻されているのがわかる（点Aから点E_1への動き）。この現象を、クラウディング・アウトという。

ア ×

政府支出の増加によっていったん点Aまで上昇したGDPは、クラウディング・アウトにより、点E_1の水準まで押し戻されている。ただ、初期状態（点E_0）に比べると、GDPは増えており、総需要刺激効果は**完全に相殺されているわけではない**。

イ ×

「流動性の罠」とは、貨幣市場において、利子率が最低水準まで下がっており、誰も資産を債券で持とうとせず、すべて貨幣で保有している状態である。このとき、貨幣需要の利子率弾力性が無限大となり、*LM*曲線は水平になる（図２の*LM*曲線が「流動性の罠」が発生している状態である）。点Aから点E_1までの動きは、これとはまったく関係ない（正しくは、点Aから点E_1までの動きは、**クラウディング・アウト**を示している）。

ウ ×

イで見たとおり、政府支出の増加によるクラウディング・アウトの効果を表しているのは、**点Aから点E_1まで**の動きである。

図2

イで触れたとおり、*LM*曲線が水平であることから、「流動性の罠」が生じている状態であることがわかる。また、政府支出の増加によって*IS*曲線が*IS*から*IS'*に右シフトしたことに伴う利子率の上昇は見られない。よって、投資は抑制されず、政府支出の増加によるGDPへの影響がそのまま反映されているのがわかる。すなわち、クラウディング・アウトが起こっていない状態である。

エ ×

すでに確認したとおり、**利子率は上昇していない。**

オ ○

確認したように、クラウディング・アウトは発生していない。

オ

講師より

*IS-LM*分析において、クラウディング・アウトと流動性のわなは、ともに頻出事項です。やや理解が難しい論点ではありますが、経済学で確実に60点以上を確保するためには、グラフでのとらえ方に加え、その意味や理屈までしっかりと押さえておきたいところです。

MEMO

問題 44

チェック欄▶ 1 ／ 2 ／ 3 ／

重要度A 流動性のわな

H23-7

経済が「流動性のわな」に陥った場合の説明として、最も適切なものの組み合わせを下記の解答群から選べ。

a　貨幣供給が増加しても伝達メカニズムが機能せず、利子率は低下するが、投資支出の増加が生じない。

b　政府支出の増加が生じてもクラウディング・アウトは発生しない。

c　「流動性のわな」のもとでは、貨幣需要の利子弾力性はゼロになり、利子率が下限値に達すると、債券価格は上限値に到達する。

d　「流動性のわな」のもとでは、GDPの水準は貨幣市場から独立であり、生産物市場から決定される。

〔解答群〕

ア　aとc　　**イ**　aとd　　**ウ**　bとc　　**エ**　bとd

「流動性のわな」とは、貨幣市場において利子率が最下限まで下がった状態であり、債券の魅力がなくなり、すべての資産を流動性の高い貨幣で持とうとする状態のことをいう。このとき貨幣需要の利子弾力性は無限大となり、*LM*曲線は水平（傾きゼロ）となる。

a ✖

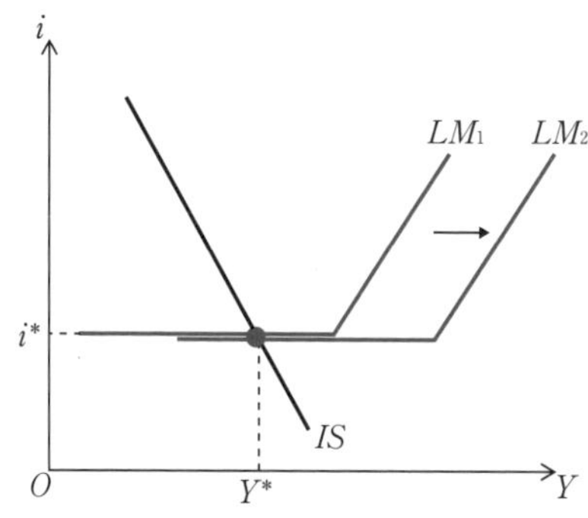

上のグラフで、*LM*曲線が水平となっている部分において「流動性のわな」が生じている。この状態で、貨幣供給を増加させ*LM*曲線を右にシフトさせても、均衡点は変化しないことが確認される。よって、利子率は**低下せず**、投資支出も増加しない。

b 〇

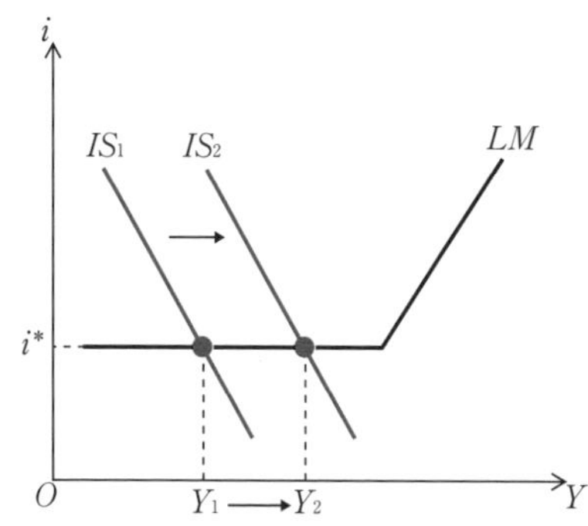

*LM*曲線が水平である「流動性のわな」の状態で、政府支出の増加により*IS*曲線が右にシフトしたとき、国民所得がY_1からY_2に増加し、利子率

は変化しない（上昇しない）ことがわかる。利子率が上昇しないため投資が抑制されず、クラウディング・アウトは発生しない（グラフより、GDPがY_2より押し戻されていないことも確認できる）。

---

c ×

「流動性のわな」のもとでは、貨幣需要の利子弾力性は**無限大**となり、利子率は下限値に達している。利子率が低下すると債券価格は上昇するので、利子率が下限値にあるとき、債券価格は上限値に達した状態といえる（よって後半は正しい）。

---

d ○

aと**b**で考えたように、「流動性のわな」の状態では、貨幣供給量を増加させた場合GDPは変化しない一方で、政府支出を増加させた場合GDPが増加することがわかった。これはすなわち、GDPの水準が貨幣市場から独立しており、生産物市場（財市場）から決定されることを意味している。

エ

講師より

このように選択肢が文章のみで与えられた場合も、**必要に応じてグラフを書いて考えること**が重要です。流動性のわなが発生しているときの*LM*曲線（水平）を書いて、そこから実際に*LM*曲線や*IS*曲線をシフトさせることで、選択肢の正誤を判断します。

MEMO

問題 45

チェック欄▶ 1 ／ 2 ／ 3 ／

重要度 Ⓐ マンデルフレミングモデル

H30-9

下図において、*IS*曲線は生産物市場の均衡、*LM*曲線は貨幣市場の均衡、*BP*曲線は国際収支の均衡を表す。この経済は小国経済であり、資本移動は完全に自由であるとする。

この図に基づいて、下記の設問に答えよ。

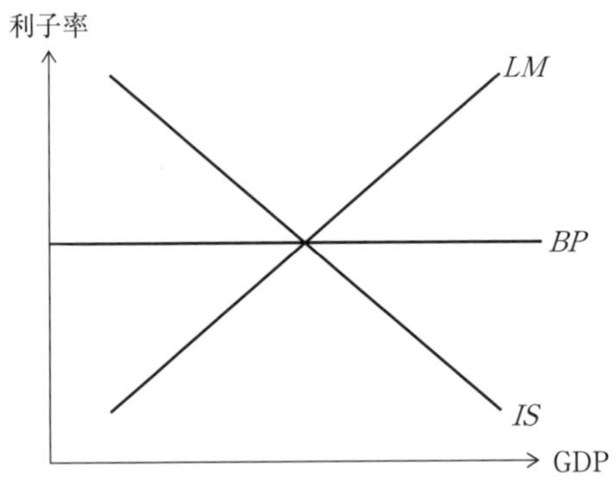

設問 1

変動相場制の場合における政府支出増加の効果に関する記述として、最も適切なものの組み合わせを下記の解答群から選べ。

a　為替レートは増価する。
b　GDPは増加する。
c　純輸出の減少が生じる。
d　民間投資支出の減少が生じる。

〔解答群〕

ア　a と c　　**イ**　a と d　　**ウ**　b と c　　**エ**　b と d

設問2

変動相場制の場合における貨幣供給量増加の効果に関する記述として、最も適切なものの組み合わせを下記の解答群から選べ。

a 為替レートは増価する。
b GDPは増加する。
c 純輸出の増加が生じる。
d 民間投資支出の増加が生じる。

〔解答群〕

ア aとc　**イ** aとd　**ウ** bとc　**エ** bとd

解説

設問 1

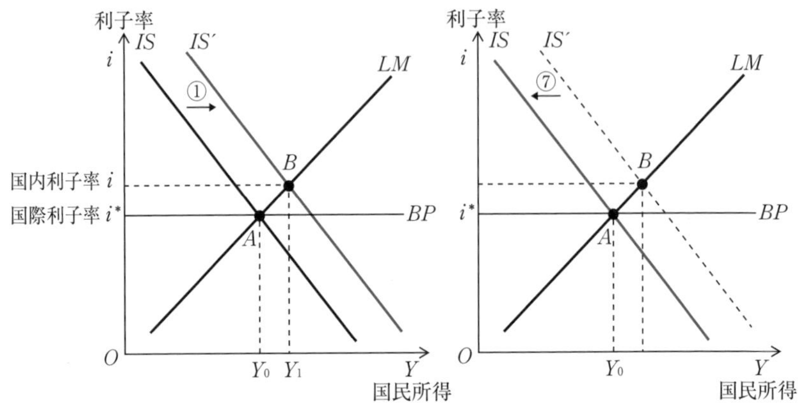

マンデルフレミングモデルでは、資本移動が完全に自由で、変動相場制のもとで政府支出が増加した場合、以下の順で考える。

①政府支出が増加したことにより、*IS*曲線が右にシフトする（*IS*→*IS*′）。

②均衡点（*LM*曲線との交点）が点*A*から点*B*へと移動するため、国内利子率が上昇する。

③国内利子率が国際利子率i^*より高くなることに伴い、日本の債券で運用しようと国内に資本が流入する。

④円建てで運用するため、円が買われ外貨（たとえばドル）が売られる。

⑤買われた円の価値が上がり、売られたドルの価値が下がるため、変動相場制のもとで円高ドル安になる。すなわち、為替レートは増価する（**a**は正しい）。

⑥円高ドル安に伴い、輸出が減少し、輸入が増加する。すなわち純輸出（輸出－輸入）は減少する（**c**は正しい）。

⑦純輸出の減少に伴い、生産物市場の需要が減少し、*IS*曲線が左にシフトする（*IS*′→*IS*）。

⑧結果、均衡点が当初と同じ点*A*の位置に戻ってしまい、GDPは**増加しない**（**b**は誤り）。

なお、マンデルフレミングモデルにおいて、民間投資支出は考慮しないため、**d**は誤りである。

以上より、**a**と**c**が正しく、正解は**ア**である。

ア

設問2

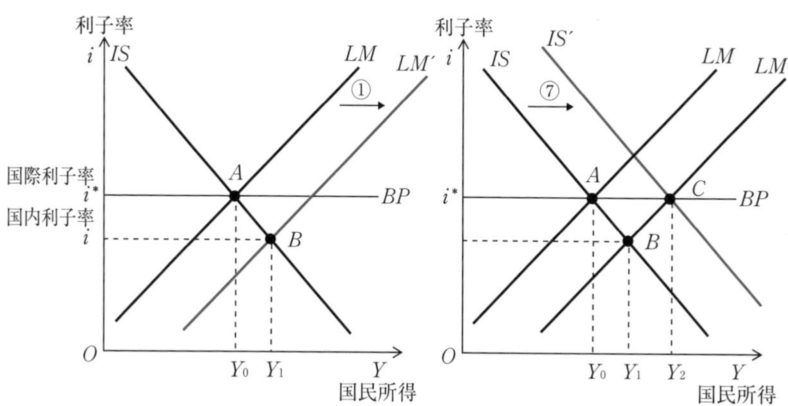

マンデルフレミングモデルでは、資本移動が完全に自由で、変動相場制のもとで貨幣供給量が増加した場合、以下の順で考える。

①貨幣供給量が増加したことにより、*LM*曲線が右にシフトする（*LM*→*LM′*）。
②均衡点（*IS*曲線との交点）が点*A*から点*B*へと移動するため、国内利子率が低下する。
③国内利子率が国際利子率i^*より低くなることに伴い、海外の債券で運用しようと国外に資本が流出する。
④外貨（たとえばドル）建てで運用するため、円が売られドルが買われる。
⑤買われたドルの価値が上がり、売られた円の価値が下がるため、変動相場制のもとで円安ドル高になる。すなわち、為替レートは**減価**する（**a**は誤り）。
⑥円安ドル高に伴い、輸出が増加し、輸入が減少する。すなわち純輸出（輸出－輸入）は増加する（**c**は正しい）。

⑦純輸出の増加に伴い、生産物市場の需要が増加し、*IS*曲線が右にシフトする（*IS*→*IS′*）。
⑧結果、均衡点が点*C*へと移動するため、GDPは増加する（**b**は正しい）。

なお、マンデルフレミングモデルにおいて、民間投資支出は考慮しないため、**d**は誤りである。

以上より、**b**と**c**が正しく、正解は**ウ**である。

ウ

講師より

マンデルフレミングモデルは、「こうなればこうなる」という論理の展開をひとつずつ丁寧にたどっていくことが重要です。ステップは多いですが、流れは決まっていますので、一つひとつをしっかり理解することで対応したいところです。

MEMO

問題 46

チェック欄▶ 1 ／ 2 ／ 3 ／

重要度 B 総需要曲線（AD曲線）

R元-8設問1

総需要－総供給分析の枠組みで、財政・金融政策の効果と有効性を考える。

下記の設問に答えよ。

「流動性のわな」の状況下にあるときの*LM*曲線は、下図のように水平になる。このときの総需要曲線に関する記述として、最も適切なものを下記の解答群から選べ。

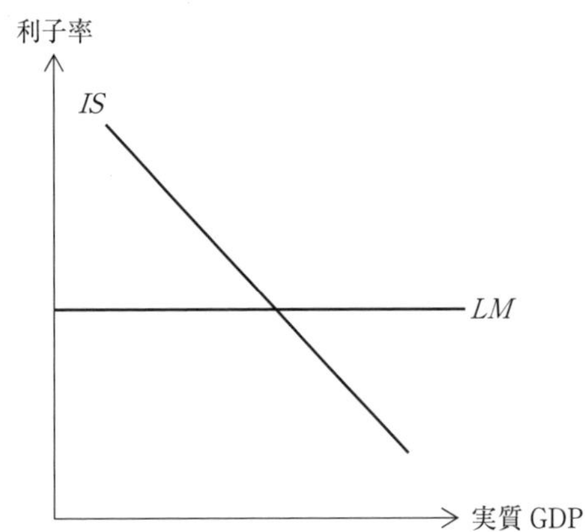

〔解答群〕

ア 物価が下落しても、利子率が低下しないため、投資支出は不変である。したがって、総需要曲線は垂直になる。

イ 物価が下落すると、利子率が低下して、投資支出が増加する。したがって、総需要曲線は右下がりになる。

ウ 物価が下落すると、利子率は低下しないが、投資支出が増加する。したがって、総需要曲線は右下がりになる。

エ 物価が下落すると、利子率は低下するが、投資支出は不変である。したがって、総需要曲線は垂直になる。

解説

「流動性のわな」の状態では、貨幣需要の利子率弾力性が無限大で、LM曲線は水平となる。

総需要曲線は縦軸が物価、横軸がGDPで表される。よって、物価が変化したときにGDPがどう変化するのかを確認することで、総需要曲線の形状がわかる。

物価が下落すると、貨幣市場においてLM曲線が右にシフトする。ただ、「流動性のわな」の状態ではLM曲線が水平であるため、均衡点は変わらず、利子率は低下しない。そのため財市場において、投資支出は増加しない（不変である）。すなわち財市場の需要は増加せず、結果として総供給、GDPも増加しない。

したがって、物価が下がってもGDPは増加しないことから、総需要曲線は垂直となる。

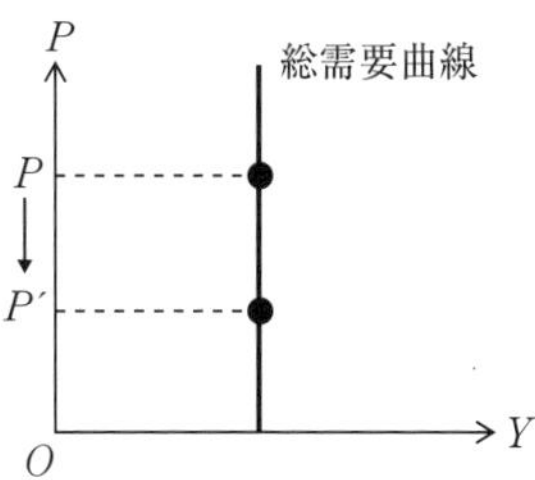

以上を正しく述べた**ア**が正解である。

なお、通常の（右上がりの）LM曲線の場合には総需要曲線が右下がりになるが、その理由は**イ**に書かれているとおりである。

講師より

総需要曲線（AD曲線）は、縦軸に物価、横軸にGDP（国民所得）をとり、右下がりで描かれますが、なぜそのような形状になるのかを理屈でたどれるようにしておきましょう。また、流動性のわなの状態や、投資の利子率弾力性がゼロのときなど、特殊な場合に総需要曲線の形状がどうなるのかも、理由とともに押さえておきましょう。

問題 47　チェック欄▶ 1 ／ 2 ／ 3 ／

重要度 B　AD－AS分析　H30-8

下図は、総需要曲線（*AD*）と総供給曲線（*AS*）を描いている。この図に基づいて、下記の設問に答えよ。

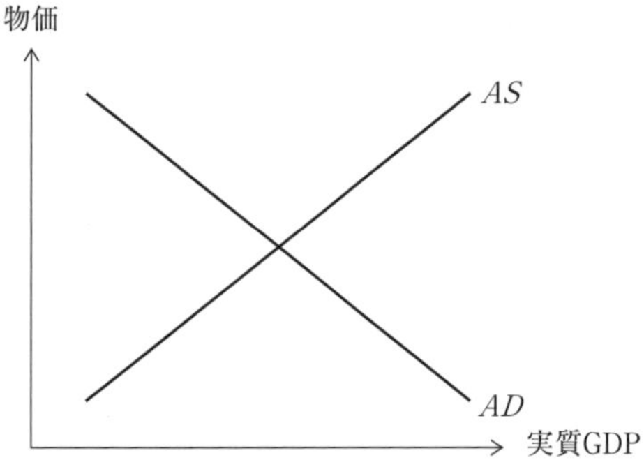

設問1

総需要曲線（*AD*）と総供給曲線（*AS*）の傾きに関する記述として、最も適切なものの組み合わせを下記の解答群から選べ。

a　物価の上昇に伴う実質貨幣供給の減少は、実質利子率の上昇による実質投資支出の減少を通じて総需要を縮小させる。ここから、*AD*は右下がりになる。

b　物価の上昇に伴う実質貨幣供給の増加は、実質利子率の低下による実質投資支出の減少を通じて総需要を縮小させる。ここから、*AD*は右下がりになる。

c　物価の上昇に伴う実質賃金率の低下は、労働需要の増加による生産量の増加を通じて総供給を拡大させる。ここから、*AS*は右上がりになる。

d　物価の上昇に伴う実質賃金率の上昇は、労働需要の縮小による生産量の増加を通じて総供給を拡大させる。ここから、*AS*は右上がりになる。

〔解答群〕

ア　aとc　　**イ**　aとd　　**ウ**　bとc　　**エ**　bとd

設問2

総需要や総供給の変化が実質GDPに及ぼす影響に関する記述として、最も適切なものはどれか。

ア 原材料価格の上昇は、*AS*の左方シフトを通じて実質GDPを縮小させる。

イ 名目貨幣供給の増加は、*AD*の左方シフトを通じて実質GDPを縮小させる。

ウ 名目賃金率の引き上げは、*AD*の右方シフトを通じて実質GDPを拡大させる。

エ 労働人口の増加は、*AS*の左方シフトを通じて実質GDPを拡大させる。

解説

設問1

a ○ b ×

*AD*曲線は、財市場と貨幣市場から導出される。

物価が上昇すると、貨幣市場において実質貨幣供給量（名目貨幣供給量／物価）が**減少**する。その結果、実質利子率が**上昇**することで、財市場において実質投資支出が減少する。すなわち財市場の需要が減少し、それにともない供給も減少し、実質GDPも減少する。

以上より、縦軸に物価、横軸に実質GDPをとったとき、物価が上がれば実質GDPが減少することから、*AD*曲線は右下がりになる。

---

c ○ d ×

*AS*曲線は労働市場から導出される。なお、*AS*曲線が右上がりになっていることから、これはケインズ経済学の立場で非自発的失業が存在している状態であることがわかる。

この状態で物価が上昇すると、ケインズ経済学では名目賃金率が下方硬直性をもつため、名目賃金率は変化せず、実質賃金率（名目賃金率／物価）は**低下**する。その結果、労働供給が減少し労働需要が**増加**するため、雇用が増加する（非自発的失業が減少する）。よって生産量が増加するため総供給と実質GDPが拡大する。

つまり、物価が上昇した結果実質GDPが拡大するため、*AS*曲線は右上がりになる。

以上より、**a**と**c**が正しく、正解は**ア**である。

 **ア**

設問2

ア ○

原材料価格が上昇すると、*AS*曲線は左方にシフトする。よって均衡点は左上に移動するため、実質GDPは縮小する。

イ ×

名目貨幣供給量が増加すると、*AD*曲線が**右方**にシフトする。よって均衡点は右上に移動するため、実質GDPは**拡大**する。

ウ ×

名目賃金率が引き上がると、物価一定のもとで実質賃金率も上昇する。その結果、労働供給が増加し労働需要が減少するため、雇用が減少する（非自発的失業が増加する）。そして総供給が減少するため、**AS曲線**が**左方**にシフトする。よって均衡点は左上に移動するため、実質GDPは**縮小**する。

エ ×

労働人口が増加すると、総供給が増加するため、*AS*曲線が**右方**にシフトする。よって均衡点は右下に移動するため、実質GDPは拡大する。

ア

講師より

*AD*曲線が右下がりになる理由、*AS*曲線が古典派では垂直に、ケインズ経済学ではある物価以下では右上がりになる理由を、しっかり理解しておきましょう。また、どのような場合に*AD*曲線が右や左にシフトし、どのような場合に*AS*曲線が右や左にシフトするのかを知っておきましょう。

問題 48

チェック欄▶ 1 ／ 2 ／ 3 ／

重要度 B 投資理論

H22-4

投資決定の説明として、最も適切なものの組み合わせを下記の解答群から選べ。

a ケインズの投資理論では、投資の限界効率が利子率を下回るほど、投資を実行することが有利になると考える。

b 資本のレンタル料が資本の限界生産物価値を上回る場合、投資が増加し、資本ストックの積み増しが生じる。

c 投資の加速度原理では、生産拡大の速度が大きくなるほど、投資も拡大すると考える。

d トービンのq理論では、株価総額と負債総額の合計である企業価値が、現存の資本ストックを再び購入するために必要とされる資本の再取得費用を上回るほど、設備投資が実行されると考える。

〔解答群〕

ア aとb
イ aとc
ウ bとc
エ bとd
オ cとd

解説

a ×

投資の限界効率とは、投資を1単位増加させたときに得られる期待収益率（収入）のことであり、利子率とは、投資を1単位増加させたときに発生する調達コスト（費用）のことである。投資の限界効率が利子率を下回る場合、収入よりもコストが大きくなるため**投資は抑制される**。

b ×

資本のレンタル料とは、資本ストックを1単位導入するために必要な費用で、利子のことをいっている。また、限界生産物価値とは、資本ストックを1単位使用して得られる収入の増加分のことである。

よって、資本のレンタル料が資本の限界生産物価値を上回る場合、費用が収入より大きいため投資は行われず、**資本ストックは抑えられる**。

c ○

投資の加速度原理では、今期の投資＝資本係数×(今期のGDP－前期のGDP)で計算されると考える。生産拡大の速度が大きいとは、「今期のGDP－前期のGDP」の値が大きいことを意味するため、今期の投資も大きくなる（なお、「資本係数」とは、1単位生産を増やす（GDPを1増加させる）ために必要な資本ストックの量を表し、一定と仮定される）。

d ○

トービンのqは、以下の式で表される。

$$q = \frac{\text{企業価値（株価総額と負債総額の合計）}}{\text{現存の資本ストックを再び購入するために必要とされる資本の再取得費用}}$$

このqの値が1より大きい場合、投資が行われると考える（言い換えると、「企業価値（株価総額と負債総額の合計）＞現存の資本ストックを再び購入するために必要とされる資本の再取得費用」のときに投資が行われる）。

オ

投資理論に関する各論点も、よく問われています。一つひとつの深い理解は必要ありませんので、各理論の要点と結論をしっかりと押さえておきましょう。

TAC
出版
TAC PG

第２分冊

経営情報システム

CONTENTS

MEMO

問題 1

チェック欄▶ 1 ／ 2 ／ 3 ／

重要度 B スマートフォンのセンサー

R2-12

スマートフォンには、いろいろなセンサーが搭載されている。

スマートフォンに一般的に搭載されている4つのセンサーの機能・役割に関する記述の正誤の組み合わせとして、最も適切なものを下記の解答群から選べ。

a ジャイロセンサー（ジャイロスコープ）は、地磁気を観測するセンサーで、方位を検知して、スマートフォンの地図アプリで北の方角を示すのに使われる。

b 加速度センサーは、重力加速度も検出できるセンサーで、スマートフォンの傾きに応じて自動的に画面の向きを変えるのに使われる。

c 磁気センサー（電子コンパス）は、角速度を検出するセンサーで、スマートフォンがどのような方向に動いたかを感知して、スマートフォンの方向に応じた画面を表示するのに使われる。

d 近接センサーは、対象物が近づくだけでON・OFFを切り替えることができるセンサーで、通話時に顔にスマートフォンを近づけても誤作動しないように画面をOFFにするのに使われる。

〔解答群〕

ア a：正　b：正　c：誤　d：誤

イ a：正　b：誤　c：正　d：誤

ウ a：誤　b：正　c：誤　d：正

エ a：誤　b：誤　c：正　d：正

解説

IoTが進むにつれて、センサーの果たす役割は大きくなっている。代表的なセンサーの名称と役割は押さえておこう。

教科書13ページの表も参照のこと。

---

a ×

地図アプリに使われるのは、ジャイロセンサーではなく磁気センサーである。

---

c ×

角速度を検出するのは、ジャイロセンサーである。

ウ

スマートフォンだけでなく、ゲーム機や医療現場、製造現場など、身近なところでセンサーによるデジタル化は進んでいます。周囲でどんなものが使われているか、探してみては？

問題 2

チェック欄▶ 1 ／ 2 ／ 3 ／

重要度 B　バス・インタフェース

H29-1

パーソナルコンピュータ（PC）内部には、バスやインタフェースと呼ばれる伝送経路がある。その機能改善によりスループットの向上が期待できるので、PCの導入に当たっては、伝送経路の機能にも配慮すべきである。

この伝送経路の仕組みに関する以下の文章の空欄A～Dに当てはまる語句の組み合わせとして、最も適切なものを下記の解答群から選べ。

データやプログラムは、PC内部のマザーボードで発生する［　A　］と同期を取りながら、バス上で伝送される。CPUと主記憶装置の間でそれらを伝送するシステムバスは、［　B　］、データバス、コントロールバスから構成されている。

PCの入出力バスと［　C　］やDVD装置を接続し、それらをオペレーティングシステムの起動ディスクとして利用する場合に使用できる代表的なインタフェースはSATAである。

PCのシステムバスに接続された［　D　］インタフェースは、これまで主にグラフィックスボードなどを装着するために利用されてきたが、このインタフェースに装着できるSSDを使用すると、データなどの読み書き速度やPCの起動速度が向上する。

〔解答群〕

ア　A：クロック　B：アドレスバス　C：HDD　D：PCI Express

イ　A：クロック　B：パラレルバス　C：SSD　D：mSATA

ウ　A：パルス　B：シリアルバス　C：ブルーレイ　D：NVMe

エ　A：パルス　B：パラレルバス　C：microSD　D：IEEE 1394

解説

空欄Aはクロックとパルスについての知識確認である。

クロックは動作周波数ともよばれ、**パソコン内部の基本的なリズムのようなもの**である。数値は1秒間に刻むリズム数で、数値が大きいほど速い＝処理能力が高い、PCのメトロノームのようなイメージととらえるとわかりやすい。

パルスは連続ではない電気信号のこと（矩形波）で、クロックのリズムに従って刻まれる波のことを指す。

そのため、正解は**ア・イ**に絞られる。

空欄Bはバスの種類について問われている。

システムバスの構成

データバス	データ本体の通り道
アドレスバス	データの所在を示すアドレス信号の通り道
制御バス（コントロールバス）	データ送信のタイミングなど制御信号の通り道

これによって、正解は**ア**に決まる。

 ア

講師より

この問題は、空欄Bもしくは空欄Dの選択肢について知識があれば正答できます。空欄CはSATAでつなぐ外部装置を問われていますので、microSDが含まれる選択肢エは消去できます。また、空欄Dでグラフィックボードを装着するために利用するのは、選択肢のうちPCI Expressだと判断できれば、空欄Bと同様に選択肢アを選ぶことができます。

問題 3

チェック欄▶ 1 ／ 2 ／ 3 ／

重要度B コンピュータの機器構成

H28-1

各種業務処理を行ううえでパーソナルコンピュータ（PC）の重要度が増す中、業務内容に適した機器構成を検討することは重要である。これに関する記述として最も適切なものはどれか。

ア HDDとは異なりSSDは、OSのインストールができないため起動ドライブとしては使えない。

イ PCにグラフィックボードを付ける場合、IDEインタフェースに装着する。

ウ PCには、処理速度を向上させるために、メモリモジュールを複数枚組み合わせて利用できるものがある。

エ マザーボード上のCPUソケットの形状は標準化されているので、処理速度の速いどのようなCPUへの交換も可能である。

解説

ア ×

SSDは、補助記憶装置としての役割はHDDと大きく変わらない。OSのインストールももちろん可能であり、HDDの進化版と考えてよい。HDDは磁気ディスクを**物理的に**回転させることでデータの入出力を行うが、SSDはフラッシュメモリを用い、**電気的に**処理できるためHDDに比べて高速で軽く、消費電力が小さいのが特徴である。

イ ×

IDEはパラレルATAともよばれ、**パラレル伝送**を行うインタフェースの一種である。主に**HDD接続に利用**される。グラフィックボードの接続はPCI Expressが主流である。

ウ ○

メモリ増設といい、パソコンの種類によっては自分でもできるものもある。

エ ×

CPUソケットの規格は複数あるため、異なる規格のものは付け替えできない。

ウ

講師より

コンピュータの５大装置、マザーボードやインタフェースに関する基礎的な問題です。ハードウェアに関する問題は、知識（各パーツの名称、役割、関連する装置の３点）さえあれば確実に得点できます。教科書で必ず押さえておきましょう。

解き方のコツとして、「どのような」「すべて」などの言葉が出てくる選択肢は、疑ってよく読みましょう。

問題 4

チェック欄▶ 1 ／ 2 ／ 3 ／

重要度Ⓐ インタフェース

R2-1

業務内容に応じて、さまざまな種類の周辺機器をパーソナルコンピュータ（PC）本体に接続して利用することがある。

接続のための入出力インタフェースに関する以下の①～③の記述と、それらに対応する用語の組み合わせとして、最も適切なものを下記の解答群から選べ。

① 外付けハードディスク装置（HDD）や外付けブルーレイディスク装置といった周辺機器の接続を可能にするシリアル・インタフェースである。

② 外付け HDD やスキャナといった周辺機器の接続を可能にするパラレル・インタフェースである。

③ スマートフォン、キーボード、マウス、プリンタなどの周辺機器のワイヤレス接続を可能にするインタフェースである。

〔解答群〕

ア ①：e-SATA　②：SCSI　③：Bluetooth

イ ①：e-SATA　②：USB　③：IrDA

ウ ①：IEEE1284　②：SCSI　③：IrDA

エ ①：IEEE1284　②：USB　③：Bluetooth

解説

インタフェースは、シリアルか、パラレルか、ワイヤレスかの3つの分類で整理しよう。教科書28〜30ページの表や85〜86ページの板書を確認のこと。

ア

選択肢にあるIrDAは、赤外線通信ともよばれる技術です。テレビやエアコンなどのリモコンのほか、昔はガラケーのデータ通信に利用されていました。

問題 5

チェック欄▶ 1 ／ 2 ／ 3 ／

重要度 B コンピュータの記憶装置

H28-3

業務等に利用する各種のアプリケーションプログラムの実行が円滑に行われるように、コンピュータには様々な仕組みが組み込まれている。しかし、コンピュータの種類によってそれらの仕組みの装備状況が異なり、機能にも能力差があるので仕組みの内容を理解することも必要である。

コンピュータの仕組みに関する以下の①～④の記述と、その名称の組み合わせとして、最も適切なものを下記の解答群から選べ。

① 主記憶装置の記憶領域において、実行中のプログラムが使用しなくなった領域のうち断片化したものを整理し、連続して利用可能な記憶領域を確保すること。

② コンピュータが仮想記憶の仕組みを備えている場合、主記憶装置と補助記憶装置の間でデータの入れ替えを行うこと。

③ 演算装置の処理能力に比べて大幅に処理が遅い装置に対するデータの入出力処理において、データを一時的に補助記憶装置等に保存して処理することで、コンピュータの処理効率を向上させること。

④ 半導体の記憶装置を実装したハードディスクで、使用頻度が高いデータを半導体記憶装置に記憶させ、低速の磁気ディスクからの読み出し回数を減少させて処理の高速化を図ること。

〔解答群〕

ア ①：ガーベージコレクション　②：スワッピング
③：ファイルダンプ　④：キャッシング

イ ①：ガーベージコレクション　②：ホットスワップ
③：スプーリング　④：ページング

ウ ①：コンパクション　②：スワッピング
③：スプーリング　④：キャッシング

エ ①：コンパクション　②：ホットスワップ
③：ファイルダンプ　④：ページング

解説

① ガーベージコレクションとメモリコンパクションの区別を問われている。「断片化したものを整理し、連続して利用可能な記憶領域を確保」なので、メモリをコンパクション（=圧縮）する「コンパクション」が正しい。ガーベージコレクションは、ガーベージ（=ゴミ）を集めて捨てる=使わなくなった領域の開放、になる。

たとえば、本棚にある二度と読まない本を捨てるのがガーベージコレクション、空いたスペースをぎゅっと寄せて広く棚を確保するのがメモリコンパクションである。

〈ガーベージコレクション〉

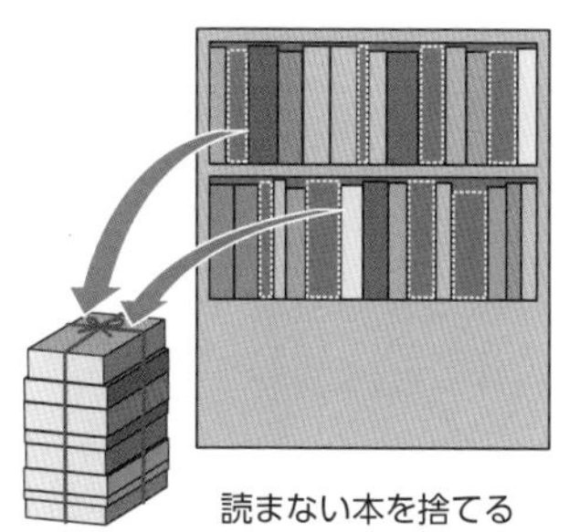

読まない本を捨てる

〈メモリコンパクション〉

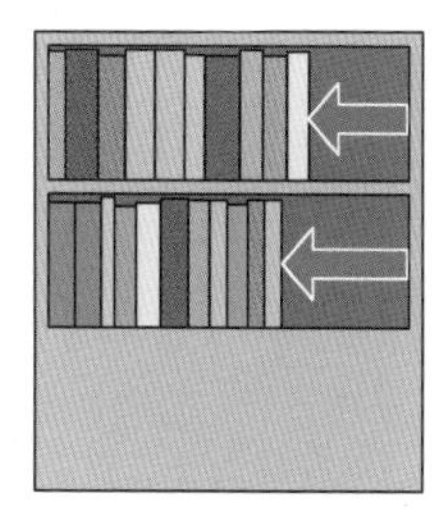

空いた空間を寄せて
スペースを確保する

② スワッピングは、メモリ（主記憶装置）から一時的に補助記憶装置に**データを退避させる**ことである。ホットスワップは電源を入れたまま機器の抜き差しができることで、ホットプラグともいう。

スワッピング＝メモリや補助記憶装置など“仮想”の世界、ホットスワップ＝“物理的”な世界、と区別しよう。

③ ファイルダンプは、バックアップなどの際にデータの塊を「吐き出す」こと、スプーリングは、プリンターなどの外部機器とCPUとの処理速度差を埋め、効率よく処理するために発生する処理のことである。

④ ページングはスワッピングの別称で、メモリ（主記憶装置）を有効活用するために、補助記憶装置に一時的にデータを退避することで、仮想的にメモリ領域を増やすための技術である。一方、キャッシングは、メモリ（主

記憶装置）と補助記憶装置の処理速度の差を埋めるために、「キャッシュ」という一時的なデータを活用することである。

ウ

HDDで行う「デフラグ」は、ガーベージコレクションによって生じたフラグメンテーション（使用可能な領域がバラバラに存在する状態）をコンパクションして使いやすくすることです。

MEMO

問題 6

チェック欄▶ 1 ／ 2 ／ 3 ／

重要度Ⓐ フラッシュメモリ

R5-1

フラッシュメモリに関する記述として、最も適切な組み合わせを下記の解答群から選べ。

a 揮発性メモリであるので、紫外線を照射することでデータを消去できる。

b 不揮発性メモリであるので、電源を切っても記憶していたデータを保持できる。

c NAND型とNOR型を比べると、読み出し速度はNAND型の方が速い。

d NAND型とNOR型を比べると、書き込み速度はNAND型の方が速い。

e NOR型は、USBメモリやSSDなどの外部記憶装置に用いられている。

〔解答群〕

ア aとd

イ aとe

ウ bとc

エ bとd

オ cとe

解説

フラッシュメモリに関する問題である。フラッシュメモリの種類とNAND型とNOR型の特徴をしっかり押さえておこう。

a ×

フラッシュメモリは、**不揮発性**のメモリである。フラッシュメモリは、EEPROMの一種であり**電気的に**データを消去する。

〈半導体メモリの分類〉

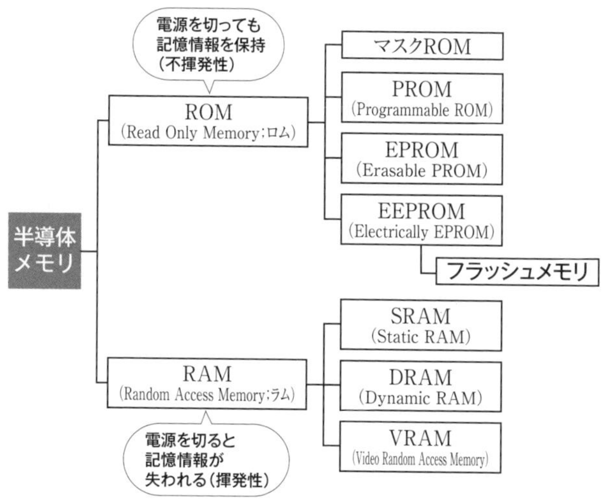

b ○

フラッシュメモリは、不揮発性である。不揮発性メモリとは、電源を切っても記憶情報を保持するメモリである。

c ×

フラッシュメモリにはNOR型とNAND型がある。NAND型は、集積度を上げられるので、フラッシュメモリとしては大容量化が容易であるが、NOR型と比べると、読み出し速度はNAND型のほうが**遅い**。

〈フラッシュメモリの種類と比較〉

	NOR型 フラッシュメモリ	NAND型 フラッシュメモリ
揮発性／不揮発性	不揮発性	不揮発性
読み出し速度	速い	遅い
書き込み速度	遅い	速い
主な用途	BIOS	SSD、USBメモリ

---

d ○

NAND型はNOR型と比べると書き込み速度は速い。

---

e ×

USBメモリやSSDなどの外部記憶装置に用いられるのは、NAND型である。NOR型は、集積度が低く容量が少ないため、メモリを書き換える機会が少ない（またはない）**ファームウェアやBIOSなどに使われている**。

 **エ**

講師より

半導体メモリはキャッシュメモリや主記憶装置、ディスクキャッシュなどで活用されています。最近では補助記憶装置としてSSDも活用が進んでいます。仕組みと特徴をしっかり理解しましょう。

MEMO

問題 7 チェック欄▶ 1 ／ 2 ／ 3 ／

重要度Ⓒ ＯＳの機能 H29-5

オペレーティングシステム（OS）は、制御プログラム、言語プロセッサおよびユーティリティ（サービスプログラムとも呼ばれる）で構成される。

OSの基本機能に関する記述として、最も適切なものはどれか。

ア 言語プロセッサには、コンパイラ、インタプリタなどがある。コンパイラは、高水準言語で記述されたプログラムを機械語のオブジェクトプログラムに変換する言語プロセッサである。

イ タスク管理とジョブ管理は、制御プログラムの基本機能である。タスク管理は、プログラムの実行単位を１つのタスクとして、その処理順序を監視・制御することであり、ジョブ管理は、タスクを細分化したジョブにCPUや主記憶などの資源をいかに割り付けるかを管理することである。

ウ デバイスドライバは、入出力装置などを操作・管理するプログラムであり、制御プログラムの中に組み込まれている。従って、新しいデバイスドライバが必要になった場合、OSの再インストールが必要となる。

エ ユーティリティは、制御プログラムおよび言語プロセッサを代替する機能を持ち、これによってOSは安定して稼働できるようになる。

解説

ア ○

コンパイラは、原子プログラム（プログラムソース）をコンピュータが処理できる目的プログラムに**翻訳する**ソフトウェアである。

イ ×

タスク管理とジョブ管理の説明が逆である。

ウ ×

「新しいデバイスドライバが必要になった場合、OSの再インストールが必要となる」が誤り。必要に応じてWebサイトなどからダウンロードするなどして、新たなデバイスドライバを利用することができる。

エ ×

ユーティリティは、制御プログラムや言語プロセッサを代替するものではない。

ア

〈OSの機能〉

名称	特徴
ジョブ管理	各種ジョブの実行制御を行う。
タスク（プロセス）管理	マルチ（多重）プログラミングの制御を行い、CPU（プロセッサ）資源を有効活用する。
入出力管理	入出力装置であるキーボードやプリンタなどを管理する。入出力制御機能は、**デバイスドライバ**などにより制御され、入出力制御機能の高速化として**スプーリング**がある。
記憶管理	主記憶へのプログラムの割付や仮想記憶方式による記憶容量の提供を制御する。
ユーザ管理	コンピュータ上でマルチユーザを実現するための仕組み。複数の**ユーザアカウント**を作成し、**アカウント**ごとにユーザ名および**パスワード**を割り当てることで、コンピュータ内の資源をユーザごとに管理することが可能になる。
その他	データ／ファイル管理、通信管理、障害・運用管理など。

講師より

OSの機能については、教科書でも確認しておきましょう。

問題 8

チェック欄▶ 1 ／ 2 ／ 3 ／

重要度Ⓐ ソフトウェアの種類

H28-4

PCには多様なソフトウェアが使われている。ソフトウェアに関する記述として最も適切なものはどれか。

ア デバイスドライバとは、PCに接続される周辺機器を制御するためのソフトウェアである。

イ ファームウェアとは、OSの一部分を指し、接続される周辺機器と通信するためのソフトウェアである。

ウ ミドルウェアとは、OSの中核となって機能するソフトウェアである。

エ ユーティリティプログラムとは、アプリケーションプログラムの総称である。

解説

ア ○

本肢の記述のとおりである。

イ ×

ファームウェアとは、コンピュータに**初めから入っているソフトウェア**で、**ハードウェアを制御する**役割を担うものである。周辺機器と通信するためのソフトウェアではない。

ウ ×

ミドルウェアは、OSとアプリケーションソフトウェア（＝メールソフト、Microsoft Word・Excelなど私たちが日常的に利用する応用ソフトウェア）の間に位置づけられるソフトウェアである。

エ ×

ユーティリティプログラムはデータの転送や格納、ファイルの削除や整理、複写など基本的な機能を担うプログラムのこと。コンピュータの運用には欠かせない基本的な動作を支援するため、アプリケーションプログラムとは別である。

ア

基礎的な問題です。間違えたら、必ず教科書で確認しましょう。

問題 9

重要度B 表計算ソフトウェア

R元-4

次の表は、ユーロを円に換算するために表計算ソフトウェアによって作成されたものである。A2～C2のセルには円に換算したい「ユーロの金額（€1、€5、€10）」が入力されている。また、A3～A5のセルにはユーロ／円の「為替レート（¥125、¥126、¥127）」が入っている。ユーロの円への換算は、「為替レート」×「ユーロの金額」の式を用いることにした。

このとき、はじめにB3のセルに積の式を入力し、それを空欄のセルに複写して表を完成したい。B3のセルに入力した式として、最も適切なものを下記の解答群から選べ。

なお、セル番地指定における$記号は絶対セル参照を表すものとする。また、＊記号は積を求める演算子である。

行＼列	A	B	C
1	ユーロを円に換算する表		
2	€1	€5	€10
3	¥125	¥625	
4	¥126		
5	¥127		

〔解答群〕

ア　＝$A3＊$B2

イ　＝$A3＊B$2

ウ　＝A$3＊$B2

エ　＝A$3＊B$2

解説

表計算ソフトウェア（Microsoft Excelなど）に関する問題である。

近年、出題頻度が高く、日常業務でも活用できる知識である。確実に押さえて得点につなげよう。

本問は、絶対参照について理解できていれば得点可能である。

絶対セル参照を示す「$」記号は、列を固定するならローマ字の前、行を固定するなら数字の前、両方固定するなら両方の前につける。

本問では、B3～B5のセルでA3～A5の数字にB2を掛ける計算をしたいので、B2セルの**行**を固定する。そのため、掛ける数は「B$2」となる。

また、掛けられる数はA3のままでも構わないが、明確にA列と指定するために選択肢**イ**のように「$A3」としても差し支えない。逆に、**エ**のように「A$3」にしてしまうと、B4、B5でも掛けられる数がA3＝¥125のまま固定され、意図しない計算結果になってしまうため誤りとなる。

講師より

相対参照と絶対参照を含め、表計算ソフトの基本的な取り扱いは教科書で確認しておきましょう。日常業務でもExcelを活用するなど、実際に使うことができればより理解度が高まります。

問題 10

チェック欄▶ 1 ／ 2 ／ 3 ／

重要度 A 静止画像データのファイル形式 R元-10

中小企業においても、Webサイトを構築する場合など、静止画像データを利用することが多い。静止画像データの保存にはさまざまなファイル形式が利用されるので、それぞれの形式の特徴を理解する必要がある。

静止画像データのファイル形式に関する記述として、最も適切なものの組み合わせを下記の解答群から選べ。

a BMP形式は、可逆圧縮方式の画像フォーマットであり、256色（8ビット）以下で静止画像を保存できる。

b JPEG形式は、非可逆圧縮方式の画像フォーマットであり、フルカラーで静止画像を保存できる。

c GIF形式は、圧縮しない画像フォーマットであり、ドットの集まりとして静止画像を保存できる。

d PNG形式は、可逆圧縮方式の画像フォーマットであり、フルカラーで静止画像を保存できる。

〔解答群〕

ア aとb
イ aとc
ウ bとd
エ cとd

解説

静止画像データのファイル形式に関する問題である。

BMPは非圧縮方式、GIFは可逆圧縮方式であるため、aとcは誤り。
そのため、bとd＝**ウ**が正答となる。

なお、教科書にある「代表的なマルチメディアのデータ形式」の表にある内容は必ず押さえておくこと。この分野は知っていれば得点できるため、出題されたら確実に得点したい。

ウ

講師より

静止画データのファイル形式を把握する際には、圧縮・伸長しても画質が劣化しない**可逆圧縮方式**と、圧縮・伸長すると劣化してしまう**非可逆圧縮方式**のどちらにあてはまるかを、まずは確認しましょう。そのうえで代表的な用途を押さえると整理しやすいです。

問題 11

チェック欄▶ 1 ／ 2 ／ 3 ／

重要度 A データベース① DBMS

R5-5

データベース管理システム（DBMS）に関する記述として、最も適切なものはどれか。

ア インデックス法とは、プログラムがDBMSへアクセスする際に、一度確立したコネクションを維持して再利用するための仕組みをいう。

イ ストアドプロシージャとは、表やビューに対する一連の処理を１つのプログラムとしてまとめ、DBMSに格納したものをいう。

ウ トリガとは、SQLの問い合わせによって得られた結果セットのレコードを１つずつ読み込んで行う処理をいう。

エ レプリケーションとは、IoT機器などから連続的に発生するデータをリアルタイムに収集、分析、検出、加工する処理をいう。

オ ロールフォワードとは、表のフィールド値を更新すると、関連づけられている他の表のフィールド値も同時に更新させるための仕組みをいう。

解説

DBMSに関する問題である。データベース管理システムにはさまざまな機能があるので、正確に押さえよう。

ア ×

本肢は、**コネクションプール（コネクションプーリング）の内容**である。インデックス法は、データベースのテーブル内のデータに対して高速な検索を可能にするためのデータ構造である。書籍の索引や辞書の目次に似ており、特定の値を迅速に検索するための参照ポイントとして機能する。

イ ○

データベースに保存される一連のSQL文や処理手順をひとつのプログラムにまとめたものである。複数のSQL文を一度に実行することができるため、ネットワークトラフィックの削減や処理時間の短縮が期待できる。

ウ ×

本肢は、**カーソル（Cursor）の内容**である。トリガ（Trigger）は、特定のテーブルに関連づけられ、定義されたイベント（例：レコードの挿入、更新、削除）が発生したときに自動的に実行される機能のことである。データベースに対する操作を自動化することができる。

エ ×

本肢は、**ストリーム処理の内容**である。レプリケーション（Replication）は、データベースのデータを複数の場所に複製する処理のことである。データの可用性が向上し、負荷分散やデータの冗長性を確保するために用いられる。

オ ×

本肢は、**外部キー制約におけるカスケード更新の内容**である。ロールフォワードは、データベースの復帰手法のひとつで、バックアップ後の特定の時点からのトランザクションにおけるログファイルの更新後情報を用いて、障害発生前までに完了したトランザクションの内容を反映する復元操作のことである。

 **イ**

DBMSにはさまざまな機能があります。また関連する紛らわしい用語もありますので、どの用語がどの論点のものかも含めて体系的に整理しましょう。

MEMO

問題 12　チェック欄▶ 1 ／ 2 ／ 3 ／

重要度Ⓐ データベース② SQL文

H29-10

下表は、ある日の東京、大阪、名古屋、九州の各支店の菓子AからEの売上表である。

この表に適用したSQL文とその結果を示したものの組み合わせとして、最も適切なものを下記の解答群から選べ。

菓子売上

商品番号	商品名	東京支店	大阪支店	名古屋支店	九州支店
P 0001	菓子A	3,000	4,000	2,000	4,000
P 0002	菓子B	5,000	2,500	6,000	1,500
P 0003	菓子C	2,900	3,000	4,000	4,000
P 0004	菓子D	3,500	4,100	2,900	3,500
P 0005	菓子E	2,000	2,500	3,500	5,000

〔解答群〕

ア　【SQL文】

SELECT 商品名 FROM 菓子売上
　WHERE 東京支店 >= 3500 and 大阪支店 >= 3500 or 名古屋支店
　　　　>= 3500 and 九州支店 >= 3500

【結果】

菓子C,菓子D,菓子E

イ　【SQL文】

SELECT 商品名 FROM 菓子売上
　WHERE 東京支店 > 2500 and 大阪支店 > 2500 and 名古屋支店
　　　　>= 2500 and 九州支店 > 2500

【結果】

菓子D

ウ 【SQL文】

SELECT 商品名 FROM 菓子売上
　WHERE 東京支店 > 3500 and (大阪支店 > 3500 or 名古屋支店 > 3500) and 九州支店 > 3500

【結果】

菓子A,菓子B,菓子E

エ 【SQL文】

SELECT 商品名 FROM 菓子売上
　WHERE 東京支店 + 大阪支店 + 名古屋支店 + 九州支店 >= 14000

【結果】

菓子D

解説

アのSQL文は、
東京支店で3500以上 かつ 大阪支店で3500以上 → Dが該当
もしくは
名古屋支店で3500以上かつ九州支店で3500以上 → C,Eが該当
のため、結果は菓子C,菓子D,菓子Eで正しい。

イは、「東京・大阪・九州ともに2500より大きい、かつ、名古屋は2500以上」の条件のため、結果は菓子C,菓子D,が正しい。

ウは、「大阪支店もしくは名古屋支店が3500より大きく、東京支店と九州支店が3500より大きい」条件のため、該当する商品はない。

エは、「東京・大阪・名古屋・九州の各支店の売上を合計して14000以上」の条件のため、結果は菓子B,菓子Dが正しい。

ア

講師より

本問は、SQLの基礎知識があれば対応できる問題です。
SQL文の問題では、WHERE句の条件判別を行わせるケースが頻出です。以上・以下と未満・～より大きいなど、混乱したら線表を書くなどして条件を整理しましょう。

MEMO

問題 13

チェック欄▶ 1 ／ 2 ／ 3 ／

重要度B データベース③ 参照の完全性

H28-8

リレーショナルデータベース（RDB）では定義された複数の表に様々なデータを格納して処理を行う。下記のようなA表とB表がある場合、参照の完全性（参照整合性ともいう）を保つために必要な事柄として、最も適切なものを下記の解答群から選べ。

A表

商品コード	商品名	単価

↑主キー（商品コード）

B表

日付	商品コード	数量

↑外部キー（商品コード）

〔解答群〕

ア B表の外部キーの値には重複や空の値があってはならない。

イ B表の外部キーの値はA表の主キーに存在しなければならない。

ウ B表の行は削除できるが、A表の行は削除できない。

エ 商品に関するデータが未登録であった場合、B表にデータ入力を行う。

解説

ア ×

外部キーは、空の値（NULL値）や重複が許される。**主キー**は重複やNULL値は不可である。（**一意性制約・Not NULL制約**）

イ ○

本肢の記述のとおりである。

ウ ×

「商品コード」列は外部キーであるため、B表のデータから参照されているA表の行は削除不可となる。この制約を**参照の完全性**（**参照制約**）という。

エ ×

商品マスタはA表のため、商品に関するデータはA表に登録する。B表は、売上明細のトランザクションを記録する。そのため、記録する順はA表⇒B表となる。

イ

講師より

主キーの一意性制約がない場合、重複している値があるとレコードをひとつに選べず、処理が進みません。同様に、NULL値が不可なのは、主キーが空だとそのレコードは使用できないからです。丸暗記ではなく、「なぜ？」と理解すると得点につながります。

問題 14

チェック欄▶ 1 ／ 2 ／ 3 ／

重要度Ⓐ 無線ＬＡＮ

H28-11

インターネットを利用するために光ケーブルあるいはCATV等のWAN側の回線を選択すると、その回線をLANに接続するONUやモデムが設置される。ONUやモデムに無線LAN機能が付いていない場合に、無線LAN環境を利用して複数のPCやLAN対応機器を接続したい場合には、無線LANルータを設置・運用する。

この無線LANルータの利用に関する以下の文章の空欄Ａ～Ｄに入る語句の組み合わせとして、最も適切なものを下記の解答群から選べ。

設置されたONUやモデムにLAN接続端子が装備されているので、ここから無線LANルータのWAN側の接続端子に、LANケーブルによって接続する。無線LANルータに［ Ａ ］の機能が付いている場合はLAN接続端子が複数あるので、その数のPCやLAN対応機器を接続できる。さらに多くの機器を利用したい場合は［ Ａ ］を多段に接続し、使用可能台数を増やすことができる。

無線の到達距離を伸ばしたい場合は、複数の無線LANルータを設置する。２台目以降の無線LANルータはルータモードではなく［ Ｂ ］モードで使用するのが一般的である。

無線LAN環境を利用する場合は無線LANルータにおいて、SSIDの名称設定、［ Ｃ ］等の無線LAN接続の認証方法と暗号化方式の選択、および暗号化キーの設定を行い、近隣に設置された機器が利用している周波数と重ならないように［ Ｄ ］の変更を行う。

〔解答群〕

ア　Ａ：DSU　Ｂ：WiFi　Ｃ：TKIP-AES　Ｄ：バンド

イ　Ａ：スイッチングハブ　Ｂ：WiFi　Ｃ：WPS-PSK　Ｄ：ホッピング

ウ　Ａ：スイッチングハブ　Ｂ：ブリッジ　Ｃ：WPA-AES　Ｄ：チャネル

エ　Ａ：リピータハブ　Ｂ：スイッチ　Ｃ：WPA-WEP　Ｄ：バンド

解説

空欄Aには**スイッチングハブ**が入る。スイッチングハブは、リピータハブ（ポートすべてに情報を送る旧式のハブ）と異なり、データの送付先のポートにのみ情報を出すことができるハブである。

空欄Bには**ブリッジ**が入る。

空欄C・Dは、無線LANのセキュリティ対策に関する知識を問われている。無線LANは、使用可能な周波数を「チャネル」という単位で区切り、電波の干渉を防ぐ。

ウ

インターネット接続機器に関する問題です。

インターネットの接続機器は、TCPプロトコル（=ネットワーク上で情報をやり取りする手順と役割分担）と、それぞれに対応する機器を知っておきましょう。

問題 15

チェック欄▶ 1 ／ 2 ／ 3 ／

重要度B　LANのアクセス制御方式

H26-11

情報ネットワークの構築において、通信技術や通信プロトコルは重要な役割を演じる。それらに関する記述として、最も適切なものはどれか。

ア　CSMA/CD方式で通信を行う場合、複数の発信元が同時に情報を送信してパケット衝突が発生すると、それ以降、それらの発信元は情報を発信できなくなる。

イ　TCP/IPは、MACアドレスと呼ばれる情報機器固有の番号を用いて通信する方式である。

ウ　電話回線によるシリアル通信で使われていたプロトコルを発展させたものが、インターネットのプロトコルである。

エ　トークンリングは、トークンと呼ばれる信号を高速で周回させ、それを利用して通信を行う方式である。

解説

ア ×

CSMA/CD方式は有線LANで用いられるアクセス方式で、「データが衝突したらもう一回送ればいいよね」というアクセス制御方式である。似たもので、無線LANで用いられる**CSMA/CA方式**というアクセス制御方式がある。こちらは、「データが衝突しないように空気読んで（＝ネットワークの状況を調べてから）送信するよ」というものである。

衝突を恐れない旧式（有線LAN）と、衝突しないように空気を読む現代式（無線LAN）とイメージすると覚えやすいだろう。なお、無線LANで用いられるCSMA/CA方式の「A」は、Avoidance＝“避ける”の頭文字。

イ ×

TCP/IP方式は、MACアドレスではなく**IPアドレスとポート番号**を用いて通信を制御する。

ウ ×

インターネットで標準的に利用されているプロトコルはTCP/IPで、これは電話のシリアル通信プロトコルの延長線上にあるわけではない。詳細を知らなくても、**電話がもともと電話線で結ばれていた⇒シリアル通信**に対して、**インターネットは多：多の接続**が可能であり、クラウドとよばれることをイメージできれば、本肢は誤りとして消去できる。

エ ○

本肢の記述のとおりである。

 **エ**

講師より

トークンパッシング方式は、データの衝突を防ぐためにトークンとよばれる送信許可証を利用したアクセス制御方式です（教科書81ページの図参照）。

問題 16

チェック欄▶ 1 ／ 2 ／ 3 ／

重要度 A　IPアドレス（IPv4）　R5-11

IPv4ネットワークにおいては、ネットワークが使用するIPアドレスの範囲を指定するのにサブネットマスクが利用される。

以下のネットワークにおいて、ホストとして使用できるIPアドレスの個数は最大いくつになるか。最も適切なものを下記の解答群から選べ。

ネットワークアドレス	172.16.16.32/27
サブネットマスク	255.255.255.224

なお、これを２進法で表すと次のようになる。

ネットワークアドレス	10101100 00010000 00010000 00100000
サブネットマスク	11111111 11111111 11111111 11100000

〔解答群〕

ア 14

イ 16

ウ 24

エ 30

オ 32

解説

IPアドレス（IPv4）に関する問題である。サブネットマスクの数値からホストとして使用できるアドレス空間を把握することができる。

ネットワークアドレスの「/27」の表記は、ネットワークアドレス部のビット数を表す。IPv4は、32ビットのアドレス体系であるから、ホストアドレス部は、32ビットから27ビットを引いた５ビットであることがわかる。５ビットは、2^5であるから、ホストアドレス部のアドレス空間は32個であるが、ネットワークアドレス（すべてがゼロ）とブロードキャストアドレス（すべてが1）はホストでは使用しないことが慣例であるため、実際にホストとして使用できるIPアドレスの個数は32－２＝**30**個である。

 エ

講師より

IPアドレスは現在IPv4からIPv6への移行が徐々に進んでいますが、試験ではIPv4の論点が多く問われます。サブネットマスクの意味やネットワークアドレス部、ホストアドレス部の意味合いをしっかり学習しましょう。

問題 17

チェック欄▶ 1 ／ 2 ／ 3 ／

重要度 A 電子メールのプロトコル

R4-7

ネットワーク上では多様な通信プロトコルが用いられている。通信プロトコルに関する記述とその用語の組み合わせとして、最も適切なものを下記の解答群から選べ。

① Webブラウザと Webサーバ間でデータを送受信する際に用いられる。
② 電子メールクライアントソフトが、メールサーバに保存されている電子メールを取得する際に用いられる。
③ 電子メールの送受信において、テキストとともに画像・音声・動画などのデータを扱う際に用いられる。
④ クライアントとサーバ間で送受信されるデータを暗号化する際に用いられる。

〔解答群〕

ア ①：HTTP　②：POP3　③：MIME　④：SSL/TLS

イ ①：HTTP　②：SMTP　③：IMAP　④：UDP

ウ ①：NTP　②：POP3　③：IMAP　④：UDP

エ ①：NTP　②：POP3　③：MIME　④：UDP

オ ①：NTP　②：SMTP　③：IMAP　④：SSL/TLS

解説

プロトコルに関する問題である。ネットワーク上で用いられる代表的なプロトコルが問われている。

HTTP	WebブラウザとWebサーバ間で、ハイパーテキストを送受信するために使用されるプロトコル。
POP3	サーバからメールを受信するためのプロトコル。
MIME	画像や音声、動画など、テキスト以外のデータを電子メールで送信するための通信規格。
SSL/TLS	インターネットを用いた通信において、クライアントとサーバ間で送受信されるデータを暗号化して第三者による通信内容の盗聴を防ぎ、合わせてサーバのなりすましやデータ改ざんを防ぐセキュリティプロトコル。
NTP	ネットワークに接続されている機器の内部時計を協定世界時に同期するために用いられるプロトコル。
SMTP	サーバ間でメールを転送したり、クライアントがサーバにメールを送信する際に用いるプロトコル。
IMAP	POP3同様、サーバからメールを受信するためのプロトコル。POP3と違って、クライアントへ一律にメール内容を移動させず、タイトルや発信者を見て受信するかどうかを決めることができる。モバイル環境で特に便利な方式である。
UDP	トランスポート層におけるコネクションレス型のプロトコル。コネクションレス型とは、通信相手の状況を確認せずにデータを送信する方式を指す。

ア

講師より

プロトコルは多くありますが、テキストや過去問を検討して出題されやすいプロトコルを中心に学習しましょう。どのような活用をされているかも一緒に覚えると効果的です。

問題 18

チェック欄▶ 1 ／ 2 ／ 3 ／

重要度 A

Webアプリケーションの開発に利用する言語や仕組み

R元-3

Webアプリケーションを開発するに当たっては、さまざまな開発言語や仕組みが必要になる。

Webアプリケーションの開発に利用する言語や仕組みに関する記述として、最も適切なものはどれか。

ア Ajaxは、WebブラウザのJavaScriptのHTTP通信機能を利用して、対話型のWebアプリケーションを構築する仕組みである。

イ Cookieは、Webサーバに対するアクセスがどの端末からのものであるかを識別するために、Webサーバの指示によってWebサーバにユーザ情報などを保存する仕組みである。

ウ CSSは、タグによってWebページの構造を記述するマーク付け言語であり、利用者独自のタグを使って文書の属性情報や論理構造を定義できる。

エ Javaは、C言語にクラスやインヘリタンスといったオブジェクト指向の概念を取り入れた言語であり、C言語に対して上位互換性を持つ。

解説

Webアプリケーションの開発に利用する言語や仕組みに関する問題である。

Ajax：<サービス例>Googleマップ
地図の移動や、拡大・縮小してもページ全体を再読み込みせずにすむのは、Ajaxのおかげ。

Cookie：<サービス例>楽天、AmazonなどのECサイト
買い物かご（カート）に商品を入れたままWebサイトを離れて戻ってきても、引き続き買い物ができるのはCookieのおかげ。ほかにも、過去にサインインしたWebで再度IDやパスワードを入れなくてすむのは、Cookieの技術によるものもある。

CSS：Webサイトのデザインを決める仕組み。HTMLが文章などの表示する「中身」を記述するのに対して、CSSは「どう見せるか」を定義する。たとえば、文字の色や文字の間隔などを決めるのはCSSの役割。

Java：プログラム言語の種類。C言語の上位互換ではない。詳細は教科書で確認しよう。

なお、選択肢**イ**は、「Webサーバに対するアクセスがどの端末からのものであるかを識別するため」という記述が誤り。**ウ**はXMLの説明。CSSは独自のタグを利用するわけでもなく、属性情報や論理構造を定義するわけでもない（文字の色などは「属性情報」ではなく「文書のスタイル」である）。

ア

講師より

それぞれの技術が使われているサービスを具体的にイメージできれば、選択肢を絞り込むことができます。本問は、難易度は高めですが、攻略できるようにしておきたい問題です。

問題 19

チェック欄▶ 1 ／ 2 ／ 3 ／

重要度 B URL

R元-8

中小企業診断士のあなたは、あるメールを開封したところ、次のようなURLに接続するように指示が出てきた。

https://News.Fishing.jp/test

このURLから分かることとして、最も適切なものはどれか。

ア SSLを用いて暗号化されたデータ通信であることが確認できる。

イ 大文字と小文字を入れ替えた偽サイトであることが確認できる。

ウ 参照先ホストのサーバが日本国内に設置されていることが確認できる。

エ ホスト名のWWWが省略されていることが確認できる。

解説

URLに関する基礎的な問題である。httpsについて知っていれば解くことができる。

httpsは、従来のhttp（Hyper Text Transfer Protocol）という通信手段に、SSLというセキュアな技術を重ねた通信手段である。httpが暗号化されていないのに対して、httpsは暗号化されているため、安全度が高い通信を行うことができる。

郵便にたとえると、httpがハガキ、httpsが封書のイメージである。

なお、ドメインは一般的に英数字の大文字と小文字は区別されない。よって、選択肢**イ**は誤り。

また、.jpのようにJPドメインを利用していてもサーバが国内にあるとは限らないので、**ウ**も誤り。

エは、wwwが省略されているのか、もともとないのかは本問だけでは判断がつかないため、選ぶことができない。

ア

URLの構造は基本事項なので、教科書で確認してください。

近年では、wwwを省略したURLも見られます。教科書に載っているURLの構造を基本として、省略もしくはなくても成立する場合があることを知っておきましょう。

問題 20

チェック欄▶ 1 ／ 2 ／ 3 ／

重要度Ⓐ ＬＡＮの接続機器

R5-12

LANを構成するために必要な装置に関する以下のａ～ｅの記述とその装置名の組み合わせとして、最も適切なものを下記の解答群から選べ。

a OSI基本参照モデルの物理層で電気信号を中継する装置。

b OSI基本参照モデルのデータリンク層の宛先情報を参照してデータフレームを中継する装置。

c OSI基本参照モデルのネットワーク層のプロトコルに基づいてデータパケットを中継する装置。

d OSI基本参照モデルのトランスポート層以上で使用されるプロトコルが異なるLAN同士を接続する装置。

e 無線LANを構成する機器の１つで、コンピュータなどの端末からの接続要求を受け付けてネットワークに中継する装置。

〔解答群〕

ア ａ：ブリッジ　ｂ：リピータ　ｃ：ルータ
ｄ：ゲートウェイ　ｅ：アクセスポイント

イ ａ：リピータ　ｂ：アクセスポイント　ｃ：ゲートウェイ
ｄ：ルータ　ｅ：ブリッジ

ウ ａ：リピータ　ｂ：ブリッジ　ｃ：ルータ
ｄ：ゲートウェイ　ｅ：アクセスポイント

エ ａ：リピータ　ｂ：ルータ　ｃ：ゲートウェイ
ｄ：ブリッジ　ｅ：アクセスポイント

オ ａ：ルータ　ｂ：ブリッジ　ｃ：アクセスポイント
ｄ：ゲートウェイ　ｅ：リピータ

解説

教科書 Ch1 Sec4、5

LANの接続機器に関する問題である。頻出論点であるLANの接続機器の用途とOSI基本参照モデルの対応関係を確実に押さえよう。

〈OSI基本参照モデルとLAN間接続機器〉

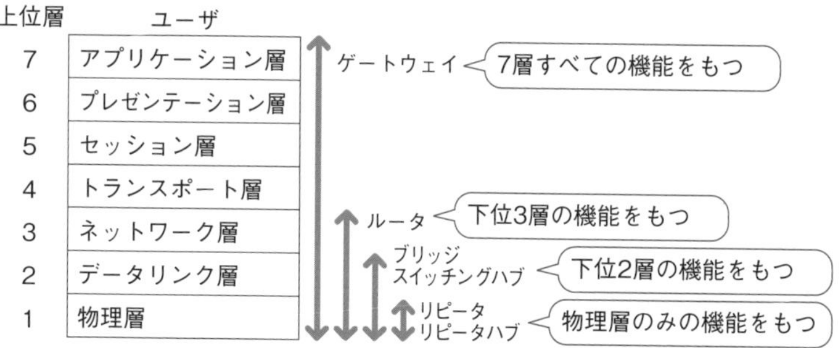

a：リピータ

LANの伝送路の長さを伸ばすための機器である。接続ポートを２つ保有する機器をリピータ、ハブ形式である機器をリピータハブとよぶ。ケーブル上の電気信号を再生し中継することによって、LANのケーブルを延長する。OSI基本参照モデルの物理層に該当する機器である。

b：ブリッジ

LAN内の端末を接続する機器である。接続ポートを２つ保有する機器をブリッジ、ハブ形式である機器をスイッチングハブとよぶ。OSI基本参照モデルのデータリンク層に該当する機器である。

c：ルータ

LANとLANやLANとインターネットなど、異なるネットワークを接続するための機器である。OSI基本参照モデルのネットワーク層に該当する機器である。

d：ゲートウェイ

OSI基本参照モデルの７階層すべての機能をもつが、おもにトランスポート層以上で使用されるプロトコルが異なるネットワーク同士を接続するための機器である。

e：アクセスポイント

無線LAN（Wi-Fi）の環境を構築するための機器であり、有線ネットワークと無線ネットワークを相互変換する役割をもつ。

ウ

LAN間接続機器はOSI基本参照モデルと絡めて出題される可能性が高いです。OSI基本参照モデルの各層に対応する接続機器を正しく把握しましょう。

MEMO

問題 21

チェック欄▶ 1 ／ 2 ／ 3 ／

重要度Ⓐ 認証技術

R3-11

情報システムの利用において、利用者を認証する仕組みの理解は重要である。

それらに関する記述として、最も適切なものはどれか。

ア 生体認証では、IDとパスワードに加えてセキュリティトークンによって利用者を認証する。

イ チャレンジレスポンス認証では、指紋認証、静脈認証、署名の速度や筆圧などによって利用者を認証する。

ウ 二要素認証では、パスワードだけではなく秘密の質問の答えの２つを組み合わせることによって利用者を認証する。

エ リスクベース認証では、普段と異なる環境からログインする際、通常の認証に加えて合言葉などによって利用者を認証する。

オ ワンタイムパスワードによる認証では、一度認証されれば、利用する権限を持つ各サーバやアプリケーションでの認証が不要となる。

解説

ア ×

生体認証（バイオメトリクス）は、認証にその人特有の身体的特徴を用いるものである。なお、本肢にある「セキュリティトークン」とは、コンピュータサービスの利用権限のある利用者に、認証の助けとなるよう与えられる物理デバイスのことである。

〈セキュリティトークンのイメージ〉

イ ×

本肢は、**生体認証**の内容である。チャレンジレスポンス認証とは、認証サーバが生成したチャレンジコードをクライアント側で加工してレスポンスコードを生成し、このレスポンスコードを認証サーバに送信して検証する認証方式である。

ウ ×

本肢は、**二段階認証**の内容である。二要素認証とは、認証の三要素（知識要素、所有要素、生体要素）の中から、異なる２つの要素を組み合わせて行う認証である。一方、二段階認証は、２つの段階を経て認証を行う。異なる要素の認証を組み合わせる場合もあるが、同じ認証の要素を２つ以上用いて二段階で認証する場合もある。

エ ○

リスクベース認証は、ネットバンキングやECサイトなどのインターネットサービスの利用時に活用される。ログインを必要とするシステムにおいて、利用者のアクセスログなどから行動パターンや端末のOS、IPアドレス、ブラウザの種類などの情報をもとに追加の質問を行い、確実な本人認証を行う方式である。

オ　✖

本肢は、**シングルサインオン**の内容である。ワンタイムパスワードとは、１回限りの使い捨てパスワードを動的に生成し、そのパスワードおよびIDを用いて利用者の正当性を判断する技術である。

　エ

講師より

認証技術については、近年セキュリティの重要性が高まっていることから、基礎知識は必ず押さえておきましょう。利便性と安全性の両立をどのようにかなえているかがポイントです。

二要素認証や二段階認証も多くの場面で活用されています。身近な例を探してみましょう。

MEMO

問題 22

チェック欄▶ 1 ／ 2 ／ 3 ／

重要度 B パスワードレス認証

R6-17

近年パスワードレス認証が普及してきた。パスワードレス認証の方法に関する記述として、最も適切なものはどれか。

ア パスキー認証では、生体認証は用いられない。

イ パスキー認証では、複数のデバイス間で同じパスキー（FIDO認証資格情報）を用いることができる。

ウ パスキー認証では、利用者の電話番号にワンタイムパスワードを通知して、そのコードを用いて、認証する。

エ パスキー認証とは、一度の認証で許可されている複数のサーバやアプリケーションを利用できる仕組みをいう。

オ パスキー認証は、パスワード認証に比べてDoS攻撃への耐性がある。

解説

ア ×

パスキー認証では主に顔認証や指紋認証などを利用します。

イ ○

正しい。複数のデバイス間で同じパスキーを用いることが可能です。

ウ ×

本肢はワンタイムパスワードの説明です。

エ ×

本肢はシングルサインオンの説明です。

オ ×

直接的にDoS攻撃に耐性があるとは言えません。

イ

講師より

認証の方式について、各名称とそれぞれの特徴をしっかり学習しましょう。IDとパスワード以外の認証方式は、正誤問題で出題されたときには得点源にできるようにしましょう。

問題 23

チェック欄▶ 1 ／ 2 ／ 3 ／

重要度B 無線LANのセキュリティ対策 オリジナル問題

無線LANは電波が届く範囲内であれば第3者でもデータを受け取ることが可能であり、ネットワークへ侵入されやすい。無線LANのセキュリティ対策に関する記述について、最も適切なものはどれか。

ア 2018年に発表された無線LANの暗号化技術であるWPA3では、鍵確立手法を従来のPSKから新しいSAE（同等性同時認証）に変更された。

イ 無線LANでは、無線LAN端末とアクセスポイントの間を公開鍵暗号方式で暗号化する。

ウ WPAはWEPのセキュリティ上の問題点を解消した規格である。WPAの暗号化方式であるTKIPではAES、CCMPではRC4という暗号化アルゴリズムが用いられる。

エ SSIDはアクセスポイントを識別するためのIDである。無線LANのクライアント側においてSSIDに空白を設定した場合は、どのアクセスポイントとも接続できないことが規約上で定められている。

解説

無線LANのセキュリティ対策に関する問題である。SSIDの機能と設定値、無線LANの暗号化方式、WPAの暗号方式と暗号化アルゴリズム、WPA3の鍵の確立手法について整理しておきたい。

ア ○

SAEは、パスワードに基づく認証および鍵交換プロトコルである。WPA3では、SAEハンドシェイクの手順や認証の再試行回数を変更して各種攻撃への耐性を上げた。また、WPA3ではAESに加え、通信暗号化アルゴリズムの選択肢として新たにCNSAが追加された。

イ ×

無線LANでは、無線LAN端末とアクセスポイントの間を**共通鍵暗号方式**で暗号化する。

ウ ×

TKIPはRC4、CCMPはAESをそれぞれ暗号化アルゴリズムとして用いる。

エ ×

SSIDは、初期設定ではメーカ設定値または未設定になっていることが多く、他のネットワークと区別するために自分のネットワーク固有のIDを設定する必要がある。また、無線LANのクライアント側においてSSIDに「ANY」や空白を設定した場合は、**どのアクセスポイントとも接続できる**ことが規約上定められている。

ア

講師より

無線LANは、一般的には“無線LAN”とよばれるIEEE802.11接続プロトコル（いわゆるWi-Fi）を指します。年々セキュリティの強化が図られ、暗号化規格も変化しています。各規格の名称やアルゴリズムのセットで覚えましょう。無線通信規格としてWi-Fiのほかに「NFC」「Bluetooth」「IrDA」などがあります。

問題 24

チェック欄▶ 1 ／ 2 ／ 3 ／

重要度 B　データ漏えいを防ぐ仕組み

オリジナル問題

ノートPCにおいて、置き忘れや盗難時のデータ漏えいを防ぐのは、次のうちどれか。

ア　パッチの更新

イ　プライバシーフィルター

ウ　ホストベースファイアウォール

エ　リモートワイプ

解説

ア ×

パッチの更新は、見つかった**セキュリティホール**に対する更新プログラムを適用することである。たとえば、Windowsユーザにはおなじみの「Windowsアップデート」などが、「パッチの更新」にあたる。

イ ×

ショルダーハッキングのリスクを低減する目的で用いる。

いわゆる**"のぞき見防止フィルム"**のことで、斜めの角度から画面を見えにくくするフィルムである。

ウ ×

ホストベースファイアウォールは、**ホスト**（＝コンピューター本体）に設定するファイアウォールのことである。通常のファイアウォールは、外部ネットワークと内部ネットワークの間に設置する。ホスト型とネットワーク型の２重でファイアウォールを設けることで、安全性を高める。

エ ○

離れたところから端末にある情報を消去して、情報の漏えいを防ぐ技術である。

 **エ**

講師より

ノートPCのセキュリティは、システムというよりも運用（人的なミス）の防止が重要です。ショルダーハッキング（のぞき見）のほか、スキャベンジング（ごみ箱あさり）、盗み聞きなど、非技術的な方法でパスワードや機密情報を不正に入手する方法を総称して、「ソーシャルエンジニアリング」といいます。

問題 25

チェック欄 1 / 2 / 3 /

重要度 B RASIS

H29-13

業務に利用するコンピュータシステムが、その機能や性能を安定して維持できるかどうかを評価する項目としてRASISが知られている。

これらの項目に関連する以下の文章の空欄A～Dに入る語句の組み合わせとして、最も適切なものを下記の解答群から選べ。

コンピュータシステムの信頼性は、稼働時間に基づいた［ A ］で評価することができ、この値が大きいほど信頼性は高い。

コンピュータシステムの保守性は、修理時間に基づいた［ B ］で評価することができ、この値が小さいほど保守が良好に行われている。

障害が発生しないようにコンピュータシステムの点検や予防措置を講ずることは［ C ］と［ D ］を高める。また、システムを二重化することは、個々の機器の［ C ］を変えることはできないがシステムの［ D ］を高めることはできる。

〔解答群〕

ア　A：MTBF　B：MTTR
　　C：信頼性　D：可用性

イ　A：MTBF/(MTBF＋MTTR)　B：MTBF
　　C：安全性　D：可用性

ウ　A：MTBF/(MTBF＋MTTR)　B：MTTR
　　C：信頼性　D：保全性

エ　A：MTTR　B：MTBF/(MTBF＋MTTR)
　　C：安全性　D：保全性

解説

MTBF：「平均**故障**間動作時間」で、これが大きいほど【**信頼性**】が高い。
MTTR：「平均**修理**時間」で、これが小さいほど【**保守性**】が高い。

よって、空欄AにはMTBF、空欄BにはMTTR、空欄Cには信頼性が入る。

なお、空欄Dの**可用性**は稼働率の高さを示す。

ア

〈MTBFとMTTR〉

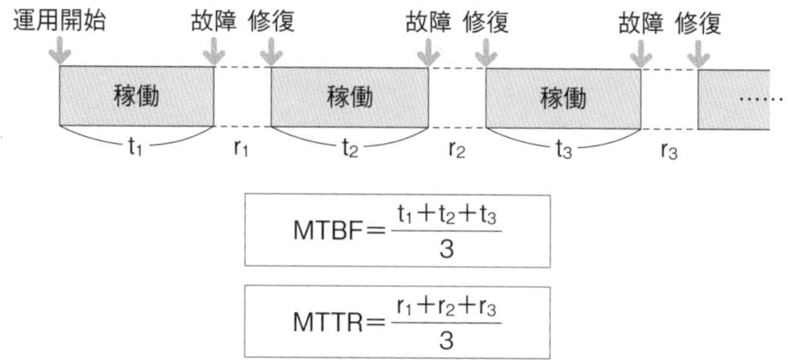

$$MTBF = \frac{t_1 + t_2 + t_3}{3}$$

$$MTTR = \frac{r_1 + r_2 + r_3}{3}$$

〈RASISの定義と指標〉

			対応する指標	指標のよしあし
R	**信頼性**（Reliability）	故障のしにくさ	MTBF	大きいほど○
A	**可用性**（Availability）	使用できる割合	稼働率	大きいほど○
S	**保守性**（Serviceability）	保守のしやすさ	MTTR	小さいほど○
I	**完全性（保全性）**（Integrity）	情報の正確さや完全性を確保できる度合い	–	–
S	**安全性**（Security）	災害やセキュリティ攻撃への耐性	–	–

講師より

教科書の板書や図で確認しましょう。また、MTTR=Repair（修理する）のRと覚えましょう。

問題 26

チェック欄▶ 1 ／ 2 ／ 3 ／

重要度B システムの性能評価

H27-11

コンピュータの性能に関する評価尺度は複数あるが、その中のひとつであるスループットに関する記述として、最も適切なものはどれか。

ア OSのマルチタスクの多重度で性能を評価する。

イ 主記憶装置のデータ書き換え速度で性能を評価する。

ウ ターンアラウンドタイムではなく、レスポンスタイムで性能を評価する。

エ 命令の処理量や周辺機器とのやり取り等を総合的に加味した、単位時間当たりの処理件数で性能を評価する。

解説

スループットとは、コンピュータシステムが**単位当たりの時間**で処理できる仕事の量のことである。単位として、「1時間当たりのトランザクション数」などで示す。

ア ×

「**多重度**」は、同時並行でタスクをこなす量のことで、スループットとは異なる。

イ ×

データ書き換え速度は「**処理速度**」といい、これもスループットとは異なる性能指標である。

ウ ×

ターンアラウンドタイム、レスポンスタイムともに「システムの応答時間」を示す。

エ ○

本肢の記述のとおりである。

エ

講師より

システムの性能評価は、処理速度といった使い勝手の「性能」と、ちゃんと動くかどうかの「信頼性」の両面で評価します。問題25のRASISは「信頼性」、本問は使い勝手の「性能」に関する出題です。

問題 27

チェック欄▶ 1 ／ 2 ／ 3 ／

重要度Ⓐ システムの障害対策 R3-20

近年、情報システムの信頼性確保がますます重要になってきている。情報システムの信頼性確保に関する記述として、最も適切なものはどれか。

ア サイト・リライアビリティ・エンジニアリング（SRE）とは、Webサイトの信頼性を向上させるようにゼロから見直して設計し直すことである。

イ フェイルセーフとは、ユーザが誤った操作をしても危険が生じず、システムに異常が起こらないように設計することである。

ウ フェイルソフトとは、故障や障害が発生したときに、待機系システムに処理を引き継いで、処理を続行するように設計することである。

エ フォールトトレランスとは、一部の機能に故障や障害が発生しても、システムを正常に稼働し続けるように設計することである。

オ フォールトマスキングとは、故障や障害が発生したときに、一部の機能を低下させても、残りの部分で稼働し続けるように設計することである。

解説

ア ×

サイト・リライアビリティ・エンジニアリング（Site Reliability Engineering：SRE）は、米国Google社が提唱するWebサイトやサービスの信頼性向上に向けた取り組みを行い、価値の向上を進める考え方および方法論である。**ゼロから見直して設計し直す**という考え方はない。

イ ×

フールプルーフの内容である。フェイルセーフは、障害が発生した場合、障害による被害が拡大しない方向に制御すること、またはその設計概念である。

ウ ×

デュプレックスシステムの内容である。フェイルソフトは、障害が発生した場合、システムの全面停止を避け、機能を低下させても運転を継続させること、またはその設計概念である。

エ ○

フォールトトレランスは、障害が発生した場合に、運転を継続できるシステムを設計しようとする設計概念を指す。

オ ×

フェイルソフトの内容である。フォールトマスキングは、システムのある部分に障害が発生した際、補正などを行って外部からは障害がわからないように隠ぺいしながら（稼働を継続しながら）、同時に自律的な障害修復も行うことである。

正解 エ

講師より

下図で違いを整理しておきましょう。

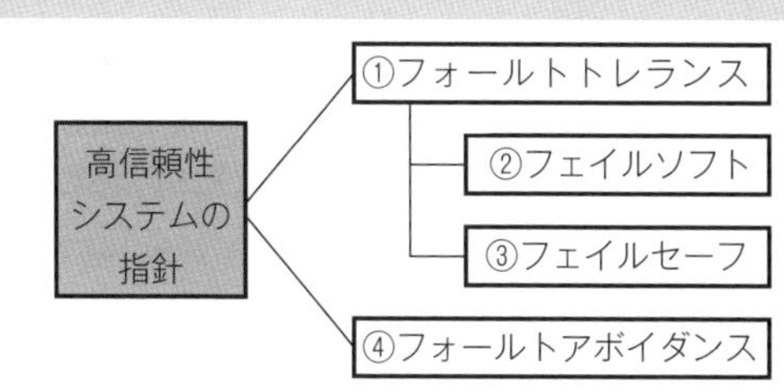

問題 28

チェック欄▶ 1 ／ 2 ／ 3 ／

重要度 Ⓐ 各言語の特徴①

H27-2

自社のWebサイトの開発にあたっては、利用可能な様々な言語や仕組みがあり、Webコンテンツごとに必要な機能や表現に合ったものを使用する必要がある。これらの言語や仕組みの特徴に関する以下の①〜④の記述と、その名称の組み合わせとして、最も適切なものを下記の解答群から選べ。

① Webページに記述された文書・データの表示位置の指示や表の定義、および、文字修飾指示等の表示方法に関する事項を記述するもの。
② Webページ内でHTMLとともに記述することができるスクリプト言語で、サーバ側においてスクリプトを処理し、その結果を端末側で表示することが可能であり、データベースとの連携も容易である。
③ Webページの中に実行可能なコマンドを埋め込み、それをサーバ側で実行させ、実行結果を端末側で表示させる仕組み。
④ コンピュータグラフィックスに関する図形、画像データを扱うベクターイメージデータをXMLの規格に従って記述するもの。

〔解答群〕

ア ①：CSS　②：ASP　③：PHP　④：SGML

イ ①：CSS　②：PHP　③：SSI　④：SVG

ウ ①：SMIL　②：Javaアプレット　③：ASP　④：SSI

エ ①：SVG　②：SMIL　③：PHP　④：SGML

解説

教科書 Ch1 Sec8

代表的なプログラミング言語とスクリプト言語は、名称と特徴を暗記しておこう。

なお、JavaとJavaアプレット、Javaスクリプトは、名称は似ているが全く異なるものである。

 イ

ここで出題されている言語も含め、教科書で確認しましょう。

問題 29

チェック欄▶ 1 ／ 2 ／ 3 ／

重要度Ⓐ 各言語の特徴②

R4-3

プログラミング言語には多くの種類があり、目的に応じて適切な選択を行う必要がある。

プログラミング言語に関する記述として、最も適切なものはどれか。

ア JavaScriptはJavaのサブセットであり、HTMLファイルの中で記述され、動的な Web ページを作成するために用いられる。

イ Perlは日本人が開発したオブジェクト指向言語であり、国際規格として承認されている。

ウ PythonはLISPと互換性があり、機械学習などのモジュールが充実している。

エ Rは統計解析向けのプログラミング言語であり、オープンソースとして提供されている。

オ Rubyはビジュアルプログラミング言語であり、ノーコードでアプリケーションソフトウェアを開発することができる。

解説

プログラミング言語に関する問題である。各スクリプト言語の詳細な特徴が問われている。

ア ×

サブセットとは、集合全体を構成する要素の一部分、下位部分などを取り出して構成した小集団のことである。JavaScriptは、Java言語の文法を参考にしているが、**互換性は全くないためサブセットとはいえない**。また、HTMLファイル内にJavaScriptのコードを記述することはできるが、一般的にはHTMLファイルとは別に「.jsファイル」としてJavaScriptで書かれたプログラムを記録する。「.jsファイル」はWebブラウザなどで実行できる。

イ ×

本肢は、Ruby の内容である。Perlは、テキストの検索や抽出、レポート作成に向いた言語である。CGIの開発やUNIX用のテキスト処理などに用いられる。

ウ ×

LISPは、人工知能や機械学習の分野等に用いられるプログラミング言語のひとつである。FORTRANに次ぐ世界で２番目に開発された高水準プログラム言語であり、Pythonと**互換性はない**。

エ 〇

Rは、オープンソースな統計解析向けのプログラミング言語およびその開発実行環境である。

オ ×

Rubyは、**スクリプト言語であり、ビジュアルプログラミング言語ではない**。また、Rubyは、**ノーコードでアプリケーションソフトウェアを開発することもできない**。ビジュアルプログラミング言語とは、プログラムをテキストで記述するのではなく、視覚的なオブジェクトでプログラミングする。グラフィカルプログラミング言語ともいう。ノーコードとは、ソースコードの記述をせずにアプリケーションやWebサービスの開発が可能なサービスのことである。

正解　エ

プログラミング言語は、スクリプト言語、マークアップ言語と幅広い分野から出題されます。各々のプログラミング言語の代表的な特徴と、具体的にどのように利用されているかを優先的に学習しましょう。

MEMO

問題 30

チェック欄▶ 1 ／ 2 ／ 3 ／

重要度Ⓐ 開発方法論

R4-13

システム開発の方法論は多様である。システム開発に関する記述として、最も適切なものはどれか。

ア DevOpsは、開発側と運用側とが密接に連携して、システムの導入や更新を柔軟かつ迅速に行う開発の方法論である。

イ XPは、開発の基幹手法としてペアプログラミングを用いる方法論であり、ウォーターフォール型開発を改善したものである。

ウ ウォーターフォール型開発は、全体的なモデルを作成した上で、ユーザにとって価値ある機能のまとまりを単位として、計画、設計、構築を繰り返す方法論である。

エ スクラムは、動いているシステムを壊さずに、ソフトウェアを高速に、着実に、自動的に機能を増幅させ、本番環境にリリース可能な状態にする方法論である。

オ フィーチャ駆動開発は、開発工程を上流工程から下流工程へと順次移行し、後戻りはシステムの完成後にのみ許される方法論である。

解説

開発モデルに関する問題である。代表的な開発モデルの特徴が問われている。

ア ○

DevOps（デブオプス）は、アジャイル開発プロセスに通じる概念であり、プログラムの変更とリリース（運用開始）を頻繁に繰り返すアジャイル開発においては、開発担当者と運用担当者の連携を密に行う必要がある。

〈DevOpsのイメージ〉

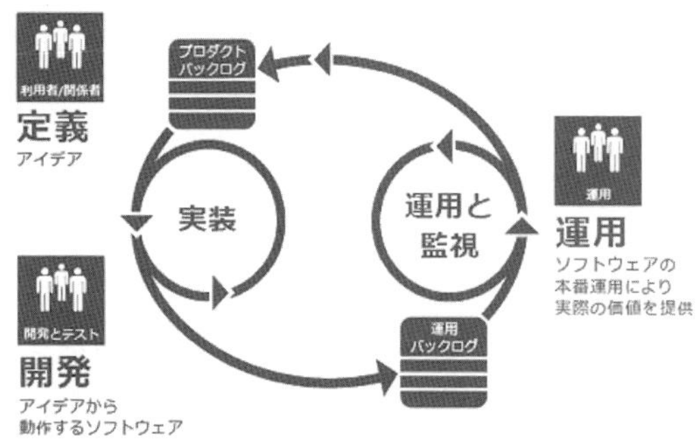

（出典：日本マイクロソフト株式会社「ソフトウェア開発環境の最新動向」）

イ ×

XPは、アジャイル開発プロセスの先駆けとなった手法であり、Kent Beck氏らによって考案・提唱された。XPでは、開発の初期段階に行われる設計工程よりもコーディングとテストを重視している。XPとウォーターフォール型開発は思想やプロセスが対照的であり、**ウォーターフォール型開発を改善したものであるという点が不適切**である。

ウ ×

本肢は、**スパイラルモデル**の内容である。スパイラルモデルのイメージは以下の図表のとおりである。

〈スパイラルモデルのイメージ〉

	設計	プログラミング	テスト	評価
サブシステム →	● →	● →	● →	●
サブシステム →	● →	● →	● →	●
サブシステム →	● →	● →	● →	●
⋮				

エ　×

スクラムは、開発チームの密接な連携を前提にする開発手法であり、顧客の要求変化や技術の変化など、予測が難しいプロジェクトの運営に適している。スクラムは、設計工程とプログラミング工程を往復しながらソフトウェア開発を行うラウンドトリップ・エンジニアリングの手法を取り入れている。

オ　×

フィーチャ駆動開発はアジャイル開発のひとつであるため、**後戻りはシステムの完成後にのみ許される方法論である、**という箇所が特に不適切である。フィーチャ駆動開発は、比較的大規模なプロジェクトにも適用可能な手法であり、開発プロセスが非常にコンパクトで明確に定義されている。ユーザにとっての機能価値（＝フィーチャ）を基本単位として開発を進める点が特徴である。

ア

講師より

従来からのウォーターフォールモデル、プロトタイプモデル、スパイラルモデルに加え、DevOpsやアジャイル開発（XP、スクラムなど）が近年の論点として頻出論点になっています。各々の特徴を正誤で問われる出題パターンが多くなっています。

MEMO

問題 31

チェック欄▶ 1 ／ 2 ／ 3 ／

重要度 A スクラム

R6-14

アジャイル開発手法の１つにスクラムがある。スクラムの特徴に関する記述として、最も適切なものはどれか。

ア 開発者は、製品開発に必要な機能、タスク、要件などをリストアップしたプロダクトバックログの優先順位を決定する。

イ スクラムマスターは、スクラムチームから生み出されるプロダクトの価値を最大化させる責任がある。

ウ スプリントレビューは、主要なステークホルダーに作業の結果を提示し、プロダクトゴールに対する進捗を話し合うイベントである。

エ プロダクトオーナーには、開発チームの開発における障害物を取り除く責任がある。

オ レトロスペクティブは、開発チームの全員が、昨日行ったこと、今日行うこと、障害になっていることを話し合い、全員で開発状況を共有するイベントである。

解説

ア ×

本肢はプロダクトオーナーの説明です。開発者は自律的かつ多能的であり、チームを作って、プロダクトを作り上げる存在です。

イ ×

本肢はプロダクトオーナーの説明です。スクラムマスターはスクラムの原則やプラクティスが守れるように支援します。

ウ ○

正しい。スプリントレビューはスプリントの終わりに、完成した成果物を関係者に示し、フィードバックを得るものです。

エ ×

本肢はスクラムマスターの説明です。プロダクトオーナーの説明は選択肢**ア**、**イ**を参照してください。

オ ×

本肢はデイリースクラムの説明です。レトロスペクティブはスプリント終了後にチームプロセスを振り返り、改善点を見つけ、次のスプリントに生かすことを目的とします。

ウ

講師より

近年スクラム関連の出題が増えています。以下の用語をしっかり学習しましょう。
役割　スクラムマスター、プロダクトオーナー
イベント　スプリントプランニング、デイリースクラム、スプリントレビュー、スプリントレトロスペクティブ
成果物　プロダクトバックログ、スプリントバックログ、インクリメント

問題 32

チェック欄▶ 1 ／ 2 ／ 3 ／

重要度 Ⓒ

システム開発における要求と結果のギャップ

H28-17

　中小企業がシステム開発を開発者（ベンダ）に発注する場合、発注側の要求が開発結果に正しく反映されないことがある。以下のシステム開発の①～③の段階と、要求と結果の間に起こり得るａ～ｃのギャップの説明の組み合わせとして、最も適切なものを下記の解答群から選べ。

発注者の要求内容

　　　↓①発注者の要求内容から要件定義書を作成する段階

要件定義書の内容

　　　↓②要件定義書から外部設計を行う段階

外部設計書の内容

　　　↓③外部設計書から詳細設計を行う段階

完成したソフトウェア

〈ギャップの説明〉

a　発注者が開発者に説明した要件定義書に盛り込まれた内容が、開発側設計者の誤認等何らかの理由により開発内容から漏れた。

b　開発者が何らかの理由により要件定義書の内容を誤認・拡大解釈し、実現範囲に盛り込んでしまった。

c　要件定義すべき内容が抜けており、発注者が開発者に説明していない。

〔解答群〕

ア　a：①　b：②　c：②

イ　a：②　b：②　c：①

ウ　a：②　b：③　c：①

エ　a：③　b：②　c：①

解説

教科書 Ch2 Sec1

本問は、特にITを学んでいなくても、「システム開発の1～3の段階」から成果物に着目して整理できれば正答できる問題である。各段階で出来上がる成果物は下記のとおり。

要求内容→要件定義書……①
要件定義書→外部設計書……②
外部設計書→詳細設計……③

aのギャップは、「要件定義書から次のステップにうつす段階で生じた」ので②、**b**のギャップも同様に、「要件定義書から次のステップで生じた」ので②、**c**のギャップは、「要件定義書が完全にできあがらなかった」ので①だとわかる。

イ

講師より

このように、成果物や時系列に着目して解答を導くのは、2次試験でも使えるスキルです。日常から成果物や時系列を意識しながら過ごすことで、試験対策にもなりますよ。

問題 33

チェック欄▶ 1 ／ 2 ／ 3 ／

重要度 B エラー件数の推定

R5-18

あるソフトウェア開発において、エラー埋め込み法を用いてソフトウェアのエラー数を推定することにした。検査対象プログラムに、意図的に100件のエラーを埋め込み、そのことを知らない検査担当者に検査させたところ、50件のエラーを発見することができた。そのうち40件は、意図的に埋め込んだエラーであった。

埋め込みエラーを除く検査開始前の潜在エラーの件数として、最も適切なものはどれか。

ア 10

イ 15

ウ 20

エ 25

オ 30

エラー埋め込み法（バグ埋め込み法）に関する問題である。対応関係が把握できれば、計算自体は難しくないが、手法の内容をしっかり押さえたい。

エラー埋め込み法を用いた潜在エラー数の推定は、次の手順で求める。

① 意図的にエラーを埋め込む。
② そのことを知らない検査担当者に検査させる。
③ 検査担当者が発見したエラーのうち、意図的に埋め込んだエラーが何件発見されたかを確認する。
④ 意図的に埋め込んだエラーが全て発見される確率を計算し、その確率を用いて検査開始前の潜在エラー数を推定する。

問題文で与えられた次の数値を用いて計算する。
・意図的に埋め込んだエラーの件数：100件
・検査担当者が発見したエラーの件数：50件
・意図的に埋め込まれたエラーのうち発見された件数：40件

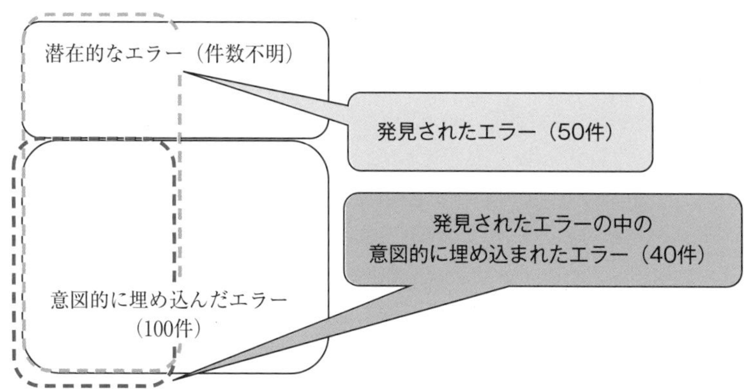

発見されたエラーの中で、潜在的なエラーの数と意図的に埋め込んだエラーの数の比は10：40である。

ここから、全体のエラーの数も潜在的なエラー件数と意図的に埋め込んだエラーの件数の比が１：４であることがわかる。

これより、意図的に埋め込んだエラー件数全体は100件であるから、潜在

的なエラー件数全件：意図的に埋め込んだエラー件数全体で比で示すと、

　1：4＝潜在的なエラー件数全件：100

となる。よって、潜在的なエラー件数全件は25件となる。

エ

　考え方が理解できればあとは比を使って計算することができるので、落ち着いて状況を把握できるようにしましょう。

MEMO

問題 34

チェック欄▶ 1 ／ 2 ／ 3 ／

重要度 A モデリング技法

R2-17

オブジェクト指向のシステム開発に利用されるモデリング技法の代表的なものとして、UML（Unified Modeling Language）がある。

UML で利用されるダイアグラムにはいろいろなものがあるが、下記の a ～ d の記述はどのダイアグラムに関する説明か。最も適切なものの組み合わせを下記の解答群から選べ。

a 対象となるシステムとその利用者とのやり取りを表現するダイアグラム。

b 対象となるシステムを構成する概念・事物・事象とそれらの間にある関連を表現するダイアグラム。

c システム内部の振る舞いを表現するためのもので、ユースケースをまたがったオブジェクトごとの状態遷移を表現するダイアグラム。

d 活動の流れや業務の手順を表現するダイアグラム。

〔解答群〕

ア a：アクティビティ図　b：オブジェクト図
c：ユースケース図　d：シーケンス図

イ a：クラス図　b：配置図
c：コミュニケーション図　d：ステートマシン図

ウ a：コミュニケーション図　b：コンポーネント図
c：アクティビティ図　d：クラス図

エ a：ユースケース図　b：クラス図
c：ステートマシン図　d：アクティビティ図

解説

モデリング技法は、情報システムだけでなく運営管理でも問われる可能性があります。ここに記載のないものについても、ひととおり図と名称、および概要を教科書の図を利用して押さえておきましょう。

ユーケース図（a）

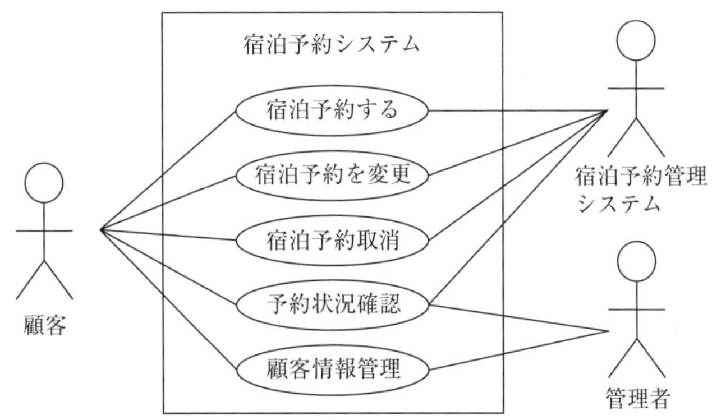

アクティビティ図（d）

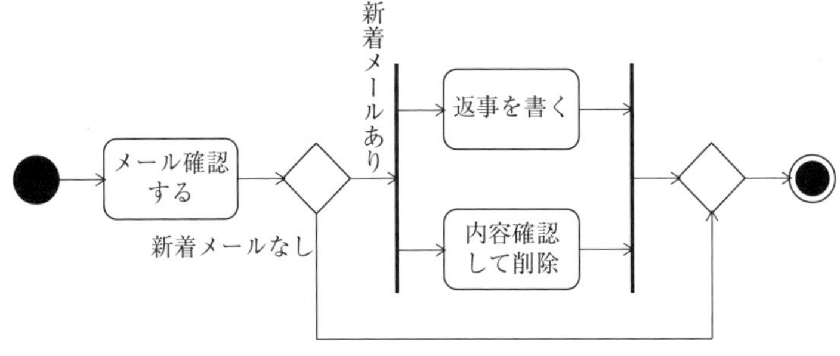

コミュニケーション図

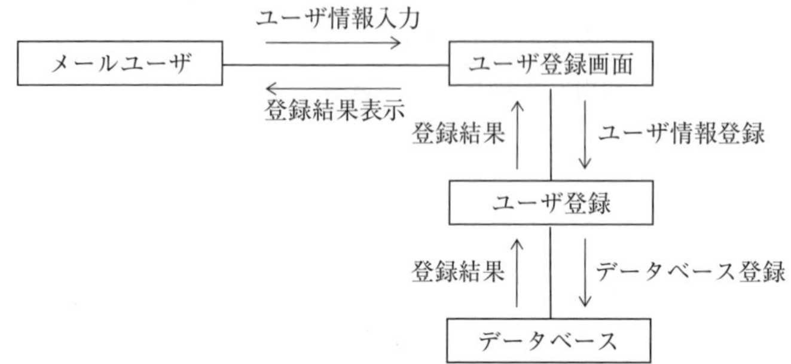

エ

cの記述中の「ユースケース」というキーワードから選択肢アを選んだ方は、とくにUMLの各図の"目的"を意識してください。

MEMO

問題 35

チェック欄▶ 1 ／ 2 ／ 3 ／

重要度 B　ＩＴ投資評価

H29-20

システム化の構想や計画、あるいはIT投資評価などを行う際に必要となる概念やフレームワークなどに関する記述として、最も適切なものはどれか。

ア　EA（Enterprise Architecture）とは、組織全体の意思決定の階層を、戦略的計画、マネジメントコントロール、オペレーショナルコントロールの３つに分けて、システム化の構想をするものである。

イ　ITポートフォリオとは、リスクやベネフィットを考慮しながらIT投資の対象を特性に応じて分類し、資源配分の最適化を図ろうとするものである。

ウ　SLA（Service Level Agreement）とは、ITサービスを提供する事業者とITサービスを利用する企業間の契約で、ITサービスを提供する事業者が知り得た経営上あるいは業務上の知識や情報の秘密を漏えいしないための秘密保持契約をいう。

エ　WBS（Work Breakdown Structure）とは、現行の業務フロー分析を行い、システム化の範囲を定めるために用いる手法である。

解説

EAは文字どおり、**会社の構造を最適化するフレームワーク**である。具体的には、業務プロセスや組織の最適化・システムの標準化によって実現し、①政策・業務体系（BA）、②データ体系（DA）、③適切処理体系（AA）、④技術体系（TA）の４層で考えるものである。

SLAは、「そのシステムのサービスレベルってどのくらい？」を**顧客とベンダで取り決める契約書**である。たとえば、24時間365日稼働を保証するのか、年に１回は保守のために24時間停止するのか、エラーが起こったら何時間以内に復旧するetc.などの約束を定める。

WBSは、システム開発のみならず、プロジェクト管理に便利な可視化ツールである。目標達成に必要な要素を書き出し、ツリー上に構造化して可視化する。

イ

WBSは、システム開発だけでなく、プロジェクトマネジメントで使われる一般的なツールです。日常でも活用してみましょう！

問題 36

チェック欄▶ 1 ／ 2 ／ 3 ／

重要度 C　ERPシステム

R元-15

「ERP（Enterprise Resource Planning）システム」に関する記述として、最も適切なものはどれか。

ア　基幹業務プロセスの実行を、統合業務パッケージを利用して、必要な機能を相互に関係付けながら支援する総合情報システムである。

イ　基幹業務プロセスをクラウド上で処理する統合情報システムである。

ウ　企業経営に必要な諸資源を統合的に管理するシステムである。

エ　企業経営の持つ諸資源の戦略的な活用を計画するためのシステムである。

解説

ERP（Enterprise Resource Planning）システムに関する問題である。

ERPシステムは、企業がビジネスを行うのに基幹となる業務（生産～請求・納品／財務会計・在庫管理等）を、パッケージシステムとして一気通貫で管理するものである。

選択肢**ア**はERPシステムの説明そのものであり、正しい。

イは、SaaS化（クラウド化）しているERPもあるが、オンプレミスのものもまだまだ残っていることから、正しい選択肢ではない。

ウ・**エ**は、文章単体で読む分には問題ない内容だが、**ア**に比べると「最も適切」ではないことから、正答とはならない。

正解　ア

講師より

本問は、技術的な知識というよりはERPの概念を問うような問題で、やや対応しにくかったかもしれません。歴史もふまえて本質をとらえねばならず、正答を選びきるのが難しい問題でした。

問題 37

チェック欄▶ 1 ／ 2 ／ 3 ／

重要度 B　ＩＴアウトソーシング

R元-22

情報通信ネットワークを介して、外部の事業者が提供するさまざまな種類のサービスを、中小企業も利用できるようになってきている。

そのようなサービスに関する記述として、最も適切なものの組み合わせを下記の解答群から選べ。

a　所有する高速回線や耐震設備などが整った施設を提供することで、顧客が用意するサーバなどの設置を可能にするサービスをハウジングサービスという。

b　所有するサーバの一部を顧客に貸し出し、顧客が自社のサーバとして利用するサービスをホスティングサービスという。

c　電子メール、グループウェア、顧客管理システム、財務会計システムなどの機能をネットワーク経由で提供するサービスを、ソーシャルネットワークサービスという。

d　業務用のアプリケーションの機能をネットワーク経由で複数に提供するサービスを ISP サービスという。

〔解答群〕

ア　a と b
イ　a と d
ウ　b と c
エ　c と d

解説

ITアウトソーシングについての問題である。

a ○

ITシステム設置に最適な建物（≒家＝**ハウス**）を貸す → **ハウジング**サービス。

b ○

サーバの一部を貸し出す → サーバは**ホスト**コンピュータともいう → **ホスティング**サービス。

c ×

ソーシャルネットワークサービス（SNS）ではなくSaaSという。

d ×

ISPサービスはインターネット接続サービスのことで、個人や企業がインターネットにつなぐ際にお世話になるサービス。

よって、a・bが正しい。

 ア

講師より

ハウジングサービス、ホスティングサービスは、XaaSサービスの台頭によって以前ほど耳にしなくなりました。しかし、いまの便利な世の中を支えているXaaSのルーツとなる大事な仕組みです。知識として押さえておきましょう。

問題 38

チェック欄▶ 1 ／ 2 ／ 3 ／

重要度Ⓐ クラウドコンピューティング

R4-22

情報システムを利用するには、ハードウェアやソフトウェアを何らかの形で準備する必要がある。

コンピュータ資源の利用の仕方に関する記述として、最も適切な組み合わせを下記の解答群から選べ。

a クラウドコンピューティングとは、データやアプリケーションなどのコンピュータ資源をネットワーク経由で利用する仕組みのことである。

b CaaS（Cloud as a Service）とは、クラウドサービスの類型の1つで、クラウド上で他のクラウドサービスを提供するハイブリッド型を指す。

c ホスティングとは、データセンターが提供するサービスの1つで、ユーザはサーバなどの必要な機器を用意して設置し、遠隔から利用する。

d ハウジングとは、データセンターが提供するサービスの1つで、事業者が提供するサーバを借りて遠隔から利用する。

e コロケーションとは、サーバを意識せずにシステムを構築・運用するという考え方に基づいており、システムの実行時間に応じて課金される。

〔解答群〕

ア aとb
イ aとe
ウ bとc
エ cとd
オ dとe

解説

ITアウトソーシングに関する問題である。クラウドコンピューティングの分類や利用環境による分類について、新しい用語（CaaS：Cloud as a Service）が問われている。

a　○

クラウドコンピューティングは、インターネットなどを介してコンピュータの資源をサービスの形で利用者に提供するコンピューティングの形態である。従来は手元のコンピュータの中にあったデータやソフトウェア、ハードウェアの機能をインターネット上のサーバ群に移行し、それらを必要に応じて必要な分だけ利用する。

b　○

CaaS（Cloud as a Service）は、インターネット、VPN、または専用ネットワーク接続を介して各種サービスへのアクセスを提供するクラウドコンピューティングソリューションのひとつである。CaaSで提供するサービスには、IaaS、PaaS、およびSaaSなどが含まれる。

c　×

本肢は、**ハウジング**の内容である。ホスティングは、サービス事業者がサーバやネットワーク機器を保有し、その一部を提供する形態である。ユーザは、サービス事業者が提供するサーバやネットワーク機器を間借りする形となる。

d　×

本肢は、**ホスティング**の内容である。ハウジングは、ユーザ保有のサーバをサービス事業者の施設内に設置して保守・運用する形態である。ユーザは、高速回線や耐震設備、電源設備やセキュリティが確保された専用施設を保有せず、サービス事業者の施設を利用することで、IT投資に係る初期費用を圧縮することができる。

e　×

コロケーションは、**ネットワークへの常時接続環境のもとに、サーバや回線接続装置などを共同の場所に設置すること**を指す。

よって、ａとｂの組み合わせが正しい。

正解　ア

クラウドサービスが身近なものになって久しいですが、新しい分類や利用方法なども確立されてきています。多くの問題は概要レベルの内容が論点になりますので、広く浅く押さえましょう。

MEMO

問題 39

チェック欄▶ 1 ／ 2 ／ 3 ／

重要度B クラウドサービスの利用

R3-7

ネットワーク技術の進展により、情報システムは2000年代より、それまでのクライアント・サーバ型の情報処理からクラウドコンピューティングへと進化した。また2010年代半ば以降は、エッジコンピューティングを活用する動きも見られるようになった。

これらの動きに関する記述として、最も適切な組み合わせを下記の解答群から選べ。

a クラウドコンピューティングは、インターネットなどを介してコンピュータの資源をサービスの形で利用者に提供するコンピューティングの形態である。

b パブリッククラウドと違いプライベートクラウドの場合には、自社の建物内でサーバや回線などの設備を構築・運用する必要がある。

c エッジコンピューティングは、デバイスの近くにコンピュータを配置することによって、回線への負荷を低減させ、リアルタイム性を向上させることができる。

d エッジコンピューティングを導入することによってIaaSの環境を実現できる。

e クラウドコンピューティングとエッジコンピューティングは、併存させることはできない。

〔解答群〕

ア aとc

イ aとd

ウ bとd

エ bとe

オ cとe

解説

a ○

クラウドコンピューティングは、仮想化技術を用いてインターネット経由でサービスを柔軟に提供する形態である。従来は手元のコンピュータの中にあったデータやソフトウェア、ハードウェアの機能をインターネット上のサーバ群に移行し、それらを必要に応じて必要な分だけ利用する。

b ×

プライベートクラウドは、**物理的なサーバや回線などが自社の建物内に位置しているとは限らない**ため、誤りである。プライベートクラウドは、社内にクラウド環境を構築する場合もあれば、サービス事業者が提供するサービスを利用する場合もある。

c ○

エッジコンピューティングは、クラウドコンピューティングに比べ、通信遅延を100分の１程度にすることができ、リアルタイム処理を必要とするM2MやIoT端末への対応において優れている。エッジコンピューティングでは、データをクラウド上のサーバに集約せず、ネットワークの「エッジ（縁）」に分散して保持し、そこで処理して、必要なデータだけをクラウド上に送る。クラウドコンピューティングと比べて、「通信量削減」「セキュリティ」「低遅延」という３つのメリットをもたらす。高速応答が求められる自動運転などの分野でも不可欠な技術になりつつある。

d ×

エッジコンピューティングは、**導入することによってIaaSの環境が実現できるわけではなく**、また**IaaSの環境を実現するために導入するものでもない**。IaaSは、サーバ、CPU、ストレージなどのインフラまでをサービスとして提供する形態である。

e ×

選択肢**c**の解説のとおり、エッジコンピューティングはクラウドコンピューティングと併存することが一般的である。

ア

クラウドサービスが市場化するのに伴い、出題頻度が上がっています。「日常的に利用しているクラウドが試験に出るとしたら？」を考えながら生活すると、得点につながるでしょう。

MEMO

問題 40

チェック欄▶ 1 ／ 2 ／ 3 ／

重要度 Ⓐ 機械学習

R2-11

以下の文章は、AI（Artificial Intelligence）を支える基礎技術である機械学習に関するものである。文中の空欄A～Dに入る語句として、最も適切なものの組み合わせを下記の解答群から選べ。

機械学習は［ A ］と［ B ］に大きく分けることができる。［ A ］はデータに付随する正解ラベルが与えられたものを扱うもので、迷惑メールフィルタなどに用いられている。［ B ］は正解ラベルが与えられていないデータを扱い、［ C ］などで用いられることが多い。

また、自動翻訳や自動運転などの分野では、人間の神経回路を模したニューラルネットワークを利用する技術を発展させた［ D ］が注目されている。

〔解答群〕

ア A：教師あり学習　B：教師なし学習
C：手書き文字の認識　D：強化学習

イ A：教師あり学習　B：教師なし学習
C：予測や傾向分析　D：深層学習

ウ A：教師なし学習　B：教師あり学習
C：手書き文字の認識　D：深層学習

エ A：教師なし学習　B：教師あり学習
C：予測や傾向分析　D：強化学習

解説

AI技術に関する基礎的な知識問題です。

A・B欄で機械学習の「教師あり学習」「教師なし学習」について問われています。

機械学習の知識がなくても、設問文から“教師あり＝正解を示してAIに学習させる”と推測できれば選択肢**ア・イ**に絞り込むことができます。

D欄ではAIの頻出キーワードである「深層学習」（＝ディープラーニング）の知識を問う意図が感じられます。

ニューラルネットワークを利用する技術→深層学習、と選択したいところですが、やや難易度が高いかもしれません。

イ

講師より

最新のITトレンドワードは日々ニュースにあふれています。

その中でも“よく耳にするな”というものに関しては、一歩踏み込んだ理解があると得点につながります。

情報システムで高得点を目指す方は、技術トレンドにもアンテナを立てておくのがおすすめです。

問題 41

チェック欄▶ 1 ／ 2 ／ 3 ／

重要度 B 検索サイトの仕組み

H29-7

Webコンテンツを多くのネット利用者に閲覧してもらうためには、検索サイトの仕組みを理解して利用することが重要である。

それに関する以下の文章の空欄A～Dに入る語句の組み合わせとして、最も適切なものを下記の解答群から選べ。

検索サイトは、インターネット上にあるWebサイト内の情報を［ A ］と呼ばれる仕組みで収集し、検索用のデータベースに登録する。

検索サイトに対して利用者からあるキーワードで検索要求が出された場合、検索サイトは、独自の［ B ］によって求めた優先度をもとに、その上位から検索結果を表示している。

Webサイト運営者は、Webコンテンツの内容が検索結果の上位に表示されるような施策を行う必要があり、［ C ］対策と呼ばれる。これにはブラックハット対策と［ D ］対策がある。

〔解答群〕

ア A：ガーベージ　B：アルゴリズム
C：SERP　D：ホワイトハット

イ A：クローラ　B：アルゴリズム
C：SEO　D：ホワイトハット

ウ A：クローラ　B：ハッシュ
C：KGI　D：ブルーハット

エ A：スパイダー　B：メトリクス
C：SEM　D：グレーハット

解説

インターネットを用いたWebマーケティングは、中小企業・大企業問わず今後ますます欠かせないことから、基本的な用語の意味は押さえておこう。

クローラは、インターネットの世界をぐるぐると巡回して情報を集めるボット（ロボットのようなもの）である。新しくWebサイトを作ったときには、ボットに見つけてもらえるよう申請を送る。

アルゴリズムは、一言でいうと「やり方」である。**計算方法や処理の仕方のこと**を、IT用語ではアルゴリズムとよぶ。

SEOは、検索エンジン最適化のことである。検索で上位になり、ユーザの目に触れるよう工夫することである。

空欄Dのホワイトハットを知らなくても、選択肢は選べる。

ホワイトハットとは、Googleなど検索エンジン運営企業のガイドラインにのっとった形で行うSEO対策のことである。それに対して、ガイドラインに沿わない形で行う対策を、ブラックハット対策という。

イ

知識を問う問題では、選択肢をよく見て絞り込むことで、すべてを知らなくても正答を導くことができるものが多くあります。

問題 42

チェック欄▶ 1 ／ 2 ／ 3 ／

重要度Ⓐ ＩＴの技術

H29-8

自社のWebサイトを近年の開発技術や新しい考え方を用いて魅力的にすることができれば、さまざまな恩恵がもたらされる。

それに関する記述として、最も適切なものはどれか。

ア AR（拡張現実）とは人工知能技術を指し、これをWebサイトに組み込むことができれば、顧客がWebサイトを通じて商品を購入する場合などの入力支援が可能となる。

イ IoTとはモノのインターネットと呼ばれ、今後、インターネットは全てこの方式に変更されるので、既存の自社のWebサイトを変更しなくても顧客が自社商品をどのように使っているかをリアルタイムに把握できるようになる。

ウ MCN（マルチチャンネルネットワーク）とは、自社のWebサイトを介して外部のWebサイトにアクセスできる仕組みを指し、自社のWebサイトにゲートウェイの機能を持たせることができる。

エ ウェアラブルデバイスとは身につけられるデバイスを指し、それを介して顧客の日々の生活、健康、スポーツなどに関わるデータを自社のWebサイトを経由してデータベースに蓄積できれば、顧客の行動分析をより緻密かつリアルタイムにできるようになる。

解説

ア ×

ARは、スマホ等のデバイスからアプリを通して見たものに**情報が重ねられる技術**のことである。たとえば、現実世界にポケモンが現れてゲームを楽しむ「ポケモンGO」、今いる景色が災害時にどうなるのかシミュレーションできる「防災AR」など、無料で試せるものが多数ある。ぜひ触ってみてほしい。

イ ×

IoTがモノのインターネット化、というのは正しい。スマートフォンからつけたり消したりすることができる電球など、身近にIoT機器は増加しつつある。しかし、**今後インターネットがすべてこの方式に変更されるわけではない**。

ウ ×

MCN（マルチチャンネルネットワーク）は、動画クリエイターのマネジメントを行う、いわば新時代の芸能事務所のようなものである。

エ ○

本肢の記述のとおりである。

エ

講師より

小学生の将来の夢に「YouTuber」が上位に位置づけられる時代、MCNに我が子がお世話になる…なんて日も来るのかもしれませんね。試験対策的にはそれほど重要な用語ではありませんので、知っておく程度で十分です。

問題 43

チェック欄▶ 1 ／ 2 ／ 3 ／

重要度 C　デジタルデータの処理　H29-14

ITの進化に伴い、大量かつ多様なデジタルデータを高速で処理し、分析結果を企業経営に生かせるようになってきた。そこには、日々の業務で発生するトランザクションデータ、eメールや交流サイトでやりとりされるWeb上のデータ、デジタル機器から発信されるIoT関連データなどが含まれる。

これらのデジタルデータの処理に関する記述として、最も適切なものはどれか。

ア　センサーの小型化と低価格化がIoTの普及を促進している。センサーには、地磁気を測定するジャイロセンサー、加速度を測定する電子コンパスなどさまざまなものがあり、それらを組み合わせた新しいサービスが実現化されている。

イ　大容量のデータ処理を高速化するため、ハードディスクの読み書きを避けてメモリ上で処理を完結する技術がある。これをストリームデータ処理という。

ウ　データベースに保管された大容量のデータを処理するために、サーバを増設して負荷を分散化させる方法を複合イベント処理という。

エ　日本語テキストの分析では、意味を持つ最小の言語単位にテキストを分け、品詞を判別することが必要になる。テキストのデータ分析に先立つこのような事前処理を形態素解析という。

解説

ア ×

ジャイロセンサーは、**角速度センサー**ともよばれるもので、地磁気を測定するわけではないので誤り。回転角速度（物体が回転している速度）を測定するもので、物の傾きなどを測定する（問題1参照）。

イ ×

ストリームデータは、文字どおり「流れるデータ」、ビッグデータのように逐次発生し続けるデータのことをいう。それを処理するのがストリームデータ処理である。

ウ ×

複合イベント処理は、CEPとも表記され、「刻々と変化する複数のソースからリアルタイムにデータを組み合わせて複雑な状況を分析する」処理のことである。従来のデータベース活用の基礎となるDWHのビッグデータ版ともいえ、ビッグデータの活用として期待されている技術である。

エ ○

本肢の記述のとおりである。

エ

講師より

難易度の高い問題です。一定数は、多くの受験生が知らないような知識問題が、例年出題されています。知らない言葉が出ても焦らず、わかる範囲で選択肢を絞って対応しましょう。

問題 44

チェック欄▶ 1 ／ 2 ／ 3 ／

重要度Ⓐ ＩＴトレンド用語

R5-15

情報化社会の将来像に関する考え方についての記述として、最も適切なものはどれか。

ア 「DX」とは、人件費削減を目的として、企業組織内のビジネスプロセスのデジタル化を進め、人間の仕事をAIやロボットに行わせることを指している。

イ 「Society5.0」とは、サイバー空間（仮想空間）とフィジカル空間（現実空間）を高度に融合させたシステムにより、経済発展と社会的課題の解決を両立させる人間中心の社会を指している。

ウ 「Web3.0」とは、情報の送り手と受け手が固定されて送り手から受け手への一方的な流れであった状態が、送り手と受け手が流動化して誰でもWebを通じて情報を受発信できるようになった状態を指している。

エ 「インダストリー4.0」とは、ドイツ政府が提唱した構想であり、AIを活用して人間の頭脳をロボットの頭脳に代替させることを指している。

オ 「第三の波」とは、農業革命（第一の波）、産業革命（第二の波）に続いて、第三の波としてシンギュラリティが訪れるとする考え方を指している。

ITトレンド用語に関する問題である。「DX」「Society5.0」「Web3.0」「インダストリー4.0」「第三の波」の概要をしっかり押さえよう。

ア ×

本肢は、**RPA（Robotic Process Automation）の内容**である。経済産業省が2018年に発行した「DX推進ガイドライン」によると、DX（デジタルトランスフォーメーション）は、「企業がビジネス環境の激しい変化に対応し、データとデジタル技術を活用して、顧客や社会のニーズをもとに、製品やサービス、ビジネスモデルを変革するとともに、業務そのものや、組織、プロセス、企業文化・風土を変革し、競争上の優位性を確立すること。」と定義されている。本肢の「人件費削減を目的として」という部分が、DXの一部の側面のみを捉えており、全体像を表現していない。

イ ○

Society 5.0は、サイバー空間（仮想空間）とフィジカル空間（現実空間）を高度に融合させたシステムにより実現される。教科書の図でイメージをつかんでおこう。

ウ ×

本肢は、**Web2.0の内容**である。経済産業省が令和4年5月に公開した「経済秩序の激動期における経済産業政策の方向性」に記載されている、Web1.0からWeb3.0の内容を紹介する。

【Web 1.0】：インターネット導入初期の段階。従前の手紙や電話といった手段に加えて電子メールがコミュニケーション手段に追加。ただし、一方通行のコミュニケーション。

【Web 2.0】：SNS（Twitter、Facebook等）が生み出され、双方向のコミュニケーションが可能に。他方で巨大なプラットフォーマに個人データが集中する仕組み。

【Web 3.0】：ブロックチェーンによる相互認証、データの唯一性・真正性、改ざんに対する堅牢性に支えられて、個人がデータを所有・管理し、中央集権不在で個人同士が自由につながり交流・取引する世界。

〈Web社会を３つの段階に分けて捉える考え方〉

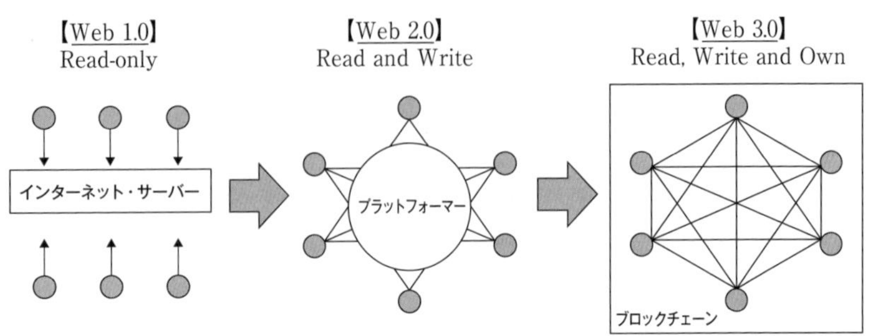

出所：令和４年５月発行経済産業省「経済秩序の激動期における経済産業政策の方向性」

エ　×

本肢の「AIを活用して人間の頭脳をロボットの頭脳に代替させる」という部分は、インダストリー4.0の目的や意図に合致していない。インダストリー4.0は、ドイツ政府が提唱した概念であり、**製造業におけるデジタル化と自動化を推進**している。また、経済産業省が発行した「平成30年版 情報通信白書」によると、インダストリー4.0は、「人間、機械、その他の企業資源が互いに通信することで、各製品がいつ製造されたか、そしてどこに納品されるべきかといった情報を共有し、製造プロセスをより円滑なものにすること、さらに既存のバリューチェーンの変革や新たなビジネスモデルの構築をもたらすことを目的としている」と定義されている。

オ　×

アルビン・トフラーが提唱した「第三の波」は、**情報革命、ポスト工業社会の形成という概念**であり、シンギュラリティという人工知能が人間の知能を超越するという未来の一点を指した概念ではない。

講師より

トレンド用語は、概要を押さえていればおおよそは正誤の判定が可能です。細部にはあまり拘らず、概要を中心に学習を進めましょう。

MEMO

問題 45

チェック欄▶ 1 ／ 2 ／ 3 ／

重要度 B データ分析手法

H29-16

データベースに蓄積されたデータを有効活用するためにデータウェアハウスの構築が求められている。

データウェアハウスの構築、運用あるいはデータ分析手法などに関する記述として、最も適切なものはどれか。

ア BI（Business Intelligence）ツールとは、人工知能のアルゴリズムを開発するソフトウェアをいう。

イ ETL（Extract/Transform/Load）とは、時系列処理のデータ変換を行うアルゴリズムをいい、将来の販売動向のシミュレーションなどを行うことができる。

ウ 大量かつ多様な形式のデータを処理するデータベースで、RDBとは異なるデータ構造を扱うものにNoSQLデータベースがある。

エ データマイニングとは、データの特性に応じてRDBのスキーマ定義を最適化することをいう。

解説

データウェアハウスとは、データを分析するために時系列などに整えられた「データの倉庫」のようなものである。DWHと表記されることもある。

ア ×

BI（Business Intelligence）ではなくAIについての説明なので誤り。

イ ×

ETL（Extract/Transform/Load）は、データウェアハウスの工程である。E：Extract＝外部の情報源からデータを「抽出」、T：Transform＝抽出したデータを「変換・加工」し、L：Load＝読み込むプロセスである。

ウ ○

本肢の記述のとおりである。

エ ×

データマイニングは、ビッグデータのなかから規則性や関連性を見つけ出して活用することを指す。一見すると意味のない情報の羅列でも、データマイニングによって隠れた因果関係が明らかになり、宝の山になることがある。

 **ウ**

講師より

イのETLは頻出論点ではないので、見たことがある程度でOKです。それ以外は言葉と概要を押さえておきましょう。

問題 46

チェック欄▶ 1 ／ 2 ／ 3 ／

重要度 B オープンデータ

R4-10

中小企業においても、オープンデータの活用は競争力向上の重要な要因となり得る。オープンデータに関する記述として、最も適切なものはどれか。

ア 売上データや人流データなどに匿名加工を施したうえで第三者に販売されるデータ。

イ 行政の透明化を図るために、条例に基づいて住民からの公開請求の手続きにより住民に公開されるデータ。

ウ 公開の有無にかかわらず、OpenDocumentフォーマットで保管されるデータ。

エ 政府や企業が公式に発表する統計データや決算データではなく、インターネットのログやSNSの投稿などから得られるデータ。

オ 二次利用が可能な利用ルールが適用され、機械判読に適し、無償で利用できる形で公開されるデータ。

解説

総務省のホームページにおけるオープンデータの定義は次のとおりである。

〈定義〉
国、地方公共団体及び事業者が保有する官民データのうち、国民誰もがインターネット等を通じて容易に利用（加工、編集、再配布等）できるよう、次のいずれの項目にも該当する形で公開されたデータをオープンデータと定義する。
1. 営利目的、非営利目的を問わず二次利用可能なルールが適用されたもの
2. 機械判読に適したもの
3. 無償で利用できるもの

ア ×

本肢は、上の定義にある**無償で利用できる**ものに該当しない。

イ ×

本肢は、**情報公開制度**に関する内容である。

ウ ×

オープンデータは、**特定のフォーマットを指定するものではない**。OpenDocumentフォーマットとは、XMLをベースとしたオフィススイート用のファイルフォーマットである。

エ ×

本肢の「政府や企業が公式に発表する統計データや決算データではなく」という箇所が、上のオープンデータの定義にある、**国、地方公共団体及び事業者が保有する官民データ**という箇所に反する。

オ ○

総務省が定義するオープンデータの内容である。

オ

講師より

最近では、オープンデータの有効活用がビジネスに大きな影響を与えています。データの特徴やどのような使い方ができるのかをしっかり把握し、実際のコンサルでも有効に活用できるように知識を整理しておきましょう。

問題 47

チェック欄▶ 1 ／ 2 ／ 3 ／

重要度 B　QRコード

H30-12

QRコードは、中小企業でも商品の検品・棚卸、決済などの業務に利用できる。QRコードに関する記述として最も適切なものはどれか。

ア　コードの一部に汚れや破損があっても元のデータを復元できる。

イ　数字だけではなく英字やひらがなのデータを格納できるが、漢字のデータは格納できない。

ウ　スマートフォンやタブレットなどの携帯端末で実行できるプログラムである。

エ　無線通信を用いてデータを非接触で読み取ることができる。

解説

QRコードは、それまで広く普及していたバーコードから進化した技術である。別名「**二次元バーコード**」ともよばれ、従来のバーコードに比べて取り扱うことのできる情報量が大きくなるなど、多面的に利便性が向上した。

ア ○

この機能は「**誤り訂正機能**」とよばれ、汚れ・破損に強いのもQRコードの特長のひとつである。

イ ×

二次元バーコードは日本国産のコードであり、「JIS第一・第二水準の漢字」を文字セットとしてコードの規格に定義しているため、**漢字も格納することができる**。

ウ ×

QRコードの読み取りは、スマートフォンやタブレット以外にも、QRコードを読み取る専用端末など**ほかの端末も利用可能**である。物流や小売りだけでなく、製造現場や医療など幅広く活用されている。また、海外では電子マネーの普及に大きな役割を果たしている。

エ ×

無線通信を用いてデータを非接触で読み取るのは、QRコードではなく「**RFID**」である。RFIDは、交通系ICカードなどに利用されている技術である。あわせて押さえておこう。

ア

講師より

キャッシュレスを国が推進する中で、QRコードを利用した電子マネーも普及しつつあります。QRコードは、技術も含めて知っておくと実生活でも活用できる知識です。

問題 **48** チェック欄▶ 1 ／ 2 ／ 3 ／

重要度 B

多変量解析

H29-24

ある企業では、ここ数年の月当たり販売促進費とその月の売上高を整理したところ、下図のような関係が観察された。

販売促進費と売上高の関係式を求めるための分析手法として、最も適切なものを下記の解答群から選べ。

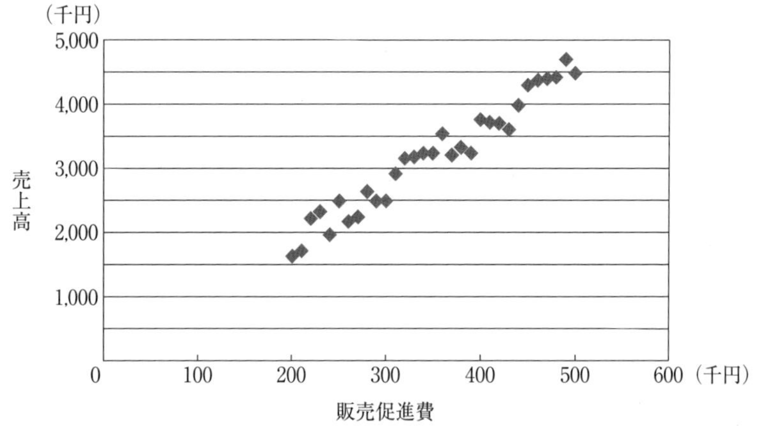

〔解答群〕

ア 因子分析

イ 回帰分析

ウ クラスター分析

エ コンジョイント分析

解説

この問題にあるグラフは、回帰分析の中でも最も基本的な「**単回帰分析**」である。

単回帰分析は、平面にプロットされたデータに対して、**y＝ax＋bの直線式（回帰直線）で縦軸と横軸の要素（要因と結果）を予測する分析手法**である。

ほかに、回帰分析は**重回帰分析**という複数の変数で予測するものなどがある。

 **イ**

中小企業診断士試験では、単回帰分析・重回帰分析程度の知識をつけておきましょう。それ以上の深い知識は難易度が急に高くなるので、深追いは不要です。

問題 49

チェック欄▶ 1 ／ 2 ／ 3 ／

重要度 B 検定

H27-24

様々なデータ分析技法が開発されており、広く使われている。それらの技法に関する以下の①～③の記述と、その名称の組み合わせとして、最も適切なものを下記の解答群から選べ。

① 複数の母集団の平均値の間に差があるかどうかを統計的に検定するのに使える方法。
② Webサイトで２つの異なるページをランダムに表示して、それらに対する利用者の反応の違いを統計的に分析するのに使える方法。
③ 事前に与えられたデータが２つの異なるグループに分かれる場合、新しいデータがどちらのグループに入るのかを区別するのに使える方法。

〔解答群〕

ア ①：判別分析　②：A/Bテスト　③：分散分析

イ ①：判別分析　②：分散分析　③：A/Bテスト

ウ ①：分散分析　②：A/Bテスト　③：判別分析

エ ①：分散分析　②：判別分析　③：A/Bテスト

解説

２のA/Bテストは、システム開発だけでなく、Webマーケティングにも用いられるため、認知度は高いのではないだろうか。A/Bテストを知っていれば、選択肢をアとウに絞り込むことができる。あとは、分散分析なのか、判別分析なのかを説明文と名称から判断できれば、正解できる問題である。

ウ

〈A/Bテスト〉
異なるデザイン（色やコピーなど）を試し、どちらが好まれるか調べる。

〈分散分析〉
３群以上の検定で使用する。
２群ならｔ検定。

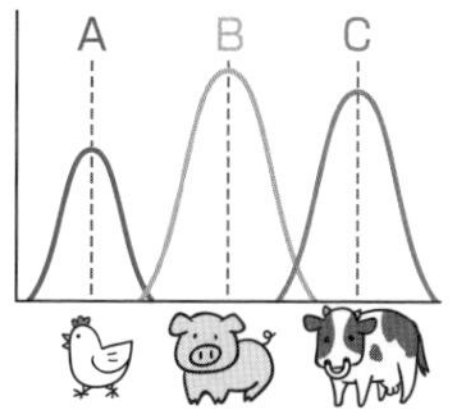

〈判別分析〉
模試の結果から合格可能性を判別するときなどに用いられる。

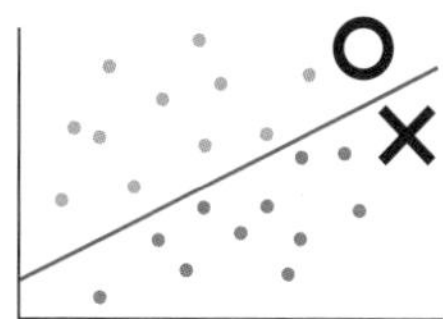

講師より

検定や多変量解析は、グラフ等のビジュアルで整理するとイメージで覚えることができます。名称に惑わされず、用途と図表で主要な技法を知っておくと安心です。

第３分冊

経営法務

CONTENTS

MEMO

問題 1

チェック欄▶ 1 ／ 2 ／ 3 ／

重要度 Ⓐ

特許法

R5-9

特許法に関する記述として、最も適切なものはどれか。

ア 物の発明において、その物を輸出する行為は、その発明の実施行為に該当しない。

イ 物の発明において、その物を輸入する行為は、その発明の実施行為に該当しない。

ウ 物を生産する装置の発明において、その装置により生産した物を譲渡する行為は、その発明の実施行為に該当しない。

エ 物を生産する方法の発明において、その方法を使用する行為は、その発明の実施行為に該当しない。

解説

ア ×

特許法における物の発明において、その物を「輸出」する行為は、その発明の実施行為に該当する。

イ ×

物の発明において、その物を「輸入」する行為も、その発明の実施行為に該当する。

ウ ○

物を生産する装置の発明の場合は、装置という物の発明にあたる。ただし、その装置により生産した物を譲渡する行為は、その発明の実施行為には該当しない。

エ ×

物を生産する方法の発明において、その方法を使用する行為は、発明の実施行為に該当する。

ウ

講師より

特許権の効力は整理しておきましょう。

特許発明は、①物の発明、②「物」の生産を**伴わない**方法の発明、③「物」の生産を**伴う**方法の発明に分類されます。この中でも、③「物」の生産を伴う方法の発明については、**方法により生産した物も実施行為に該当**します（生産・使用・譲渡・輸出・輸入）。何度か出題されている論点なので押さえておきましょう。

問題 2

チェック欄▶ 1 ／ 2 ／ 3 ／

重要度Ⓐ 特許法（共有）

R5-11

特許法に関する記述として、最も適切なものはどれか。

ア　特許権が共有に係るときは、各共有者は、他の共有者の同意を得なくても、その持分を譲渡することができる。

イ　特許権が共有に係るときは、各共有者は、他の共有者の同意を得なければ、その特許権について他人に通常実施権を許諾することができない。

ウ　特許を受ける権利が共有に係るときは、各共有者は、特許法第38条の規定により、他の共有者と共同でなくとも、特許出願をすることができる。

エ　特許を受ける権利が共有に係るときは、各共有者は、他の共有者の同意を得なくても、その特許を受ける権利に基づいて取得すべき特許権について、仮専用実施権を設定することができる。

解説

ア ×

特許権の各共有者は、他の共有者の同意を得なければ、その持分を譲渡することができない。

イ ○

特許権の各共有者は、他の共有者の同意を得なければ、その特許権について、他人に通常実施権を許諾することができない。

ウ ×

共同発明の場合、共有者全員でなければ特許出願できない。

エ ×

特許を受ける権利の共有者は、他の共有者全員の同意を得なければ、仮専用実施権を設定することはできない。

イ

特許権の共有の特徴を押さえましょう。また著作権の「共同著作物」と併せて横断的にチェックしましょう。

問題 3

チェック欄▶ 1 ／ 2 ／ 3 ／

重要度A 職務発明

H22-8改題

特許法第35条によれば、職務発明とは、従業員、法人の役員、国家公務員又は地方公務員（以下「従業者等」という。）がその性質上使用者、法人、国又は地方公共団体（以下「使用者等」という。）の業務範囲に属し、かつ、その発明をするに至った行為がその使用者等における従業者等の現在又は過去の職務に属する発明であると規定されている。次の記述のうち、最も不適切なものはどれか。

ア 発明が「従業者等」によって行われ、「使用者等」の「業務範囲」に属することが要件になるが、「従業者等」には、会社に勤務する従業者に限られない。

イ 携帯電話メーカーB社の研究開発部門に所属していた従業者乙は、B社在職中に携帯電話に関する発明を完成させた後に、その内容を秘匿して退職した。その後、乙が当該発明について特許出願を行った場合、当該発明は、職務発明と認定される場合がある。

ウ 自動車メーカーC社の経理部門に所属する従業者丙が、自動車用エンジンに関する発明を完成させた場合でも、丙の職務が自動車用エンジンに関する発明を行うものではないので、丙が完成させた発明は職務発明には該当しない。

エ 筆記具メーカーD社の従業者丁は、筆記具に関する職務発明を完成させた。しかし、当該発明に関する特許を受ける権利がD社に帰属されず丁が当該発明について特許を受けた場合、D社は、特許法第35条に規定される相当の利益を丁に支払わなければ当該発明を実施することができない。

解説

ア 〇

職務発明で規定されている「従業者等」には、会社に勤務する従業者に限られず、国家公務員または地方公務員、そして会社の取締役等の法人の役員も含まれる。

イ 〇

職務発明における「職務」とは、現在だけでなく過去の職務も含まれる。本肢の従業者乙は、過去にはなるが在職中に発明を完成させているため、職務発明に該当する。

ウ 〇

業務範囲にはあるものの、職務とは関係のない発明者は、職務発明には該当しない。本肢の丙は自動車用エンジンの発明が予定または期待される部署ではないため、職務発明には該当しない。

エ ×

相当の利益が発生するのは、契約、勤務規則その他の定めにおいてあらかじめ企業に特許を受ける権利を取得させることを定めたときである。従業者等が特許を受けたときは、使用者は無償の通常実施権を有する。

エ

講師より

職務発明の問題は、まず最初に職務発明に該当するかを確認しましょう。そして職務発明に該当することがわかれば、次に契約・勤務規則等での定めの有無をもとに正誤判断しましょう。

●職務発明の規定

①発明をした従業者等には特許を受ける権利が発生
→ 会社には無償の通常実施権が発生

②契約、勤務規則その他の定めにおいてあらかじめ企業に特許を受ける権利を取得させることを定めたとき
→ 従業者は金銭その他の経済上の利益（相当の利益）を受ける権利が発生

問題 4

チェック欄▶ 1 ／ 2 ／ 3 ／

重要度Ⓐ 先使用権

H21-7改題

Ａ社の代表取締役社長からの次の質問に対する回答として最も適切なものを下記の解答群から選べ。

【Ａ社の代表取締役社長からの質問】

「当社は、平成16年（2004年）７月に設立され、設立時から苛性ソーダの製造・販売を主な事業としていますが、このたびＢ社から『貴社の苛性ソーダの製造方法について弊社の保有する苛性ソーダの製造方法に関する特許権に抵触するので直ちに製造・販売を中止し、現在市場に出回っている苛性ソーダを回収するように。』との警告を受け取りました。当社内で調べたところ、この警告書に記載されたＢ社の保有する特許権の番号から特許出願がなされたのは平成17年（2005年）５月であることが分かりました。この警告書に対してどのように対処すればよいでしょうか。」

〔解答群〕

ア　Ｂ社の特許権に係る特許出願の時点で、すでに御社がＢ社の特許と同一の方法により苛性ソーダの製造を行っていたことを立証できれば、Ｂ社の特許権が存続していても将来にわたり苛性ソーダの製造方法を実施する権利があります。

イ　Ｂ社の特許権に係る特許出願の時点で、すでに御社がＢ社の特許と同一の方法により苛性ソーダの製造を行っていたことを立証できれば、特許権が存続していても将来にわたり苛性ソーダの製造方法を実施する権利があります。ただしその場合は、有償になりますので、Ｂ社との交渉が必要です。

ウ　Ｂ社の特許権は、平成17年（2005年）５月に出願されており、まだ特許出願日から20年を経過していないため、現在でも有効に存続していることから、すぐに製造・販売を中止し、市場に出回っている御社の苛性ソーダを回収しましょう。

エ　B社の特許権に係る特許出願の時点で、すでに御社がB社の特許と同一の方法により苛性ソーダの製造を行っていたことを立証できれば、B社の特許権が存続していても将来にわたり苛性ソーダの製造方法を実施する権利があります。ただし、A社の苛性ソーダの製造・販売事業が広く認識されている必要があります。

解説

ア ○

先使用権とは、他者がした特許出願の時点で、当該発明のその特許出願に係る発明の実施等をしていた場合、特許権発生後も引き続き、今までの事業の範囲内で、引き続きその発明を実施できる無償の通常実施権のことである。本肢のとおり、Ｂ社の特許権に係る特許出願の時点で、すでにＢ社の特許と同一の方法により苛性ソーダの製造を行っていれば、無償の通常実施権が認められる。

イ ×

選択肢**ア**の解説のとおり、先使用権は、有償ではなく無償の通常実施権になる。

ウ ×

Ｂ社の特許権は平成17年５月に出願されているので、出願日から20年間は有効になる。ただし、選択肢**ア**のとおり、先使用権等の有効な抗弁も可能なので、まずは先使用権の検討が必要になる。

エ ×

広く認識されている必要がある（周知性）のは、商標権における先使用権の規定になる。特許権では周知性は必要ない。

ア

講師より

先使用権の問題では、出願時に他社（自社）がどのような状態にあるかを確認しましょう。実施していれば無償の通常実施権が生じます（教科書の板書参照）。

MEMO

問題 5

チェック欄▶ 1 ／ 2 ／ 3 ／

重要度Ⓐ 専用実施権・通常実施権

H25-8

特許権及び実施権に関する記述として、最も不適切なものはどれか。

ア 特許権者Ａが保有する特許権について、Ｂに専用実施権の設定の登録がなされた。この場合、当該設定行為で定めた範囲内において、特許権者Ａと専用実施権者Ｂとは、当該特許発明の実施をする権利を共有する。

イ 特許権者Ｃから専用実施権の設定の登録を受けたＤは、当該特許権を侵害する者に対して、差止請求権を行使することができる。

ウ 特許権者は、専用実施権者があるときは、当該専用実施権者の承諾を得た場合に限り、その特許権を放棄することができる。

エ 日本国内において、特許権の設定の登録の日から継続して３年以上、その特許発明の実施が適当にされていないとき、その特許発明の実施をしようとする者は、特許権者又は専用実施権者に対し通常実施権の許諾について協議を求めることができる。ただし、その特許発明に係る特許出願の日から４年を経過しているものとする。

解説

ア ×

専用実施権者は、設定行為で定めた範囲内において、業としてその特許発明の実施をする権利を専有する。したがって、専用実施権が設定されると、その設定行為で定めた範囲では、特許権者といえども特許発明を実施することができない。本肢のように、特許権者と専用実施権者が実施権を共有するわけではない。

イ ○

専用実施権者は、その設定行為で認められた範囲では、特許権者と同様に、侵害行為の停止（差止め）請求権を有する。

ウ ○

特許権者は、専用実施権者、質権者等があるときは、これらの者の承諾を得た場合に限り、その特許権を放棄することができる。

エ ○

特許権が実施されていない場合に、「特許発明の実施が継続して３年以上日本国内において適当にされていないときは、その特許発明の実施をしようとする者は、特許権者または専用実施権者に対し通常実施権の許諾について協議を求めることができる。ただし、その特許発明に係る特許出願の日から４年を経過していないときは、この限りでない。」と規定している。そして、同条２項は、「前項の協議が成立せず、又は協議をすることができないときは、その特許発明の実施をしようとする者は、特許庁長官の裁定を請求することができる。」と規定している。このように、特許権が適当に実施されていない場合には、特許庁長官の裁定により、通常実施権が認められることがある。

 **ア**

講師より

専用実施権と通常実施権を対比して学習しましょう。それぞれの実施権の効力、設定登録、特許権者の自己実施権、ライセンスの重複可否は整理しておきましょう。

問題 6

チェック欄▶ 1 ／ 2 ／ 3 ／

重要度A 実用新案法

R4-12

実用新案法に関する記述として、最も適切なものはどれか。

ア 実用新案権の存続期間は、実用新案登録の日から10年をもって終了する。

イ 実用新案登録出願の願書には、明細書、実用新案登録請求の範囲、図面及び要約書を添付しなければならない。

ウ 実用新案法は、物品の形状と模様の結合に係る考案のみを保護している。

エ 他人の実用新案権を侵害した者は、その侵害の行為について過失があったものと推定される。

解説

ア ×

実用新案権の存続期間は、実用新案登録出願の日から10年である。

イ ○

実用新案登録出願の願書には、「明細書」「実用新案登録請求の範囲」「図面及び要約書」を添付する必要がある。

ウ ×

実用新案法において、「考案」として保護されるのは、物品の形状、構造または組合せである。

エ ×

実用新案権に対する侵害があった場合、侵害行為について過失の推定は規定されていない。

イ

講師より

実用新案法は、「物品の形状、構造または組合せに係る考案の保護および利用を図ることにより、その考案を奨励し、もって産業の発達に寄与すること」を目的とする制度です。

早期に権利を付与し保護できる特徴があり、昨今のライフサイクルが短い技術向きであるといえます。特許法との違いを押さえ、実用新案権の内容を理解しましょう。

問題 7

チェック欄▶ 1 ／ 2 ／ 3 ／

重要度A 特許権と実用新案権

R2-12

実用新案法と特許法の比較に関する記述として、最も不適切なものはどれか。

ただし、存続期間の延長は考慮しないものとする。

ア 権利侵害に基づく差止請求を行使する場合、実用新案権は特許庁による技術評価書を提示する必要があるが、特許権は不要である。

イ 実用新案権の存続期間は出願日から10年、特許権の存続期間は出願日から20年である。

ウ 実用新案出願は審査請求を行わなくとも新規性や進歩性などを判断する実体審査が開始されるが、特許出願は出願日から３年以内に審査請求を行わないと実体審査が開始されない。

エ 物品の形状に関する考案及び発明はそれぞれ実用新案法及び特許法で保護されるが、方法の考案は実用新案法では保護されず、方法の発明は特許法で保護される。

解説

ア ○

実用新案権は、無審査主義で登録されるため、当該考案の有効性が判断できない。そこで、客観的な評価として用いられるのが実用新案技術評価書になる。権利侵害に基づく権利行使をする場合、実用新案権は、特許庁による実用新案技術評価書を提示して警告した後でなければ、差止請求や損害賠償請求等をすることができないとされている。

イ ○

実用新案権の存続期間は出願日から10年、特許権の存続期間は出願日から20年である。

ウ ×

実用新案登録出願では無審査主義が採用されているため、実用新案権について、実体審査がされることはない。

エ ○

実用新案法の考案は「物品の形状、構造または組み合わせ」にかかるものに限定されている。これに対し、特許法における発明は、①物の発明、②物を生産する方法の発明、③物の生産を伴わない方法の発明がある。よって、方法の考案は実用新案法では保護されず、方法の発明は特許法で保護される。

正解 ウ

講師より

実用新案権は特許権と比べて違いを整理しておきましょう。

実用新案権の主なPOINT

- 考案：物品の形状・構造・組み合わせに限られる。方法・プログラムなどは対処外
- 出願：出願時に図面が必須
- 無審査主義：特許と異なり実体審査がない。考案の客観的な評価は実用新案技術評価書で判断される

問題 8 チェック欄▶ 1 ／ 2 ／ 3 ／

重要度Ⓐ 特許法および実用新案法 R5-10

特許法及び実用新案法に関する記述として、最も適切なものはどれか。

ア 国内優先権制度は、特許法と実用新案法のいずれにも規定されている。

イ 出願公開制度は、特許法と実用新案法のいずれにも規定されている。

ウ 不実施の場合の通常実施権の設定の裁定制度は、特許法には規定されているが、実用新案法には規定されていない。

エ 物を生産する方法は、特許法上の発明と、実用新案法上の考案のいずれにも該当する。

解説

教科書 Ch1 Sec2、4

ア ○

国内優先権制度とは、特許権における発明、実用新案権における考案について出願した後、発明や考案が改良された場合に、すでに先にした出願日が優先日と認められたうえで、一括して特許権や実用新案権が認められるという制度である。なお、国内優先権制度は、意匠法および商標法では規定されていない。

イ ×

出願公開制度は、出願から一定期間経過後、設定登録を待たずに出願内容を公開する制度である。産業財産権の中では、特許法、商標法に規定されている。

ウ ×

不実施の場合の通常実施権の設定の裁定制度は、特許法と実用新案法のいずれにも規定されている。

エ ×

実用新案法上の考案は、「物品の形状、構造または組合せに係る考案」（実用新案法第１条）に限定され、そもそも方法は含まれない。物を生産する方法は、実用新案法上の考案には該当しない。

 ア

講師より

特許権、実用新案権、意匠権、商標権について、規定されている制度を横断的に押さえましょう。

問題 9

チェック欄▶ 1 ／ 2 ／ 3 ／

重要度Ⓐ 実用新案登録に基づく特許出願 R5-14改題

以下の会話は、衣服メーカーの社長である甲氏と、中小企業診断士であるあなたとの間で行われたものである。

この会話の中の空欄AとBに入る語句の組み合わせとして、最も適切なものを下記の解答群から選べ。

甲　氏：「当社開発部が今までにない毛玉取り器の開発に成功したため、半年前に実用新案登録出願をして、実質的に無審査なのですぐに実用新案登録されました。
最近、この毛玉取り器が結構、話題になって、当社の主力商品になりつつあります。実用新案権は存続期間が短いので、特許を取りたいのですが、何かよい方法はありませんか。」

あなた：「確かに、特許権の存続期間は、原則として、特許法上［A］から20年と権利が長いですから、特許を取った方がベターですよね。自己の実用新案登録に基づいて特許出願をすることができる、と聞いたことがあります。いろいろと要件はあるようですが、1つの要件として、その実用新案登録に係る実用新案登録出願の日から原則として、［B］を経過していると、実用新案登録に基づく特許出願はできません。その手続きをされる場合には、知り合いの弁理士さんを紹介できますよ。」

甲　氏：「よろしくお願いします。」

〔解答群〕

ア　A：特許権の設定登録の日　　　B：18カ月

イ　A：特許出願が出願公開された日　　　B：18カ月

ウ　A：特許出願の日　　　B：1年

エ　A：特許出願の日　　　B：3年

解説

空欄A　特許出願の日

特許権の存続期間は、「特許出願の日」から20年である。

空欄B　3年

実用新案登録に基づく特許出願への変更は、実用新案登録に係る実用新案登録出願の日から原則として、「３年」を経過するまでとなる。

　**エ**

講師より

各産業財産権の存続期間を横断的に押さえましょう。

	権利発生	存続（保護期間）
特許法	登録	出願から20年（一定の場合、5年の延長可）
実用新案法	登録	出願から10年
意匠法	登録	出願から25年
商標法	登録	登録から10年（更新可能）

また、実用新案登録に基づく特許出願への変更のルールも教科書の板書で押さえましょう。

問題 10

チェック欄▶ 1 ／ 2 ／ 3 ／

重要度Ⓐ 意匠権

H25-10

意匠権に関する記述として最も適切なものはどれか。

ア　Aは組物の意匠として一組の飲食用ナイフ、スプーン及びフォークのセットの意匠登録を受けた。Aの当該意匠権の効力は、ナイフのみの意匠には及ばない。

イ　意匠権の効力は、商標権の効力とは異なり、登録意匠に類似する意匠には及ばない。

ウ　関連意匠の意匠権の存続期間は、関連意匠の意匠権の設定の登録の日から20年をもって終了する。

エ　業として登録意匠に係る物品を輸出する行為は、意匠権の侵害とはならない。

解説

ア ○

組物意匠制度とは、同時に使用される2以上の物品であって、経済産業省令で定められた構成物品に係る意匠で、組物全体として統一感があるものを一意匠として出願し、意匠登録を受けることができる制度である。組物に対する意匠権は、2以上の物品からなる組物全体に対する1つの権利になる。そこで、組物の一部（たとえば本肢のナイフのみ）については、組物意匠についての意匠権の効力は及ばないと解される。

イ ×

「意匠権者は、業として登録意匠およびこれに類似する意匠の実施をする権利を専有する。」と規定している。よって、意匠権の効力は登録意匠に類似する意匠にも及ぶ。

ウ ×

意匠権（関連意匠の意匠権を除く）の存続期間は、出願の日から25年をもって終了する。関連意匠の意匠権の存続期間は、関連意匠の設定登録の日からではなく、その本意匠の意匠権の設定の出願の日から25年をもって終了する。

エ ×

意匠について「実施」とは、意匠に係る物品を製造し、使用し、譲渡し、貸し渡し、輸出し、若しくは輸入し、またはその譲渡若しくは貸渡しの申出（譲渡または貸渡しのための展示を含む。以下同じ）をする行為と規定されている。したがって、正当な権原なく意匠権者に無断で、業として登録意匠に係る物品を輸出する行為は、意匠権の侵害となる。

ア

講師より

意匠法の内容を理解し、その他の産業財産権と違う規定を押さえましょう。また昨今、特殊な意匠制度（部分意匠制度、関連意匠制度、組物意匠制度、秘密意匠制度等）の出題も増えているため、注意しましょう。

問題 11

チェック欄▶ 1 ／ 2 ／ 3 ／

重要度Ⓐ

商標権

H27-8

商標制度に関する記述として最も適切なものはどれか。

ア 自己の氏名を普通に用いられる方法で表示する商標であっても、先に登録された商標と同一であれば商標権の侵害となる。

イ 商標の更新登録の申請の際には、審査官による実体審査はなされない。

ウ テレビやコンピュータ画面等に映し出される変化する文字や図形は商標登録される場合はない。

エ 文字や図形等の標章を商品等に付す位置が特定される商標が商標登録される場合はない。

解説

ア ×

商標が、自他商品・役務識別力を欠いていたり、不登録事由に該当していれば、そもそも商標登録は行われない。しかし、商標は創作性を要件としていないため、他の産業財産権と比較して出願が容易であり、過誤登録されることも多くなる。そこで、本来なら不登録事由に該当するような商標については、商標権の効力が及ばないとされている。本肢のように、自己の氏名を普通に用いられる方法で表示する商標に対しても、このような趣旨から登録商標の商標権は及ばない。

イ ○

商標権の更新登録とは、既存の商標権の同一性を保持しつつ、さらに10年間その効力を存続する。そして、商標の更新登録は、審査官による実体審査はされず、更新登録申請と料金の納付のみで、更新登録の申請が可能である。

ウ ×

色彩、音、動き、ホログラム、位置の商標も保護対象となる。本肢のように、文字や図形が時間の経過に伴って変化する商標は、「動きの商標」として商標登録される。

エ ×

文字や図形等の標章を商品等に付す位置が特定される商標も、「位置の商標」として商標登録される。

イ

他の産業財産権と比べて商標権の内容を押さえていきましょう。

問題 12

チェック欄▶ 1 ／ 2 ／ 3 ／

重要度Ⓐ 地域団体商標

H25-9

地域団体商標に関する記述として最も適切なものはどれか。

ア 地域団体商標に係る商標権者は、その商標権について、「地域団体商標に係る商標権を有する組合等の構成員」（地域団体構成員）以外の他人に専用使用権を許諾することができる。

イ 地域団体商標に係る商標権は譲渡することができる。

ウ 「地域団体商標に係る商標権を有する組合等の構成員」（地域団体構成員）は、当該地域団体商標に係る登録商標の使用をする権利を移転することができない。

エ 地域の名称のみからなる商標も、地域団体商標として登録を受けることができる。

ア ×

商標権者は、その商標権について専用使用権を設定することができる。ただし、「地域団体商標に係る商標権を有する組合などの構成員」(地域団体構成員) 以外の他人に、専用使用権を許諾することはできない。これは、地域興しのために、商標権者である地域団体の構成員によって使用されることを目的としており、専用使用権の設定は、その目的に反するからである。

イ ×

選択肢**ア**と同様の趣旨で、地域団体商標は、譲渡することができない。

ウ ○

使用権は地域団体構成員であることによってのみ認められるものであり、移転することができない。

エ ×

地域団体商標制度とは、地域名と、商品または役務の名称との組み合わせ (地名入り商標) について、早期の団体商標登録を可能とする制度である。したがって、地域名だけでは地域団体商標として登録を受けることはできず、地域名に加えて商品または役務の名称から構成される商標でなければならない。

講師より

地域団体商標登録制度とは、地名入り商標について、団体商標登録を受けることができる制度です。

地名入り商標は、全国的に著名になることによって自他識別力を有したり、図形などと組み合わせたりしなければ商標登録ができませんが、地域団体商標では、周知性を得ていれば取得できる制度になります。試験対策として、「出願が可能な団体」「譲渡・ライセンス」「対象となる商標」を押さえておきましょう (教科書の板書参照)。

問題 13

チェック欄▶ 1 ／ 2 ／ 3 ／

重要度Ⓐ 産業財産権全般

R3-15

産業財産権法に関する記述として、最も適切なものはどれか。

ア 意匠法には、出願公開制度が規定されている。

イ 実用新案法には、出願審査請求制度が規定されている。

ウ 商標法には、国内優先権制度が規定されている。

エ 特許法には、新規性喪失の例外規定が規定されている。

解説

ア ×

出願公開制度は、設定登録前に出願内容を公開する制度である。出願公開制度は、特許法、商標法に規定されているが、意匠法と実用新案法においては規定されていない。

イ ×

実用新案法では無審査主義が採用されており、出願審査請求制度は規定されていない。

ウ ×

国内優先権制度の対象となる権利は、特許権と実用新案権である。国内優先権制度とは、すでに出願した内容を改良したとき、先にした出願日が優先日と認められたうえで、一括して特許権や実用新案権が認められるという制度である。意匠権および商標権には国内優先権制度は存在しない。

エ ○

新規性喪失の例外規定は、新規性を登録要件とする特許法、実用新案法、意匠法において規定されている。これに対して商標法は、登録要件として、そもそも新規性は求められていないため、新規性喪失の例外規定も置かれていない。

エ

講師より

特許権、実用新案権、意匠権、商標権の違いを、教科書の「産業財産権のまとめ」の表をもとに横断的に押さえましょう。

問題 14

チェック欄▶ 1 ／ 2 ／ 3 ／

重要度 Ⓐ

著作権①

H27-7改題

以下の文章は、著作権法の解説である。空欄A～Dに入る語句の組み合わせとして、最も適切なものを下記の解答群から選べ。

作家Xが文芸作品を制作した場合、その作品の著作権は［ A ］の時に発生し、保護期間は、［ B ］である。また、その作品を原作として映画などの二次的著作物が作成された場合において、作家Xは作成された二次的著作物の利用に関して、［ C ］。なお、作家Xの意に反して作品の内容を勝手に改変することは同一性保持権の侵害となるが、同一性保持権は作家Xから他者へ［ D ］。

〔解答群〕

ア A：著作権の設定登録　B：公表後70年
C：権利を持たない　D：譲渡できない

イ A：著作権の設定登録　B：著作者の死後50年
C：権利を持つ　D：譲渡できる

ウ A：著作物の創作　B：公表後70年
C：権利を持たない　D：譲渡できる

エ A：著作物の創作　B：著作者の死後70年
C：権利を持つ　D：譲渡できない

解説

空欄A　著作物の創作

作家が文学作品を創作した場合、その作品の著作権が発生するのは、「著作物の創作」の時になる。著作者の権利の発生には、産業財産権のような出願や登録といった手続は不要であり、無方式主義が採られている。

空欄B　著作者の死後70年

創作と同時に、著作者に著作者人格権、著作財産権が発生する。著作権の保護期間は、著作者の生存中および「著作者の死後70年」になる。

空欄C　権利を持つ

作品を原作として映画などの二次的著作物が作成された場合、作家はその二次的著作物の利用について「権利を持つ」と規定されている。

空欄D　譲渡できない

作家の意に反して作品の内容を勝手に改変することは、著作者人格権のひとつである同一性保持権の侵害になる。ただし、同一性保持権をはじめとする著作者人格権は一身専属的権利であるから、作家から他者へ「譲渡できない」と規定されている。

エ

同時に、著作隣接権の保護期間も押さえておきましょう。

問題 15

チェック欄▶ 1 ／ 2 ／ 3 ／

重要度Ⓐ 著作権②

R4-10

著作権法に関する記述として、最も適切なものはどれか。

ア 「講演」は「言語の著作物」には該当せず、著作物として著作権法に規定されていない。

イ 「地図」は、著作物として著作権法に規定されていない。

ウ 「美術の著作物」は「美術工芸品」を含むことは、著作権法に規定されていない。

エ 「無言劇」は、著作物として著作権法に規定されている。

解説

ア ×

「講演」は、「言語の著作物」として著作権法に規定されている。「言語の著作物」の例示として、「小説、脚本、論文、講演その他の言語の著作物」が明記されている。

イ ×

「地図」は、「図形の著作物」として著作権法に規定されている。「図形の著作物」の例示として、「地図または学術的な性質を有する図面、図表、模型その他の図形の著作物」が明記されている。

ウ ×

「美術の著作物」は、「絵画、版画、彫刻その他の美術の著作物」として例示され、「美術の著作物」には、「美術工芸品」が含まれている。

エ ○

「無言劇」は、「舞踊または無言劇の著作物」として例示されている。

エ

講師より

著作権の規定・特徴を押さえましょう。また、著作権の権利（著作財産権、著作者人格権）も本試験で出題されるため、押さえておきましょう。

問題 16

チェック欄▶ 1 ／ 2 ／ 3 ／

重要度Ⓐ 著作権③

R4-15

以下の会話は、X株式会社の広報担当者である甲氏と、中小企業診断士であるあなたとの間で行われたものである。この会話の中の空欄A～Cに入る語句の組み合わせとして、最も適切なものを下記の解答群から選べ。

甲　氏：「弊社のパンフレットに掲載する絵柄の制作を、外部のイラストレーター乙氏に依頼することとなりました。この絵柄の著作権について教えていただきたいのですが。」

あなた：「乙氏は著作権法上、［ A ］と［ B ］を有します。例えば、乙氏の意に反して絵柄の内容を勝手に改変すると、［ A ］の同一性保持権の侵害となります。［ A ］は［ C ］。」

〔解答群〕

ア　A：著作権
　　B：著作者人格権
　　C：契約によって著作者から譲り受けることができます

イ　A：著作者人格権
　　B：著作権
　　C：著作者の一身に専属し、譲り受けることができません

ウ　A：著作者人格権
　　B：著作権
　　C：著作者の一身に専属し、譲り受けることができませんが、同一性保持権を契約で譲渡の目的として規定すれば、著作者から譲り受けることができます

エ　A：著作者人格権
　　B：著作隣接権
　　C：契約によって著作者から譲り受けることができます

解説

空欄A　著作者人格権

空欄B　著作権

乙氏は、著作者として、著作者人格権と著作権（著作財産権）を有することとなる。空欄Aの内容として、著作者人格権のひとつである「同一性保持権」があげられていることから、空欄Aには、「著作者人格権」が入る。また、空欄Bには、「著作権」が入ることになる。

空欄C　著作者の一身に専属し、譲り受けることができません

著作財産権と異なり、著作者人格権は、他人に譲渡することができない。

　**イ**

講師より

著作者の権利は、「著作者人格権」と「著作財産権」（狭義の著作権）に分類されます。著作者人格権では、公表権、氏名表示権、同一性保持権の３つを規定しています。著作者の「人格的」「精神的」利益を保護する権利です。よって、著作者人格権は、譲渡・相続できない権利になります。

問題 17

チェック欄▶ 1 ／ 2 ／ 3 ／

重要度Ⓐ 職務著作

R2-9

以下の会話は、C株式会社の代表取締役甲氏と、中小企業診断士であるあなたとの間で行われたものである。

会話の中の空欄AとBに入る記述の組み合わせとして、最も適切なものを下記の解答群から選べ。

甲　氏：「当社が製造販売するアイスキャンディーに使っている恐竜のキャラクター『ガリガリザウルス』をご存じですよね。いま、すごく人気が出ているのですが、このフィギュアやステッカーを作って販促品にしようと思っています。そこで、あらためて、このキャラクターの著作権が誰のものか気になって、相談したいのです。」

あなた：「その『ガリガリザウルス』の絵柄は、どなたが描いたのですか。」

甲　氏：「当社の商品開発部が考えた商品コンセプトに基づいて、パッケージデザインを担当する宣伝部の若手社員が業務として描き下ろしたものです。」

あなた：「そういうことでしたら、その絵柄は職務著作に該当しそうですね。」

甲　氏：「その職務著作とやらに該当したら、『ガリガリザウルス』の絵柄の著作権は、誰の権利になるのでしょうか。」

あなた：「社員と会社との間に契約、勤務規則その他に別段の定めがないのでしたら、著作者は［　A　］となります。権利については［　B　］ことになります。」

甲　氏：「なるほど、分かりました。」

〔解答群〕

ア A：従業者である社員
B：著作者人格権は社員が有しますが、著作権は使用者である会社が有する

イ A：従業者である社員
B：著作者人格権は社員が有しますが、著作権は使用者である会社と社員が共有する

ウ A：使用者である会社
B：著作者人格権と著作権の両方を会社が有する

エ A：使用者である会社
B：著作者人格権は会社が有しますが、著作権は会社と従業者である社員が共有する

解説

著作権法に定める職務著作について問う問題である。

著作権法では、従業者が職務上作成する著作物は、使用者の名義のもとに公表する場合、契約、勤務規則その他に別段の定めがなければ、はじめから使用者が著作者となる。本問の「ガリガリザウルス」では、C株式会社と絵柄を作成した従業員との間に、契約、勤務規則その他に別段の定めがないので、著作者は「使用者である会社」（＝空欄A）となる。

また、職務著作に該当する場合、著作者に認められる著作財産権および著作者人格権は、著作者である法人等に帰属する。そこで、権利については、「著作者人格権と著作権の両方を会社が有する」（＝空欄B）ことになる。

正解　ウ

職務著作と職務発明（問題5）とを対比し、ルールの違いを押さえましょう。

MEMO

問題 18

チェック欄▶ 1 ／ 2 ／ 3 ／

重要度 A **不正競争防止法①** R5-12

不正競争防止法に関する記述として、最も適切なものはどれか。

ア 不正競争防止法第２条第１項第１号に規定する、いわゆる周知表示混同惹起行為において、「商品の包装」は「商品等表示」に含まれない。

イ 不正競争防止法第２条第１項第２号に規定する、いわゆる著名表示冒用行為と認められるためには、他人の商品又は営業と混同を生じさせることが１つの要件となる。

ウ 不正競争防止法第２条第１項第４号乃至第10号に規定される営業秘密に該当するには、秘密管理性、独創性、新規性の３つの要件を満たすことが必要である。

エ 不正競争防止法第２条第１項各号でいう「不正競争」として、「競争関係にある他人の営業上の信用を害する虚偽の事実を告知し、又は流布する行為」が同法に規定されている。

解説

ア ×

周知表示混同惹起行為において、「商品の包装」は、商品等表示に含まれる。

イ ×

著名表示冒用行為は、需要者に「混同」を生じさせることは要件とされない。なお、周知表示混同惹起行為は「混同」を生じさせることが要件とされている。

ウ ×

営業秘密の保護は、①秘密管理性、②有用性、③非公知性の３つの要件を全て満たすことが必要である。

エ ○

不正競争防止法では、競争関係にある他人の営業上の信用を毀損して、競争上優位に立とうとする他社（者）による不正競争行為（信用毀損行為）が規制されている。

エ

講師より

不正競争防止法で問われる箇所を整理しましょう。

主なPOINT

- 商品表示の内容
- 周知表示混同惹起と著名表示冒用行為の違い
- 著名表示冒用行為のフリーライド・ダイリューション・ポリューション
- 商品形態模倣行為の適用除外（日本国内で販売された日から3年）
- 営業秘密の保護対象（秘密管理性・有用性・非公知性　※3要件すべて）
- 限定提供データの保護対象（限定提供性・電磁的管理性・相当蓄積性　※3要件すべて）

問題 19

チェック欄▶ 1 ／ 2 ／ 3 ／

重要度Ⓐ 不正競争防止法②

R4-11

不正競争防止法に関する記述として、最も適切なものはどれか。

ア 不正競争防止法第２条第１項第１号に規定する、いわゆる周知表示混同惹起行為において、「人の業務に係る氏名」は「商品等表示」には含まれない。

イ 不正競争防止法第２条第１項第３号に規定する、いわゆるデッドコピー規制による保護期間は、外国において最初に販売された日から起算して３年を経過するまでである。

ウ 不正競争防止法第２条第１項第３号に規定する、いわゆるデッドコピー規制の要件である「模倣する」とは、他人の商品の形態に依拠して、これと実質的に同一の形態の商品を作り出すことをいう旨が、不正競争防止法に規定されている。

エ 不正競争防止法第２条第１項第11号乃至第16号で保護される限定提供データは、技術上の情報のみを指す。

ア ×

商品等表示では、「人の業務に係る氏名、商号、商標、標章、商品の容器もしくは包装その他の商品または営業を表示するもの」と定義されている。

イ ×

商品形態模倣行為（デッドコピー規制）の保護期間は、日本国内において最初に販売された日から３年である。

ウ ○

商品形態模倣行為の要件である「模倣する」とは、「他人の商品の形態に依拠して、これと実質的に同一の形態の商品を作り出すことをいう」と、その定義が明文で規定されている。

エ ×

限定提供データの保護対象は、技術上の情報のみならず、営業上の情報を含む。

正解 ウ

問題18、19のように、用語の定義だけでなく、横断的に知識が問われます。重要箇所を押さえておきましょう。

問題 20

チェック欄▶ 1 ／ 2 ／ 3 ／

重要度 A 商品形態模倣行為

H23-10

次の文章は、不正競争防止法の解説である。空欄A～Dに入る語句の組み合わせとして最も適切なものを下記の解答群から選べ。

不正競争防止法第２条第１項第３号は、商品の形態を模倣から保護する規定である。その形態が意匠法における登録の要件を［ A ］。ただし、その形態が［ B ］形態である場合には、保護を受けることができない。また、保護を受けることができる期間は、最初の［ C ］の日から［ D ］である。

〔解答群〕

ア　A：満たさなくてもよい　B：商品の通常有する
　　C：販売　D：３年間

イ　A：満たさなくてもよい　B：新規性のない
　　C：製造　D：３年間

ウ　A：満たす必要がある　B：商品の通常有する
　　C：販売　D：５年間

エ　A：満たす必要がある　B：新規性のない
　　C：製造　D：５年間

解説

空欄A　満たさなくてもよい

商品形態模倣行為として不正競争とされ、模倣された側が保護されるためには、オリジナルの商品形態について特段の登録行為は必要ない。そこで、その形態が、意匠法におけるデザインとしての登録の要件を「満たさなくてもよい」とされている。

空欄B　商品の通常有する

当該商品の機能を確保するために、当然にそのような形態であることが必要不可欠である場合、商品形態にはもともと独自性があるとはいえない。そこで「商品の通常有する」形態である場合には、保護を受けることができない。

空欄C　販売　　空欄D　3年間

商品形態模倣行為として先行者が保護される期間は、日本国内において最初に「販売」された日から起算して「3年間」になる。

ア

商品形態模倣行為（デッドコピー）は、他人の商品の形態を模倣した商品を譲渡等する行為のことです。日本国内で最初に販売された日から3年を経過した商品の形態模倣および模倣商品の善意かつ無重過失取得者は、適用除外となります（不正競争とならない）。

試験対策として押さえておきたいのは、「模倣」そのものではなく、模倣品を「譲渡」する行為を規制しています。つまり、「製造」しただけでは、規制対象にならないため注意しましょう。

問題 21

チェック欄▶ 1 ／ 2 ／ 3 ／

重要度 B 事業の開始に関する各種届出

H20-16設問3

会社の設立後には、各種機関への届出が必要になる。次の中で、最も不適切なものはどれか。

ア 個人事業者は、開業の日から１か月以内に開業届出を税務署に提出しなければならない。

イ 従業員を使用する法人を設立した日から５日以内に労働保険関係成立届、雇用保険適用事業所設置届を労働基準監督署に提出しなければならない。

ウ 常時従業員を使用する法人を設立した日から５日以内に年金事務所等に新規適用届等を提出しなければならない。

エ 法人を設立した場合には、設立の日から２か月以内に法人設立届出書を税務署に提出しなければならない。

解説

ア ○

個人事業者は開業の日から1月以内に個人事業の開廃業等届出書（開業届）を提出する必要がある。

イ ×

従業員を1人でも使用（雇用）すれば、労働保険（労働者災害補償保険、雇用保険）が成立する。そして、労働基準監督署や公共職業安定所に、保険関係成立届等を10日以内に提出する必要がある。

ウ ○

法人は従業員1人、個人事業は従業員5人（原則）を使用（雇用）すれば、社会保険（健康保険、厚生年金保険）が成立する。そして、年金事務所等に新規適用届等を5日以内に提出する必要がある。

エ ○

法人は、設立の日から2月以内に、法人設立届出書を税務署に提出する必要がある。

イ

講師より

個人事業、法人企業は事業を開始するときには、税務署などにさまざまな書類を提出する必要があります。しばらく出題されていない領域ですが、教科書の板書で整理して押さえておきましょう。

問題 22

チェック欄▶ 1 ／ 2 ／ 3 ／

重要度 B 会社の設立

R4-6設問2改題

株式会社の設立に関する記述として、最も適切なものはどれか。

ア 株式会社を設立するにあたって作成する定款には、商号を記載又は記録しなければならない。

イ 株式会社を設立するにあたって作成する定款は、電磁的記録により作成することはできない。

ウ 株式会社を募集設立によって設立する場合、最低資本金の額は300万円となる。

エ 会社設立にあたり、発起人は３名以上が必要となる。

解説

ア ○

株式会社を設立するにあたって作成する定款（原始定款）には、絶対的記載事項として、①目的、②商号、③本店の所在地、④設立に際して出資される財産の価額またはその最低額、⑤発起人の氏名または名称および住所を記載しなければ、定款全体が無効となる。

イ ×

株式会社を設立するには、発起人が定款を作成し、その全員がこれに署名し、または記名押印しなければならない。また、定款は、電磁的記録をもって作成することも可能である。

ウ ×

株式会社の設立手続は、発起設立と募集設立があるが、いずれの場合にも最低資本金の額の制限はない。

エ ×

会社法では、発起人は１名以上存在すればよい。

ア

講師より

定款の記載事項は教科書の板書で押さえましょう。
また、募集設立と発起設立の違いも横断的に学習し、対策を取りましょう。

問題 23

チェック欄▶ 1 ／ 2 ／ 3 ／

重要度 B 検査役の調査

H21-3

個人で雑貨の輸入業を営んでいる甲氏とあなたとの間の以下の会話を読んで、会話中の空欄に入る説明として最も適切なものを下記の解答群から選べ。

甲　氏：「先日、ひょんなことから同業者の乙という方と知り合って、会社組織にして、一緒に仕事をしようということになったんです。ただ、乙さんも私も、ノウハウや在庫はあっても、現金はあまり持っておらず、資本金200万円くらいにしかなりません。これで会社は設立できるのですか。」

あなた：「今は、資本金200万円でも株式会社を設立することはできますよ。」

甲　氏：「そうなんですか。でも、資本金200万円だと、取引先の信用が得られないような気もするんですよね……。うーん。」

あなた：「それでしたら、甲さんや乙さんが持っている在庫などを現物出資して、資本金に組み入れることを検討してはいかがですか。」

甲　氏：「へえ、そういったことができるのですか。私が保有している在庫などはたぶん400万円分くらいありますから、乙さんのもあわせると資本金は1,000万円くらいになるかもしれませんね。それなら、取引先からも十分に信用を得られそうですね。」

あなた：「[　　　　]」

〔解答群〕

ア　800万円を現物出資の金額とすると、裁判所が選任する検査役の調査が必要になりますが、例外として、弁護士や税理士などの証明書があれば、検査役の調査は不要になります。

イ　現金による出資金と現物出資の金額が併せて500万円を超えると、裁判所が選任する検査役の調査が必要となりますから、現物出資の金額は280万円くらいにした方がよいでしょう。

ウ　現物出資の金額が300万円を超えた場合、裁判所が選任する検査役の調査が必要になります。そうすると、費用も時間もかかることになりますから、ご注意ください。

エ　そうですね、資本金1,000万円程度であれば、現物出資をするうえで何の問題もありませんから、すぐに現物出資して会社を設立しましょう。

解説

ア ○

甲乙両氏の現物出資財産の合計が500万円を超えない場合は、検査役の調査を省略できるが、本肢では800万円なので省略できない。しかし、弁護士や税理士の証明書があれば、検査役の調査を不要とすることができる。

イ・ウ ×

現物出資について検査役の調査が必要になるのは、現物出資財産の価格が500万円を超える場合になる。

エ ×

本肢では、手持ち資金200万円以外に、現物出資財産が800万円あることを意味する。この場合は、原則として検査役の調査が必要となる。もし不要にしたいのであれば、少なくとも弁護士等の証明を得る必要があり、「何の問題もありません」という助言は不適切となる。

ア

講師より

変態設立事項は、原則的には裁判所で選任された検査役の調査が必要です。ただし、現物出資および財産引受について検査役の調査が不要になる**3つの例外規定**があります。教科書の板書で、「500万円」、「弁護士等の資格」の内容を押さえておきましょう。

MEMO

問題 24　チェック欄▶ 1 ／ 2 ／ 3 ／

重要度 B　株式と社債

H19-3

募集株式と募集社債との比較に関する記述として、最も適切なものはどれか。

ア　募集株式：必ずしも株券を発行する必要はない。
募集社債：必ず社債券を発行しなければならない。

イ　募集株式：いかなる場合でも、取締役会の決議だけで発行できる。
募集社債：いかなる場合でも、株主総会の特別決議がなければ発行できない。

ウ　募集株式：持分会社は発行できない。
募集社債：持分会社も発行することができる。

エ　募集株式：割当てを受ける者が30人を超えた場合は、株式管理者を置かなければならない。
募集社債：割当てを受ける者の数や社債の金額を問わず、社債管理者を置かなければならない。

解説

ア ×

証券の発行は、原則としてすべて任意となる。

イ ×

株式の発行は、公開会社、株式譲渡制限会社等によって意思決定機関が異なる。具体的には、株主総会特別決議や取締役会決議によって株式が発行される。一方で、社債の場合は、取締役会設置会社においては取締役会決議が必要とされるほかは、特段の規定はなく、任意となっている。

ウ ○

持分会社は「持分」を発行するので持分会社となる。つまり、持分会社は株式を発行できない。また、社債は、株式会社、持分会社いずれも発行することができる。

エ ×

株式管理者という機関はない。社債を発行する場合は、原則として、社債管理者の設置が必要になる。

ウ

講師より

会社の主な資金調達方法に、株式と社債があります。社債と株式では特性上ルールが異なりますので、それぞれ横断的に対比して押さえておきましょう。

	発行	発行数の規定	管理者
株式	株主総会特別決議 or 取締役会決議	公開会社では規制有	なし
社債	原則では特段の規定なし	原則では特段の規定なし	社債管理者

募集株式の発行手続については、教科書の図表で確認しておきましょう。

問題 25

チェック欄▶ 1 ／ 2 ／ 3 ／

重要度 B 譲渡制限株式

H23-6

中小企業診断士であるあなたと、顧客であるX株式会社（以下「X社」という。）の代表取締役の甲氏との会話を読んで、下記の設問に答えよ。なお、X社は、発行する株式の全てが譲渡制限株式であり、取締役会設置会社であるとする。また、定款に特段の定めもないものとする。

甲　氏：「そういえば、こんな書類が昨日来たんだよね。」

あなた：「えーと、Aさんが持っている御社の株式をBさんに譲渡したいから承認して欲しい……。株式の譲渡承認請求の通知ですね。」

甲　氏：「うん。そうなんだよ。この譲渡人って書いてあるAさんは、元々はうちの取引先だったんだけど、20年近く前に店を閉めてしまってね。その後もずっとうちの株を持っていてくれていたんだけど、もうさすがに譲渡したいということのようなんだ。株主が他の人に交代するのは仕方がないかなとは思うけど、ただ、今回来た書類に書いてあるBさんという人は全然知らない人だから、不安なんだよね。」

あなた：「もし、Bさんが株主となるのが、御社では好ましくないとお考えなら、今回の譲渡を拒否することもできるはずですよ。」

甲　氏：「そうなの。どうすればいいの。」

あなた：「えーと、確か、拒否するんだったら早いうちに回答をしないといけないはずで、回答しないと認めたことになってしまうと思います。私も細かいところまでは分かりませんので、弁護士を紹介しますから、すぐに相談に行かれてはいかがですか。」

甲　氏：「ありがとう。早速相談に行ってみるよ。」

設問1

会社法では、譲渡制限株式の譲渡について、譲渡承認請求がなされた日から一定期間内に、会社がその承認の可否に関する決定の通知をしなかった場合には、会社がその譲渡を承認したものとみなす旨の定めがある。この場合の一定期間として最も適切なものはどれか。

ア　1週間　**イ**　2週間　**ウ**　20日間　**エ**　1か月

設問2

X社で、本件の譲渡承認請求の可否について決定すべき機関として、最も適切なものはどれか。

ア　株主総会　**イ**　代表取締役

ウ　代表取締役又は株主総会のいずれか　**エ**　取締役会

解説

設問1

株主は、原則として株式を自由に譲渡できるが、会社はその発行する全部または一部の株式の内容として「譲渡」による株式の取得について、当該株式会社の承認を要する旨の定めを設けることができる。

譲渡制限株式について譲渡承認請求がなされると、当該株式会社が承認請求の日から2週間（これを下回る期間を定款で定めた場合にはその期間）以内に承認するか否かの決定を通知しなかった場合、当該譲渡等を承認したものとみなされる。本肢では定款に特段の定めがないため、**2週間**以内に承認の可否に関する決定を通知しなかった場合には、会社は譲渡を承認したものとみなされる。

イ

設問2

譲渡承認請求がなされた場合、その可否について決定すべき譲渡承認の主体は、当該株式会社であるが、その具体的な決定機関は、取締役会設置会社にあっては取締役会、それ以外の会社では株主総会が、承認の可否について意思決定をする。

ただし、定款に特段の定めをすることができ、譲渡承認は、取締役会設置会社でも株主総会を決定機関とすることもできる。本肢では、X社は取締役会設置会社であり、定款に特段の定めがないため、**取締役会**が譲渡承認について可否を決定すべき機関となる。

エ

講師より

種類株式の中でも「譲渡制限株式」は頻出です。また「承認期間」に関する問題は平成28年第2問でも出題されているので押さえておきましょう。なお承認期間は、承認の可否に関する決定請求書が届いた翌日から起算します（請求書が8月10日に届いた場合、翌日から起算した2週間後である「8月24日」になります）。

MEMO

問題 26

チェック欄▶ 1 ／ 2 ／ 3 ／

重要度 B 種類株式

H25-4改題

事業承継に関する以下の会話は、中小企業診断士であるあなたとX株式会社（以下「X社」という。）の代表取締役であり、かつ、X社の全株式を保有する甲氏との間で行われたものである。この会話を読んで、下記の設問に答えよ。なお、X社は、取締役会設置会社である。

会話の中の空欄Aに入る語句として最も適切なものはどれか。

甲　氏：「私ももう70歳です。そろそろ第一線から退いて、後継者と考えている長男の乙に株式をすべて譲り、私は、取締役相談役といった形で経営にかかわっていきたいと考えています。ただ、長男はまだ40歳で、経営者としてはまだ少し若いような気がするので、少し不安が残ります。」

あなた：「それでしたら、甲さんが現在保有している株式はすべて乙さんに譲りつつ、新たに甲さんに［ A ］を発行したらいかがでしょうか。そうすれば、甲さんの賛成がなければ、X社の株主総会決議事項又は取締役会決議事項の全部又は一部を決議できないようにできます。」

ア　拒否権付株式

イ　取得条項付株式

ウ　取得請求権付株式

エ　役員選任権付株式

解説

本問のように、後継者の経営能力に不安があり、後継者の意思決定をチェックできる仕組みを採用するには、選択肢**ア**の「拒否権付株式」（いわゆる「黄金株」のこと）の発行が適している。拒否権付株式とは、株主総会決議事項または取締役会決議事項の全部または一部について、拒否権付株式を有する者からなる種類株主総会の決議も承認要件に加えた株式のことである。つまり、拒否権付株式を有する甲の賛成がなければ、X社ではこれらの合議体で決議ができないことになる。

ア

主要な種類株式の概略を押さえておきましょう。

●取得条項付株式（選択肢イ）
株式会社が、一定の事由が生じたことを条件として取得することができる株式。

●全部取得条項付種類株式
株式会社が、株主総会の決議によって当該発行済種類株式の全部を取得することができる株式。

●取得請求権付株式（選択肢ウ）
株主が、当該株式会社に対してその株式の取得を請求することができる株式。

●役員選任権付株式（選択肢エ）
取締役または監査役について、当該種類株主総会において選任する権限を与えた株式。

●議決権制限株式
株主総会において議決権を行使できる事項に制限がある株式。

問題 27

チェック欄▶ 1 ／ 2 ／ 3 ／

重要度 B 株式併合と株式分割

R4-1

下表は、取締役会設置会社における株式の併合と株式の分割との比較に関する事項をまとめたものである。空欄A～Dに入る語句の組み合わせとして、最も適切なものを下記の解答群から選べ。

	株式の併合	株式の分割
株主の所有株式数	A	B
資本金額	変動しない	C
手続き	D	取締役会の決議

〔解答群〕

ア A：減少　B：増加　C：変動しない　D：株主総会の特別決議

イ A：減少　B：増加　C：変動する　D：株主総会の特別決議

ウ A：増加　B：減少　C：変動しない　D：株主総会の普通決議

エ A：増加　B：増加　C：変動しない　D：株主総会の普通決議

解説

空欄A　減少

株式併合とは、２株を１株に、または５株を２株に、というように、数個の株式を合わせて、それよりも少数の株式とすることをいう。よって、株式併合により、発行済株式総数は「減少」する。

空欄B　増加

株式分割は、１株を２株に、または２株を５株に、というように、既存の株式をより細分化して、一定の割合で増加させる結果となる。よって、株式分割により、発行済株式総数は「増加」する。

空欄C　変動しない

株式併合や株式分割は、ともに発行済株式総数の減少（株式併合の場合）または増加（株式分割の場合）を伴うが、会社の純資産額や、資本金額を変動させるものではない。よって、株式併合、株式分割では資本金額は「変動しない」。

空欄D　株主総会の特別決議

株式併合を行うと、既存株主の持株数の減少など、株主の利益に重大な影響を与える。そこで、株式併合を行うためには、「株主総会の特別決議」による承認が必要となる。

ア

株式併合と株式分割は重要領域です。それぞれの株主の視点に立ち、株式の併合、株式の分割の特徴・手続き方法を理解しておきましょう。

問題 28

チェック欄▶ 1 ／ 2 ／ 3 ／

重要度Ⓐ 機関設計のルール

H18-2改題

全ての株式会社で設置しなければならない機関は、株主総会と取締役だけであり、他の機関の設置は、原則として、任意に選択することができる。ただし、会社法では、株式会社の規模等に応じた一定の規制も設けている。

例えば、［A］の場合、その会社としての規模・特質に鑑み、取締役会の設置が義務づけられている。つまり、これらの会社には、必ず取締役会が存在するということである。

逆に、取締役会が設置されている株式会社という観点からみると、取締役会設置会社には、［B］の設置が義務づけられている。ただし、この場合にも例外がある。

第1に、公開会社でない株式会社で、［C］を設置している場合には、［B］を設置する必要はない。第2に、委員会設置会社系の場合には、［B］を設置してはならない。

また、会社の規模に着目すると、会社法上の大会社には、［D］の設置が義務づけられている。大会社については、公開会社であるか否かという点でさらに分類すると、公開会社の大会社には、［E］も設置しなければならない。したがって、この場合には、必ず［B］も設置されているということになる。ただし、公開会社の大会社に対する機関設計に関する義務にも例外はあり、公開会社であっても、委員会設置会社系の場合には、［B］を設置してはならないことから、［E］も設置することはできない。

設問1

文中の空欄Aに入る語句の組み合わせとして、最も適切なものはどれか。

ア 委員会設置会社系、公開会社

イ 会計監査人設置会社、監査役会設置会社

ウ 委員会設置会社系、監査役会設置会社、公開会社

エ 会計監査人設置会社、監査役会設置会社、公開会社

設問２

文中の空欄Ｂ～Ｅに入る語句の組み合わせとして、最も適切なものはどれか。

ア　Ｂ：会計参与　Ｃ：監査役　Ｄ：監査役会　Ｅ：会計監査人

イ　Ｂ：会計参与　Ｃ：監査役会　Ｄ：会計監査人　Ｅ：監査役

ウ　Ｂ：監査役　Ｃ：会計監査人　Ｄ：会計参与　Ｅ：監査役会

エ　Ｂ：監査役　Ｃ：会計参与　Ｄ：会計監査人　Ｅ：監査役会

解説

設問1

監査役会設置会社、公開会社では取締役会の設置が必要になる。また、委員会設置会社系（指名委員会等設置会社、監査等委員会設置会社）でも取締役会の設置が必要である。これに対して、会計監査人設置会社には、取締役会が必ず存在するとはいえない。

 ウ

設問2

空欄B　監査役　　　　空欄C　会計参与

取締役会設置会社には、原則として監査役（空欄B）の設置が義務づけられている。例外として、監査役の設置義務が免除されるのは、公開会社ではない会社（株式譲渡制限会社）であって、会計参与（空欄C）を設置している会社である。

空欄D　会計監査人　　空欄E　監査役会

大会社には、会計監査人（空欄D）の設置が義務づけられている。さらに、公開会社かつ大会社になると、監査役会（空欄E）の設置も必要になる。ただし、公開会社かつ大会社であっても、委員会設置会社系の場合には、監査役を設置することができないため、監査役会も存在しないことになる。

 エ

講師より

機関設計のルールを理解しましょう。押さえるべきルールは多くないので、教科書の図表でポイントを整理して、対策をしましょう。

MEMO

問題 29

重要度 A　取締役と監査役

R4-2改題

下表は、会社法が定める監査役設置会社における取締役と監査役の任期をまとめたものである。空欄A～Cに入る数値と語句の組み合わせとして、最も適切なものを下記の解答群から選べ。

	取締役	監査役
原則	選任後（　A　）年以内に終了する事業年度のうち最終のものに関する定時株主総会の終結時まで	選任後４年以内に終了する事業年度のうち最終のものに関する定時株主総会の終結時まで
公開会社ではない会社の特則（任期の伸長）	定款により、選任後10年以内に終了する事業年度のうち最終のものに関する定時株主総会の終結時まで伸長可能	定款により、選任後（　B　）年以内に終了する事業年度のうち最終のものに関する定時株主総会の終結時まで伸長可能
任期の短縮	定款又は株主総会の決議によって短縮可能	定款又は株主総会の決議によって短縮（　C　）

〔解答群〕

ア　A：1　B：8　C：不可

イ　A：1　B：10　C：可能

ウ　A：2　B：8　C：可能

エ　A：2　B：10　C：不可

解説

教科書 Ch2 Sec4

空欄A　2年

取締役の任期は、原則として、選任後「2」年以内に終了する事業年度のうち最終のものに関する定時株主総会の終結時までである。

空欄B　10年

公開会社ではない会社（株式譲渡制限会社）では、役員の任期を、選任後「10」年以内に終了する事業年度のうち最終のものに関する定時株主総会の終結時まで伸長可能としている。

空欄C　不可

任期の短縮については、取締役については、定款または株主総会の決議によって短縮可能である。しかし、監査役については、定款または株主総会の決議によっても短縮は「不可」となる。

エ

講師より

各機関の任期は横断的に押さえておきましょう。

	取締役（監査等委員会設置会社を除く）	監査役	会計参与	会計監査人
任期	**2年**	**4年**（短縮不可）	**2年**	**1年**（伸長・短縮不可）
	株式譲渡制限会社では定款により**10年**まで伸長可			
	指名委員会等設置会社では**1年**		委員会設置会社系では**1年**	

問題 30

チェック欄▶ 1 ／ 2 ／ 3 ／

重要度 Ⓐ

会計参与

H23-18設問1

会計参与の制度に関連する下記の設問に答えよ。

なお、下記の設問の会社は、非公開会社で委員会設置会社でない株式会社を前提とする。

会計参与の設置に関する記述として、最も不適切なものはどれか。

ア　新たに会計参与設置会社とするためには定款を変更しなければならないので、株主総会の特別決議が必要となる。

イ　会計参与が何らかの事情で欠けた場合に備えて、補欠の会計参与を選任することができる。

ウ　会計参与の任期は、監査役と同様であり、原則として選任後４年以内に終了する事業年度の定時株主総会の終結の時までである。

エ　会計参与を新たに設置した場合には、その旨ならびに会計参与の氏名または名称および計算書類等の備え置きの場所を登記しなければならない。

解説

ア ○

新たに会計参与設置会社とするためには、定款に会計参与を設置することを定める必要がある。これには、定款変更が必要で、原則として株主総会の特別決議が必要である。

イ ○

会社法では、役員について、欠員に備えての補欠選任の制度を設けている。会計参与についても、補欠を選任することができる。

ウ ×

会計参与の任期は、取締役と同様、原則として選任後「２年」以内に終了する事業年度の定時株主総会終結の時までとなる。

エ ○

会計参与を新たに設置した場合には、登記事項となる。具体的には、「会計参与設置会社である旨並びに会計参与の氏名又は名称及び各事業年度の計算書類・附属明細書・会計参与報告を備え置く場所」について登記する必要がある。

ウ

講師より

会計参与の職務や規定を押さえましょう。特に、監査役、会計監査人と混同しやすいので注意しましょう。

●会計参与の職務

会計参与は、取締役・執行役と共同で計算書類の作成を行います。

→ 取締役の職務のうちの計算書類に関する業務を行うので、任期、選任・解任等、取締役と規定が同じになっている。

●会計参与の資格

会計参与の資格は公認会計士（もしくは監査法人）または税理士（もしくは税理士法人）に限定されています。

→ 会計監査人は、公認会計士（もしくは監査法人）に限定。

問題 31

チェック欄▶ 1 ／ 2 ／ 3 ／

重要度 Ⓐ 監査役

H24-18

会社法では、機関の設計が柔軟化され監査役を設置しない株式会社も認められる。監査役の設置に関連した説明として最も適切なものはどれか。

ア 株式会社が委員会設置会社系の場合は、監査役を設置することはできない。

イ 株式会社が、公開会社でも会計監査人設置会社でもない場合は、監査役を設置することはできない。

ウ 株式会社が、大会社でも委員会設置会社系でもない場合は、監査役の設置は任意となる。

エ 株式会社が、大会社でも公開会社でもない場合は、監査役の設置は任意となる。

解 説

ア ○

委員会設置会社系では、監査役を置くことはできない。

イ ×

委員会設置会社系では監査役の設置はできないが、それ以外では監査役の設置は原則として任意となる。

ウ ×

大会社でも委員会設置会社系でもない場合でも、公開会社や会計監査人設置会社に該当すれば監査役の設置が義務づけられるため、「任意」ではない。

エ ×

大会社でも公開会社でもない場合でも、会計監査人設置会社（委員会設置会社を除く）に該当すれば監査役の設置が義務づけられるため、「任意」ではない。

ア

講師より

監査役の職務や規定を押さえましょう。また、監査役にからむ機関設計のルールも整理しておきましょう。

■監査役の職務

監査役：取締役や会計参与の職務執行の監査（業務監査）、および計算書類等の監査（会計監査）を行う機関

■監査役が必ず必要になるパターン

①会計監査人設置会社

②取締役会設置会社。ただし、取締役会設置会社であっても、大会社でない株式譲渡制限会社（公開会社ではない会社）であって、会計参与設置会社の場合には監査役の設置は任意となる

■監査役を置くことができないパターン

委員会設置会社系

問題 32

チェック欄▶ 1 ／ 2 ／ 3 ／

重要度 B 株主代表訴訟制度

H24-6

株主代表訴訟に関する以下の文章中の空欄A～Cに入る語句の組み合わせとして、最も適切なものを下記の解答群から選べ。

違法行為があったにもかかわらず、その会社が取締役に対し、その責任の追及をしないとき、株主は、株主代表訴訟を提起することができる。

代表訴訟を提起することができる株主は、［A］以上の株式を、定款に特別の定めがない限り、［B］か月前から引き続き保有している株主である。なお、公開会社以外の会社では、この期間の制限はない。

株主は、まず、当該会社に対し、取締役の責任追及等の訴えを提起するよう請求する。

その請求を行ったにもかかわらず、［C］日以内に、その会社が当該取締役の責任追及の訴えを行わない場合には、株主は、代表訴訟を提起することができる。

〔解答群〕

ア　A：1株　B：3　C：30

イ　A：1株　B：6　C：60

ウ　A：発行済み株式総数の3パーセント　B：6　C：30

エ　A：発行済み株式総数の3パーセント　B：3　C：60

解説

取締役等は、株式会社に対して善良なる管理者としての注意義務や忠実義務等を負い、その任務に違反したときは損害賠償の責任を負う。この取締役等の責任を、株主自らが会社に代わって責任追及の訴えを提起することができるとする制度が、株主代表訴訟になる。

株主代表訴訟を行える株主は、**1株**（空欄A）でも株式を有し単元未満株主を除く株主である。また、公開会社では「**6**」か月（空欄B）前から株主であることが必要とされる（株式譲渡制限会社にあっては、保有期間の制限はない）。提訴にあたっては、株主はまず会社に対し、書面等の方法で責任追及の訴えを会社が提起するよう請求することが必要だが、会社が請求の日から「**60**」日（空欄C）以内に責任追及の訴えを提起しないときは、その請求をした株主は、会社のために、責任追及の訴えを提起することができる。

講師より

株主代表訴訟制度と併せて多重代表訴訟制度も押さえておきましょう。それぞれの内容、要件と期間は穴埋め問題として出題される可能性もあるので、しっかり対策を取っておきましょう。

■多重代表訴訟制度

完全親会社（当該子会社の株主）に代わって、最終完全親会社等（＝最上位の親会社という意味）の株主が、役員等に対する損害賠償請求をすることができる（「60日」「6か月」については株主代表訴訟制度と同じ）。

問題 33

チェック欄▶ 1 ／ 2 ／ 3 ／

重要度 B 計算書類

H20-3

C株式会社（以下「C社」という。）は、取締役会及び監査役（但し、監査の範囲を会計に関するものに限定する旨の定款の定めがある）を設置している会社（公開会社ではなく、かつ、大会社でもない）である。また、C社の事業年度は毎年4月1日から翌年3月31日までとされている。

C社では、平成21年の定時株主総会までのスケジュールを以下のとおりに定めた。

このとき、会社法第442条に基づき、「計算書類等の本店での備え置きを開始する」日は、いずれの日とするのがよいか。最も適切な日を下記の解答群から選べ。

C社平成21年定時株主総会スケジュール

3月31日（火）	基準日
4月24日（金）	取締役が計算書類及び事業報告書を監査役に提出する。
5月14日（木）	取締役が計算書類及び事業報告書の附属明細書を監査役に提出する。
5月20日（水）	監査役が監査報告の内容を通知する。
5月22日（金）	取締役会開催 計算書類及び事業報告書並びにこれらの附属明細書の承認・株主総会の招集の決定
6月17日（水）	招集通知発送日
6月26日（金）	定時株主総会開催日

〔解答群〕

ア 5月1日（金）
イ 5月15日（金）
ウ 6月12日（金）
エ 6月19日（金）

解説

各事業年度に係る計算書類等は、定時株主総会の日の１週間（取締役会設置会社では２週間）前の日から、本店に５年間、写しを支店に３年間、株主および債権者の閲覧等のために備え置く必要がある。本問題のＣ株式会社は取締役会設置会社になるので、計算書類等の本店での備え置きを開始する日は、定時株主総会の開催日である平成21年６月26日（金）の２週間前の日である、**6月12日（金）**になる。

講師より

計算書類等の内容と「備え置き期間」「保存期間」をそれぞれ整理して押さえておきましょう。

■計算書類等
教科書の図表参照

■保存義務
書類：計算書類等
期間：10年間
ただし、事業報告は除く

■備え置き
書類：計算書類等
期間：定時株主総会の１週間前（取締役会設置会社では２週間前）から
本店に５年間、写しを支店に３年間

問題 34　チェック欄▶ 1 ／ 2 ／ 3 ／

重要度B 剰余金の配当

H22-20改題

会社法における株式会社の剰余金の配当規定に関連する説明として、最も不適切なものはどれか。なお、本問における株式会社は、取締役会設置会社であるが会計監査人設置会社ではないものとする。

ア　株式会社の純資産額が300万円を下回らない限り、株主総会の決議によっていつでも剰余金の配当をすることができる。

イ　株主総会の決議によって、配当財産を金銭以外の財産とする現物配当をすることができる。ただし、当該株式会社の株式等を配当財産とすることはできない。

ウ　現物配当をする場合には、原則では、株主総会の特別決議が必要になる。

エ　定款で定めることにより一事業年度の途中において何回でも取締役会の決議によって中間配当をすることができる。

解説

ア ○

株式会社は、純資産が300万円を下回る場合は、剰余金の配当ができない。そして、株主総会決議によっていつでも、何回でも、剰余金の配当をすることができる。

イ ○

剰余金の配当は、金銭以外の現物による配当も認められている。しかし、原則では会社の株式等を現物配当とすることができない。

ウ ○

現物配当をする場合には、株主総会の特別決議が必要になる。ただし、金銭分配請求権を与える場合は、株主総会の普通決議で可能である。

エ ×

取締役会設置会社においては、定款に定めることで、取締役会決議で剰余金の配当（金銭に限る）をすることができる。ただし、中間配当ができるのは1事業年度中1回限りになる。

エ

講師より

剰余金の配当はパターンによって手続きが変わります。どの決議で承認されるかを整理しましょう。

■株主総会普通決議

①1事業年度中いつでも、何回でも剰余金の配当をすることが可能

②現物配当をする場合で金銭分配請求権を与える場合

■株主総会特別決議

①現物配当をする場合

■取締役会決議

①中間配当の場合（1事業年度中1回に限り）

②「委員会設置会社系」等は1事業年度中いつでも、何回でも剰余金の配当をすることが可能

問題 35

チェック欄▶ 1 ／ 2 ／ 3 ／

重要度 B 持分会社

R元-1改題

合同会社、合名会社、合資会社の比較に関する記述として、最も適切なものはどれか。

ア 合同会社、合名会社、合資会社のいずれの会社も、会社成立後に新たに社員を加入させることができる。

イ 合同会社、合名会社、合資会社のいずれの会社も、社員は２名以上でなければならない。

ウ 合同会社、合名会社、合資会社のいずれの会社も、設立にあたり定款の作成は不要である。

エ 合同会社と合名会社の社員は無限責任社員のみで構成されるが、合資会社の社員は無限責任社員と有限責任社員により構成される。

解説

ア ○

持分会社は、会社成立後に一定の手続きを経て加入することが可能である。

イ ×

合同会社は間接有限責任社員、合名会社は直接無限責任社員１名からでも設立可能である。

ウ ×

持分会社でも、設立にあたり定款の作成は必要である。なお、株式会社と異なり、公証人の認証は不要となる。

エ ×

合同会社は間接有限責任社員のみ、合名会社の社員は直接無限責任社員のみから構成され、合資会社は直接無限責任社員と直接有限責任社員が存在する。

ア

講師より

持分会社の設立の特徴を押さえ、基本論点が出題されたときは正解できるようにしましょう。

また、合同会社、合名会社、合資会社の違いを横断的に押さえ対策しておきましょう。

問題 36

チェック欄▶ 1 ／ 2 ／ 3 ／

重要度A 事業譲渡

H26-18

会社分割（吸収分割を前提とする）と事業譲渡の相違に関する記述として最も適切なものはどれか。

ア 会社分割では吸収分割契約の内容を記録した書面又は電磁的記録を本店に備え置かなければならないが、事業譲渡ではこのような制度はない。

イ 会社分割では適法に債権者保護手続を経ることで対象事業の債務を移転させることができるが、事業譲渡では個々の債権者から同意を得ずに債務を移転させることができる。

ウ 会社分割では分割会社が取得している許認可は承継することができないが、事業譲渡ではそれを承継することができる。

エ 会社分割では分割承継資産の対価として承継会社の株式を発行しなければならないが、事業譲渡の対価は金銭に限られる。

解説

ア ○

会社分割（吸収分割）では、吸収分割契約に関する書面または電磁的記録を本店に備え置き、株主や債権者の閲覧謄写に供することが必要になる。これに対し、事業譲渡契約は、書面等の備置き義務等は規定されていない。

イ ×

吸収分割では、分割後、分割会社に対して債務の履行を請求することができない債権者および承継会社の債権者に対して、債権者保護手続を行う必要がある。これに対し事業譲渡では、債権者保護手続が規定されておらず、債権者の個別同意がない限り、譲渡会社の債権者に履行すべき債務を、事業譲渡に伴って譲受会社に移転させることはできない。

ウ ×

許認可について、事業譲渡では、譲渡会社がもっている免許や許認可は、事業譲渡によっては承継されない。会社分割の場合には、許認可の要件や承継を定める各事業の業法の定めるところによるため、一概にはいえないが、分割会社が保有している免許・許認可が、承継会社に引き継がれる場合がある。

エ ×

会社分割は、会社分割により承継される事業の対価として、承継会社の株式を交付することが原則になる。ただし、吸収型の組織再編行為（吸収合併、吸収分割および株式交換）については、会社法は対価の柔軟化を認めている。この場合の対価は、金銭その他の財産等でも可能である。また、事業譲渡は、原則としてその対価は金銭になる。しかし、契約自由の原則により、当事者が合意すれば、財産的価値を有する金銭以外の財産であっても認められることがある。

ア

講師より

事業譲渡と会社分割の相違点は整理しておきましょう。特に、事前・事後の書類の備置、債権者保護手続は試験対策上重要になります。

問題 37

チェック欄▶ 1 ／ 2 ／ 3 ／

重要度Ⓐ 吸収合併・事業譲渡

R5-6

以下の会話は、X株式会社の代表取締役である甲氏と、中小企業診断士であるあなたとの間で行われたものである。この会話を読んで、下記の設問に答えよ。

なお、本問における吸収合併の手続においては、X株式会社を消滅会社とすることを念頭に置いている。

甲　氏：「このたび、X株式会社の事業の全部を譲渡することを考えており、譲渡先を探していたところ、取引先であるY株式会社から、X株式会社の事業の全部を譲り受けてもよいという話がありました。知人に聞いたところ、X株式会社の事業の全部をY株式会社に移管する方法としては、事業譲渡の他に吸収合併という方法もあるという話をしていました。取引先への商品代金の支払債務について、事業譲渡と吸収合併によって違いはあるのでしょうか。」

あなた：「［ A ］。」

甲　氏：「なるほど。ありがとうございます。では、吸収合併と事業譲渡で、Y株式会社から受け取る対価に違いはあるのでしょうか。」

あなた：「［ B ］。」

甲　氏：「では、Y株式会社に吸収合併又は事業譲渡ですべての事業を移管した場合、X株式会社はどうなるのでしょうか。」

あなた：「［ C ］。」

甲　氏：「なかなか悩ましいですね。実は、Y株式会社の他に、私の知人である乙氏からX株式会社の事業の全部を承継してもよいという話も聞いています。乙氏は会社を設立しておらず、個人で事業を行っているのですが、事業譲渡や吸収合併は、相手先が会社でなくてもすることができるのでしょうか。」

あなた：「［ D ］。」

甲　氏：「分かりました。今日のお話を踏まえ、スキームを検討します。また、ご相談させてください。」

あなた：「必要があれば、弁護士を紹介しますので、お気軽にご相談ください。」

設問1

会話の中の空欄AとBに入る記述の組み合わせとして、最も適切なものはどれか。

ア A：吸収合併、事業譲渡いずれの場合でも、X株式会社の債務は当然にY株式会社に承継されます
B：吸収合併、事業譲渡のいずれの対価も金銭に限られません

イ A：吸収合併の場合は、X株式会社の債務は当然にY株式会社に承継されますが、事業譲渡の場合には、債権者の承諾を得なければ、X株式会社の債務をY株式会社に承継させて、X株式会社がその債務を免れるということはできません
B：吸収合併、事業譲渡のいずれの対価も金銭に限られません

ウ A：吸収合併の場合は、X株式会社の債務は当然にY株式会社に承継されますが、事業譲渡の場合には、債権者の承諾を得なければ、X株式会社の債務をY株式会社に承継させて、X株式会社がその債務を免れるということはできません
B：吸収合併の対価はY株式会社の株式であることが必要ですが、事業譲渡の対価はY株式会社の株式に限られず、金銭によることも可能です

エ A：吸収合併の場合は、X株式会社の債務は当然にY株式会社に承継されますが、事業譲渡の場合には、債権者の承諾を得なければ、X株式会社の債務をY株式会社に承継させて、X株式会社がその債務を免れるということはできません
B：吸収合併の対価は金銭であることが必要ですが、事業譲渡の対価は金銭に限られません

設問2

会話の中の空欄CとDに入る記述の組み合わせとして、最も適切なものはどれか。

ア　C：吸収合併、事業譲渡のいずれの場合も、X株式会社は当然に解散します
　　D：吸収合併、事業譲渡のいずれの場合も、相手先は会社である必要があります

イ　C：吸収合併、事業譲渡のいずれの場合も、X株式会社は当然に解散します
　　D：吸収合併の場合は、相手先は会社である必要がありますが、事業譲渡の場合は相手先が会社である必要はありません

ウ　C：吸収合併、事業譲渡のいずれの場合も、X株式会社は当然には解散しません
　　D：吸収合併、事業譲渡のいずれの場合も、相手先は会社である必要があります

エ　C：吸収合併の場合は、X株式会社は当然に解散しますが、事業譲渡の場合は当然には解散しません
　　D：吸収合併の場合は、相手先は会社である必要がありますが、事業譲渡の場合は相手先が会社である必要はありません

解説

吸収合併と事業譲渡の比較について問う問題である。

設問1

空欄A

吸収合併の場合、消滅する株式会社が有していた権利義務のすべてが包括的に存続会社に移転する。したがって、消滅会社の債務も、当然に存続会社に移転する。取引先への商品代金の支払債務についても、当然に存続会社に移転し、存続会社が債務者となる。この場合の債権者の保護は、債権者保護手続によって図られることになる。

事業の全部譲渡の場合には、事業譲渡に伴う債務の移転については、債権者の個別の同意が必要となる。

そこで、空欄Aには、「吸収合併の場合は、X株式会社の債務は当然にY株式会社に承継されますが、事業譲渡の場合には、債権者の承諾を得なければ、X株式会社の債務をY株式会社に承継させて、X株式会社がその債務を免れるということはできません」の記述が入る。

空欄B

吸収合併の場合、合併の対価は、存続会社の株式が消滅会社の株主に交付されることが原則である。ただし、吸収合併の場合には対価の柔軟化により、存続会社の株式以外の財産（株式に代わる金銭等）を交付することが認められる。

事業譲渡の場合は、もともと事業譲渡契約は、事業の全部または一部の移転を目的とした売買契約類似の契約であることから、その対価は、金銭の支払いによってなされることが多いが、対価の種類についての法律上の制限はなく、当事者が自由に定めることができる。

そこで、空欄Bには、「吸収合併、事業譲渡のいずれの対価も金銭に限られません」の記述が入る。

 イ

設問2

空欄C

吸収合併により、消滅会社は、法律上当然に解散し、消滅する。これに対し、事業譲渡の場合には、事業の全部譲渡の場合であっても、譲渡会社は当然には解散せず、法人格は存続する。譲渡会社は、事業譲渡の対価を得たうえで、異なる事業目的で事業を継続することができるし、別途、解散決議を行って、事業を清算して残余財産の分配を行う清算手続に移行することも自由に決定できる。

そこで、空欄Cには、「吸収合併の場合は、X株式会社は当然に解散しますが、事業譲渡の場合は当然には解散しません」の記述が入る。

空欄D

吸収合併は、当事者は「会社」(株式会社および持分会社)に限定される。これに対し、事業譲渡の場合には、当事者は会社でなくてもよく、個人事業主(自然人)も契約の当事者となれる。

そこで、空欄Dには、「吸収合併の場合は、相手先は会社である必要がありますが、事業譲渡の場合は相手先が会社である必要はありません」の記述が入る。

エ

組織再編の対策は横断的にチェックしましょう。

MEMO

問題 38

チェック欄▶ 1 ／ 2 ／ 3 ／

重要度 A

株式交換・移転

H19-16改題

株式移転に関する説明として、最も不適切なものはどれか。

なお、以下の説明文中の完全親会社および完全子会社は、それぞれ会社法第773条第１項第１号および第５号に定義されている株式移転完全子会社をいう。

ア　二以上の株式会社が共同して株式移転を行うためには、当該株式会社は株式移転計画を共同して作成しなければならない。

イ　略式組織再編は、株式交換では認められるが、株式移転では認められていない。

ウ　株式移転計画は完全子会社の株主総会の特別決議による承認が必要である。この場合に、完全子会社となる会社の規模が小さくても簡易な手続きは認められていない。

エ　完全親会社は、完全子会社の株式移転計画の承認が行われた日に、その発行済株式の全部を取得する。

解説

ア ○

共同株式移転の当事者は、株式移転計画を共同して作成することが必要である。

イ ○

株式移転では、略式組織再編は認められていない。一方で、株式交換では、完全親会社に認められている。

ウ ○

「会社の規模が小さくても簡易な手続き」とは、簡易組織再編のことを指している。株式移転では簡易組織再編は規定されていない。

エ ×

組織再編の効力発生日は、吸収合併、株式交換、吸収分割では「契約で定めた日」、新設合併、株式移転、新設分割では「新設会社成立の日」になる。本肢での「株式移転計画の承認が行われた日」には、まだ完全親会社（新設会社）は成立していない。

エ

講師より

組織再編について吸収・契約型（事業譲渡含む、会社設立を伴わないグループ）、新設型（会社設立を伴うグループ）に分けて整理して押さえましょう。

●吸収・契約型（吸収合併、株式交換、吸収分割、事業譲渡）

効力発生日：契約で定めた日
簡易組織再編・略式組織再編：あり
対価の柔軟化：あり

●新設型（新設合併、株式移転、新設分割）

効力発生日：新設会社成立（設立登記）の日
簡易組織再編・略式組織再編：なし。新設分割でも簡易組織再編の分割会社ではあり
対価の柔軟化：なし

問題 39

チェック欄▶ 1 ／ 2 ／ 3 ／

重要度 A 組織再編等

H24-4

あなたの顧客であるＸ株式会社（以下「Ｘ社」という。）の代表取締役甲氏からの、Ｘ社の組織再編に関する以下の相談内容を前提に、Ｙ株式会社（以下「Ｙ社」という。）のＣ部門を独立した１つの会社とする手続きとして最も適切なものを下記の解答群から選べ。

【甲氏の相談内容】

Ｘ社では、100パーセント子会社としてＡ株式会社（以下「Ａ社」という。）を保有している。

一方、Ｙ社では、Ｂ部門とＣ部門の２つの事業を行っており、このうち、Ｃ部門の事業は、Ａ社の事業と同じである。

Ｘ社としては、事業を拡大するため、Ｙ社のＣ部門を譲り受けたい。

譲り受けるにあたっては、Ａ社とＹ社では、従業員の処遇に違いがあることから、一度に統合することは難しい可能性もある。そのため、Ｃ部門をそのまま切り出して、直接１つの独立した会社とした後に、その株式を譲り受け、Ａ社と同様に、Ｘ社の100パーセント子会社とすることとしたい。

〔解答群〕

ア 吸収合併

イ 吸収分割

ウ 事業譲渡

エ 新設分割

解説

本問のX社は100％子会社としてA社を保有しており、Y社のC部門だけを譲り受けたいというのがX社の希望になる。そして、その条件を整理すると下記になる。

①A社とY社では従業員の処遇に違いがあり、一度に統合するのが難しい。

②C部門をそのまま切り出して、直接1つの独立した会社とする。

③その後にその株式を譲り受け、A社と同様にX社の100％子会社とする。

①から、Y社（C部門）の労働者の労働契約がA社に全て承継されて統合されてしまう吸収合併（選択肢**ア**）は、不適切になる。また、②から、A社がC部門の事業を譲り受けたり、または吸収してしまう事業譲渡（選択肢**ウ**）や、吸収分割（選択肢**イ**）も不適切になる。

X社の希望どおりに運ぶためには、まずY社がC部門を**新設分割**（選択肢**エ**）して、新会社を設立する必要がある。そののち、Y社が保有する新会社の全株式をX社に譲渡し、A社と同様に、X社が新会社の100％親会社となる道筋になる。

エ

講師より

組織再編等についてそれぞれ内容、手続き、そして結果がどのようになるかを押さえましょう。

事業譲渡	（原則）金銭を対価とする売買契約。競業避止義務を負う
会社分割	事業譲渡と比べ、債権者の同意不要等、煩雑な手続きが不要
合併	権利義務を承継させる包括承継
株式交換・株式移転	完全（100％）親子関係の実現

※株式移転：完全親会社は、新たに設立される会社
株式交換：完全親会社は、会社がすでに存在する

問題 40

チェック欄▶ 1 ／ 2 ／ 3 ／

重要度Ⓐ 労働契約承継法

H15-4改題

文中の空欄に入れる文章として最も適切なものはどれか。

甲会社は乙会社と会社分割契約を締結しようとしている。この場合、分割される会社である甲会社の労働者が乙会社にどのように引き継がれるかに関しては、「会社の分割に伴う労働契約の承継等に関する法律」が制定されている。これによれば、甲会社に雇用され、乙会社に承継される営業に主として従事している労働者以外の者については、分割契約書にその者と甲会社の労働契約を乙会社に承継する旨の記載があった場合［　　　］。

ア　その者が甲会社に異議を申し出ると否とにかかわらず、その者の労働契約は乙会社に承継される。

イ　その者が甲会社に異議を申し出れば、その者の労働契約は乙会社に承継されない。

ウ　その者が甲会社に書面で同意することを申し出た場合に限り、その者の労働契約は乙会社に承継される。

エ　当該記載にかかわらず、その者の労働契約が乙会社に承継されることはない。

解説

乙会社に承継される営業に主として従事している労働者以外の者については、会社分割に伴い、分割契約書に労働契約が承継される旨の定めがある場合、原則として労働契約は乙会社に承継される。しかし、異議を申し出た場合は、労働契約は承継されない。

講師より

会社分割の労働契約の承継については、労働者保護の観点から労働契約承継法が施行されています。２つの基準により、労働契約の承継または残留を定めています。なお、労働者にはパート・アルバイトなども含まれます。

■労働契約承継法　２つの基準

① 分割対象の事業に「主として従事する者」かどうか

② 吸収分割契約や新設分割計画に関する書面等に労働契約承継の定めの有無

※教科書の板書参照

問題 41

チェック欄▶ 1 ／ 2 ／ 3 ／

重要度A 債権者保護手続

H23-2

東京に本社があるX株式会社（以下「X社」という。）は、事業再編の一環として、会社分割の手法を利用して、札幌支店における事業全部を、札幌にある関連会社のY株式会社（以下「Y社」という。）に移転することを検討している。この場合、X社又はY社の債権者であるA社〜D社のうち、X社又はY社において、債権者保護手続（通知・公告）を行う必要がある債権者として最も適切なものの組み合わせを下記の解答群から選べ。なお、会社法第758条第8号・第760条第7号に掲げる事項についての定めはなく、また、簡易分割にも該当しないものとする。

A社：X社本社の事業に関する債権者で、分割対象の負債にはせず、分割後もX社で取引及び支払を行う。

B社：X社札幌支店の事業に関する債権者で、分割対象の負債として、分割時点の負債をY社が引き継ぎ（X社は支払の義務を負わない）、分割後はY社だけが取引及び支払を行う。

C社：X社本社及び札幌支店の事業に関する債権者で、札幌支店分の負債については、分割対象の負債として、Y社が引き継いで支払うこととしたいが、区別がはっきりしない部分もあるので、分割時点の負債全額について、X社が支払うこととし、分割後は、X社、Y社それぞれが自社の分を支払う。

D社：Y社の債権者

〔解答群〕

ア A社とB社

イ A社とC社

ウ B社とD社

エ C社とD社

解説

会社法は、吸収分割の場合について、下記の(1)(2)の債権者に対して債権者保護手続を行う必要がある。

(1) 吸収分割後、分割会社に対して債務の履行を請求することができない分割会社の債権者。

(2) 吸収分割承継会社の債権者。

A社：引き続き分割会社X社に対して債権を有し、分割後も債務の履行を分割会社X社に請求することができるため、**債権者保護手続の対象とする必要はない**。

B社：分割会社X社に対するB社の債権は、分割対象の負債としてY社に引き継がれ、分割後は承継会社Y社だけが取引および支払を行うとされている。このような場合には、債権の回収先や債権の担保となる会社財産に変更が生じるので、**債権者保護手続の対象とする必要がある**。

C社：分割時点の分割会社X社の負債全額について分割会社X社が支払うこととなっているので、債務は精算済みでC社の利害に影響しない。よって、**債権者保護手続の対象とする必要がない**。

D社：承継会社の債権者については、常に債権者保護手続を行う必要がある。D社は承継会社Y社の債権者であるから、(2)の債権者に該当し、D社には**債権者保護手続を行う必要がある**。

なお、簡易分割かどうかは、債権者保護手続の要否や対象債権者に影響しない。

ウ

講師より

債権者保護手続について、詐害的な会社分割における債権者の保護、個別の催告の対象とならない債権者の保護についても、併せて押さえておきましょう。

問題 42

チェック欄▶ 1 ／ 2 ／ 3 ／

重要度 © 有限責任事業組合

H21-16改題

合同会社と有限責任事業組合の説明のうち、最も不適切なものはどれか。

ア 合同会社、有限責任事業組合の債権者は、当該会社または組合の営業時間内は、いつでも、作成した日から５年以内の計算書類または財務諸表の閲覧または謄写の請求をすることができる。

イ 合同会社の設立手続きは、社員になろうとする者が定款を作成し、設立の登記をする時までにその出資の全額を払い込みまたは給付を行う。
有限責任事業組合では、各当事者が組合契約書を作成し、それぞれの出資に係る払込みまたは給付の全部を履行する。いずれも、設立時に公証人の定款認証を受ける必要はない。

ウ 合同会社は、合同会社名義で特許権の出願ができる。これに対し有限責任事業組合では、有限責任事業組合名義で特許権の出願をすることはできない。

エ 合同会社も有限責任事業組合も共に構成員が１人いれば成立する。

解説

ア ○

合同会社の債権者は、合同会社の営業時間内は、いつでもその計算書類（作成した日から５年間以内のもの）について、閲覧・謄写の請求ができる。また、有限責任事業組合の債権者にも、同様の権利が認められている。

イ ○

合同会社の設立は、社員になろうとするものが定款を作成し、設立登記までに、出資の全額を払い込む必要がある。有限責任事業組合では、各当事者が組合契約書を作成し、それぞれの出資に係る払込みまたは給付の全部を履行することによって組合契約の効力が生じる。そして、いずれの場合にも、設立時に公証人の認証を受ける必要がない。

ウ ○

合同会社は会社になるので、法人格を有する。つまり、自らが特許権の出願人として主体となることができる。これに対して、有限責任事業組合では、各組合員の契約関係であって法人格はない。したがって、組合名義で特許権の出願はできない。

エ ×

合同会社の設立は１名でも可能である。これに対し、有限責任事業組合では、契約関係にあるので、複数の当事者が必要になる。

エ

講師より

民法組合に法人格を与えたものが合名会社、有限責任事業組合に法人格を与えたものが合同会社というイメージです。また、「組合」は名前のごとく１人では成立せず、２人以上の構成員が必要になります。

有限責任事業組合に関する論点は、難問がでる可能性もありますが、教科書の図表で基本論点は押さえておきましょう。

問題 43

重要度 C 契約不適合責任

R3-20設問1

以下の会話は、X株式会社の代表取締役甲氏と、中小企業診断士であるあなたとの間で行われたものである。この会話を読んで、下記の設問に答えよ。

なお、民法については「民法の一部を改正する法律」(平成29年法律第44号)により改正された民法が、商法については「民法の一部を改正する法律の施行に伴う関係法律の整備等に関する法律」(平成29年法律第45号)により改正された商法がそれぞれ適用されるものとし、附則に定める経過措置及び特約は考慮しないものとする。

甲　氏:「弊社は、卸売業者であるY社から、1,000本の腕時計を仕入れたのですが、昨日納品された腕時計の中に、秒針が動かないものがありました。弊社は、秒針が動かない腕時計について、新しい腕時計をY社に納品し直して欲しいと思っているのですが、そのようなことは可能でしょうか。」

あなた:「はい、可能です。ただし、[A]。」

甲　氏:「ありがとうございます。念のため確認しますが、大丈夫だと思います。」

(数日後)

甲　氏:「先日おっしゃっていた件、確認した上で問題ありませんでしたので、Y社に秒針が動かない腕時計について、新しい腕時計を納品し直して欲しいと申し入れたところ、Y社からは、修理させて欲しいという申し出がありました。そもそもこのようなことは可能なのでしょうか。」

あなた:「はい、可能です。ただし、[B]。」

甲　氏:「なるほど、よく分かりました。」

会話の中の空欄AとBに入る記述の組み合わせとして、最も適切なものはどれか。

ア　A：秒針が動かないことが買主である御社の責めに帰すべき事由によるものである場合は、できません
B：修理という方法が買主である御社に不相当な負担を課するものである場合は、できません

イ　A：秒針が動かないことが買主である御社の責めに帰すべき事由によるものである場合は、できません
B：秒針が動かないことが売主であるＹ社の責めに帰すべき事由によるものである場合は、できません

ウ　A：秒針が動かないことが買主である御社の故意又は重過失によるものである場合は、できません。しかし、御社の軽過失によるものである場合は、できます
B：修理という方法が買主である御社に不相当な負担を課するものである場合は、できません

エ　A：秒針が動かないことが買主である御社の故意又は重過失によるものである場合は、できません。しかし、御社の軽過失によるものである場合は、できます
B：秒針が動かないことが売主であるＹ社の責めに帰すべき事由によるものである場合は、できません

解説

民法が定める契約不適合責任について問う問題である。

売買契約において、引き渡された目的物が種類、品質または数量に関して契約の内容に適合しないものであるときは、買主は、売主に対し、履行の追完を請求することができる。また、売主は、買主が請求した方法と異なる方法による履行の追完をすることもできる。ただし、「不適合」が買主の責めに帰すべき事由によるものであるときは、買主は、履行の追完の請求をすることができない。

本問では、「品質」に不適合があり、X株式会社は代替物の引渡しの追完請求ができるが、Y社は、その追完請求に対し、X株式会社に不相当な負担を課すものでなければ、請求とは異なる方法で追完することができる。また、その不適合が買主の帰責事由によるものであるときは、追完請求は認められないことになる。

そこで、空欄Aには「秒針が動かないことが買主である御社の責めに帰すべき事由によるものである場合は、できません」が入り、空欄Bには「修理という方法が買主である御社に不相当な負担を課するものである場合は、できません」が入る。

ア

講師より

契約不適合責任のルールを教科書の板書を使って押さえましょう。

ポイントは、債務者に対する４つの権利（追完請求権、代金減額請求権、契約の解除権、損害賠償請求権）を押さえ、また「買主」「売主」それぞれの帰責事由・過失有無による権利の発生パターンを整理しましょう。

MEMO

問題 44

チェック欄▶ 1 ／ 2 ／ 3 ／

重要度 C

保証等

H23-12改題

ウェブシステムの開発・販売、保守運用等の事業を営んでいるX社は、自社で開発したインターネット受発注システム（以下「本件システム」という。）を、企業向けウェブシステムの販売、コンサルティング等の事業を営んでいるY社に販売して納品した。Y社は、X社から販売・納品を受けた本件システムを自社のエンドユーザーである顧客向けに転売・納品すると同時に、転売・納品した本件システムの保守運用業務をX社に委託した。

X社からY社に販売した本件システムの販売代金については、発注時に3分の1、X社による納品・Y社の検収時に3分の1、納品・検収から2か月後に残り3分の1の金額を支払うとの約定であったところ、Y社は、発注時、納品・検収時の分割金はそれぞれ支払ったものの、残り3分の1の金額については支払期限が経過しても支払おうとしない。他方、本件システムの保守運用業務の業務委託料については、客先での本件システムの稼働開始から3か月後に1回目の業務委託料を支払うものとのX社・Y社間の約定があり、いまだ支払期限は到来していない。

この事例において考えられるX社のY社に対する債権回収の手段・方法に関する記述として、最も不適切なものはどれか。

ア　X社がY社に本件システムを販売した際に、Y社代表者Aが個人として販売代金の支払について連帯保証する旨X社代表者に対して発言し、X社代表者が口頭でAの個人保証を承諾していた場合、X社は、A個人に対して保証債務の履行として残代金の支払を請求することができる。

イ　X社がY社に本件システムを販売した際に、Y社代表者Aが個人としても販売代金の支払について保証する旨の電子メールをX社代表者に送信し、X社代表者がAの個人保証を承諾する旨の電子メールをAに返信していた場合、X社は、Y社に対して本件システムの販売残代金の支払を求めることなく、A個人に対して保証債務の履行を請求できる。

ウ　Y社が取引先企業に対する売掛債権を有している場合、X社のY社に対する本件システムの販売残代金債権を保全する方法として、Y社が有する売掛債権に対する仮差押命令の申立てができる。

エ　Y社の資産状況が著しく悪化した状況にある場合には、いまだ支払期限の到来していない本件システムの保守運用業務の業務委託料の支払が得られない危険があることを理由として、X社が、Y社顧客の下で稼動中の本件システムに関する保守運用業務を一方的に停止することが許される場合もある。

解説

保証契約は書面でされない限り、無効となる。選択肢**ア**では、保証契約が口頭でされているため無効になり、X社はA個人に対して残代金の支払を請求する権利はない。なお、選択肢**イ**の記述のとおり、電子メールで保証契約がされた場合も、書面によってされたものとみなして保証契約が有効に成立する。

ア

■試験対策上のPOINT　連帯保証の性質

連帯保証では、単なる保証人とは異なり、催告の抗弁権、検索の抗弁権を有しません。また連帯保証人が複数いても分別の利益が認められません。

●催告の抗弁権

債権者からの保証債務の履行請求に対して、保証人は、まず主債務者に履行の請求をすべきことを主張できる権利。

●検索の抗弁権

債権者が主たる債務者に催告したあとでも、保証人は、主たる債務者に弁済の資力があり、かつ執行が容易であることを証明すれば、まず主たる債務者の財産について執行しなければなりません。

●分別（ぶんべつ）の利益

複数の保証人がいる場合、各保証人は債権者に対して平等の割合をもって分割された額のみ保証すればよいという利益のこと。

MEMO

問題 45

チェック欄▶ 1 ／ 2 ／ 3 ／

重要度Ⓒ 典型契約

H17-12

契約当事者の双方に債務が発生する契約を、「双務契約」という。民法上の典型契約について、契約の名称と各当事者が負う債務の組み合わせとして、最も不適切なものはどれか。

〔解答群〕

ア 請負契約
（請負人）労務の提供　（注文者）報酬の支払

イ 賃貸借契約
（賃貸人）目的物を使用収益させること　（賃借人）賃料の支払

ウ 売買契約
（売　主）財産権の移転　（買　主）代金の支払

エ 有償委任契約
（受任者）法律行為や事務の処理　（委任者）報酬の支払

解説

ア ×

請負契約とは、請負人がある仕事を完成することを約し、注文者がその仕事の結果に対して報酬を支払うことである。一方、雇用契約とは、当事者の一方が相手方（使用者）に対して労働に従事することを約し、相手方（使用者）がこれに対して報酬を支払うことである。つまり、雇用契約では労務の提供が必要となる。

イ ○

賃貸借契約とは、賃貸人がある物の使用および収益を賃借人にさせることを約し、賃借人がこれに対してその賃料を支払うことである。賃貸借契約では有償となる。

ウ ○

売買契約とは、売主が買主に財産を移転し、買主がこれに対して代金を支払うことである。

エ ○

委任契約とは、委任者が法律行為をすることを受任者に受託し、受託者がこれを承諾することである。有償委任契約では、委任者は報酬の支払いが必要になる。

ア

講師より

典型契約のそれぞれの特徴を押さえておきましょう。特に本問でも出題されている「消費貸借」「使用貸借」「賃貸借」、また「雇用」と「請負」の違いは理解しておきましょう。

■それぞれの違いのPOINT

- ●消費貸借と使用貸借：消費貸借では、借りた物と同種・同質・同量（数）の物を返す。使用貸借では、借りたその物を返す必要がある。
- ●使用貸借と賃貸借：使用貸借では無償、賃貸借では有償。
- ●雇用と請負：請負では、請負人がある仕事を完成させる必要がある。

問題 46

チェック欄▶ 1 ／ 2 ／ 3 ／

重要度Ⓒ 遺留分

H20-5

以下は、中小企業診断士であるあなたと、顧客であるD株式会社の乙社長との会話である。この会話を読んで、下記の設問に答えよ。

なお、乙社長には、長男、次男、長女の３人の子ども（いずれも嫡出子）がおり、長男がD株式会社の専務取締役となっている。乙社長の妻は２年前他界しており、次男及び長女は、ともに他県で会社員として生計を立てている。

乙社長：「私ももう68歳になったので、そろそろ長男に会社を任せようと思っているんですよ。ただ、当社の建物が建っている土地は、私の個人名義の土地ですから、私が死んだ後に、子どもたちで相続争いが起こっても困ると思いましてね。それで、公正証書で遺言書を作ってもらえばいいという話を本で読んだものですから、先月、公証人役場に行って、長男にすべての遺産を相続させるという遺言書を作成してもらってきたんですわ。これでもう安心ですよ。」

あなた：「社長、遺言書があるから、安心とは限りませんよ。民法には、［ A ］という制度がありますから、今回の場合、ご次男とご長女は、それぞれが遺産の［ B ］分の１ずつ、その権利を主張することができます。そうすると、遺産の内容によっては、ご長男が、その分を金銭で準備せざるを得なくなる事態もありえますので、注意された方がよろしいと思いますよ。」

設問１

会話の中の空欄Aに入る最も適切なものはどれか。

ア　遺留分　　**イ**　過剰遺言の取消　　**ウ**　寄与分　　**エ**　特別受益

設問２

会話の中の空欄Bに入る最も適切なものはどれか。

ア　3　　**イ**　4　　**ウ**　5　　**エ**　6

解説

設問1

遺言によって、被相続人は相続財産を自由に処分することができる。相続人には最低限の相続財産が保障されており、これを**遺留分**という。なお、遺留分の対象は、配偶者、直系卑属（子、孫など）、直系尊属（親、祖父母など）であり、兄弟姉妹には認められていない。

ア

設問2

本肢では、被相続人の財産の２分の１が、遺留分権利者全体の遺留分となる。また、これを法定相続分で按分する必要がある。子が３人いるので、それぞれ**6**分の１ずつその権利を主張することができる。

エ

講師より

遺産相続（第１順位）と遺留分について、教科書の板書を参照して計算できるようになりましょう。

問題 47

チェック欄▶ 1 ／ 2 ／ 3 ／

重要度 C 金融商品取引法

H23-19設問2

次の文中の空欄に入る記述として最も適切なものを下記の解答群から選べ。

社債の発行は、金融商品取引法の規制の対象となる。これに対して、少人数の縁故者を対象として社債を発行する少人数私募債は、同法に定める有価証券の募集の要件に該当しないため、簡易に社債を発行することができる。

募集の具体的な要件は、新たに発行される社債の[　　　]未満であり、かつ、多数の者に譲渡される恐れが少ないことである。なお、この人数には過去6か月以内に同一種類の社債を発行している場合にはそれも合計しなければならない。

〔解答群〕

ア 最終の取得者の人数が50名

イ 取得勧誘の相手方の人数が５名

ウ 取得勧誘の相手方の人数が50名

エ 取得勧誘の相手方の人数が500名

解説

少人数私募債の募集要件は、勧誘の相手方が50人未満で、かつ当該有価証券が取得者から取得者以外の多数の者に譲渡（転売）されるおそれが少ないものとされている。よって、空欄Aには「取得勧誘の相手方の人数が50名」が入る。

ウ

金融商品取引法の基本論点は定期的に出題されるので、対策しておきましょう。有価証券届出書の提出要否、継続開示書類の提出期限と縦覧期間は、教科書の板書やまとめ表で押さえておきましょう。

問題 48　チェック欄▶ 1 ／ 2 ／ 3 ／

重要度 C　再生・更生計画案の可決要件　H23-4

X株式会社の法的倒産手続（再建型）に関し、債権者①～⑪までの債権額及び計画案に対する賛否は以下のとおりである。

このとき、X株式会社の法的手続が、民事再生手続であった場合の再生計画案と会社更生手続であった場合の更生計画案それぞれの可決の成否について、最も適切なものを下記の解答群から選べ。なお、①～⑪の債権はすべて一般債権でかつ債権額が議決権額とし、それ以外の可決要件はすべて充足しているものとする。

債権者番号	債権額	賛　否
①	20万円	反　対
②	30万円	反　対
③	50万円	賛　成
④	100万円	反　対
⑤	300万円	反　対
⑥	1,500万円	賛　成
⑦	3,500万円	反　対
⑧	4,500万円	賛　成
⑨	3億円	反　対
⑩	4億円	反　対
⑪	10億円	賛　成
合　計	18億円	

（賛否の内訳）
賛成：人数4名、債権額10億6,050万円
反対：人数7名、債権額7億3,950万円

〔解答群〕

ア　再生計画案の場合も更生計画案の場合も、ともに可決される。

イ　再生計画案の場合も更生計画案の場合も、ともに否決される。

ウ　再生計画案の場合は可決されるが、更生計画案の場合は否決される。

エ　再生計画案の場合は否決されるが、更生計画案の場合は可決される。

解説

本問の再生計画案は、賛成した者の頭数が、債権者数11名のうち「４名」と過半数を満たさないので、債権額にかかわらず否決される。また、更生計画案は、頭数要件は問われず、議決権総額18億円の２分の１を超える「10億6,050万円」の賛成があるため可決される。

エ

講師より

教科書の板書や図表で民事再生法と会社更生法の可決要件を押さえ、実際に計算できるようになりましょう。また、倒産法制の概略を、それぞれ横断的に押さえておきましょう。

■民事再生法と会社更生法の可決要件

⑴民事再生法による再生計画案の可決要件
　①議決権者の過半数の同意、かつ②議決権（債権）総額の２分の１以上を有する者の同意

⑵会社更生法による更生計画案について、更生債権者（一般債権者）の組の可決要件
　議決権を行使することができる更生債権者（一般債権者）の議決権総額の２分の１を超える議決権を有する者の同意

問題 49

チェック欄▶ 1 ／ 2 ／ 3 ／

重要度 C　ＣＩＦ・ＦＯＢ等

H18-13改題

国際取引に関する英文契約書の各条項について、最も適切なものはどれか。

ア　ＣＩＦ（Cost, Insurance and Freight）では、船積みに必要な船舶の手配、海上保険契約の締結は買主の義務であり、売主は海上運賃や保険料を負担しない。

イ　「準拠法（Governing Law）」を定めた条項において、「準拠法」を日本法と指定する場合は、本契約に関して生じた紛争を解決するための裁判所を日本国内の裁判所としなければ、この条項は無効となる。

ウ　「仲裁（Arbitration）」を定めた条項において、民間の機関によって仲裁人の選定が行われると定めた場合は、日本において「仲裁」は裁判所により指名された仲裁人により行わなければならないので、この条項は無効となる。

エ　「不可抗力（Force Majeure）」を定めた条項において、免責される「不可抗力」の具体的事由に天災地変のほか戦争、内乱、ストライキや労働争議という事由も定めた場合は、債務者が戦争、内乱、ストライキや労働争議を理由に債務を履行できないとしても履行義務を免れることとなる。

解説

ア ×

本肢は、ＦＯＢ（Free On Board）の説明になる。ＣＩＦとは、売主が仕向港までの海上運賃と海上保険料を負担する売買契約のことである。

イ ×

準拠法（Governing Law）とは、外国企業と取引をし、紛争が発生した場合に適用される法律のことである。裁判管轄のある法定地国の法律が必ずしも適用されるとは限らない。準拠法を日本法とした場合でも、裁判管轄を外国とすることができ、この場合は当該外国の裁判所は、日本法を具体的ケースに適用して判決を下すことになる。

ウ ×

「仲裁（Arbitration）」を定めた条項によって、民間機関選任の仲裁人を定めることは有効である。日本国において「仲裁」は、裁判所により指名された仲裁人によって行われる必要はなく、仲裁人は原則として当事者の合意によって選定される。

エ ○

「不可抗力（Force Majeure）」には、洪水等の自然災害、天災地変のほか、戦争、内乱、暴動、国有化、ストライキ、電力不足、疫病などの人的災害も含まれる。そこで、当事者は免責される「不可抗力」の具体的事由にこれらの事由を定めた場合には、これらを理由に債務を履行できないとしても履行義務を免責される。

エ

国際取引の領域は広いので、深追いしないように注意しましょう。試験対策では、準拠法、ＦＯＢ、ＣＩＦ等の基本用語を押さえ整理をしておきましょう。

第４分冊

中小企業経営・中小企業政策

CONTENTS

MEMO

問題 1

チェック欄▶ 1 ／ 2 ／ 3 ／

重要度Ⓐ 中小企業と小規模企業の定義

H27-13

中小企業基本法の定義に基づく中小企業者に関する記述として、最も不適切なものはどれか。

ア 従業員数60人で資本金が６千万円の食料品小売業は中小企業に該当し、従業員数３人で資本金100万円の食料品小売業は小規模企業に該当する。

イ 従業員数80人で資本金が２億円の化粧品卸売業は中小企業に該当し、従業員数５人で資本金が500万円の化粧品卸売業は小規模企業に該当する。

ウ 従業員数80人で資本金が３千万円の飲食業は中小企業に該当し、従業員数５人で資本金500万円の飲食業は小規模企業に該当する。

エ 従業員数500人で資本金が２億円の機械器具製造業は中小企業に該当し、従業員数20人で資本金が３千万円の機械器具製造業は小規模企業に該当する。

解説

ア ×

「食料品小売業」は、中小企業者の定義では「小売業、飲食店」、小規模企業者の定義では「商業・サービス業」で判定する。中小企業の定義では、資本金基準、従業員基準ともに満たしていないので、中小企業者に該当しない。小規模企業者の定義では、従業員基準５人以下の基準を満たしており、小規模企業者に該当する。

イ ○

「化粧品卸売業」は、中小企業者の定義では「卸売業」、小規模企業者の定義では「商業・サービス業」で判定する。中小企業の定義では、従業員基準を満たしているため、中小企業者に該当する。小規模企業者の定義では、従業員基準５人以下の基準を満たしており、小規模企業者に該当する。

ウ ○

「飲食業」は、中小企業者の定義では「小売業、飲食店」、小規模企業者の定義では「商業・サービス業」で判定する。中小企業の定義では、資本金基準を満たしており、中小企業者に該当する。小規模企業者の定義では、従業員基準５人以下の基準を満たしており、小規模企業者に該当する。

エ ○

「機械器具製造業」は、中小企業者の定義、小規模企業者の定義ともに「製造業その他」で判定する。中小企業の定義では、資本金基準を満たしており、中小企業者に該当する。小規模企業者の定義では、従業員基準20人以下の基準を満たしており、小規模企業者に該当する。

正解 ア

講師より

中小企業者の判定においては、資本金基準、従業員基準の**いずれか**が満たされれば中小企業者に該当することに注意しましょう。また、小規模企業者の判定においては、資本金は一切考慮しなくてよいことに注意しましょう。本問のように、近年は、中小企業基本法の中小企業者と小規模企業者の両方の知識を必要とする複合問題が増えています。とはいえ、本問の正答率はAランク（正答率80%以上。TACデータリサーチ）であり、多くの受験生が正答しているため、必ず正解してほしい問題です。

問題 2

チェック欄▶ 1 ／ 2 ／ 3 ／

重要度Ⓐ 小規模企業の定義

R2-14設問1改題

中小企業基本法の定義に基づく、「小規模企業者」の範囲に関する記述の正誤の組み合わせとして、最も適切なものを下記の解答群から選べ。

a　常時使用する従業員数が20人のパン製造業（資本金１千万円）は、小規模企業者に該当する。
b　常時使用する従業員数が10人の広告代理業（資本金５百万円）は、小規模企業者に該当する。
c　常時使用する従業員数が８人の野菜卸売業（資本金１百万円）は、小規模企業者に該当する。

〔解答群〕

ア　a：正　b：正　c：誤
イ　a：正　b：誤　c：誤
ウ　a：誤　b：正　c：正
エ　a：誤　b：誤　c：正

解説

a ○

「パン製造業」は、小規模企業者の定義では「製造業その他」で判定する。小規模企業者の定義の「20人以下」という基準を満たしており、小規模企業に該当する。

b ×

「広告代理業」は、小規模企業者の定義では「商業・サービス業」で判定する。小規模企業者の定義の「５人以下」という基準を満たしておらず、小規模企業に該当しない。

c ×

「野菜卸売業」は、小規模企業者の定義では「商業・サービス業」で判定する。小規模企業者の定義の「５人以下」という基準を満たしておらず、小規模企業に該当しない。

よって、ａ：正ｂ：誤ｃ：誤となり、**イ**が正解である。

イ

講師より

本問の正答率はBランク（正答率60%以上80%未満）でした。基本的な内容が問われていますが、本問のようなすべての文章の正誤を判断させる問題は正答率が下がります。一つひとつ丁寧に解きましょう。

問題 3

チェック欄▶ 1 ／ 2 ／ 3 ／

重要度 A　企業規模別従業者数

R6-1改題

次の文章の空欄A～Dに入る語句の組み合わせとして、最も適切なものを下記の解答群から選べ。

総務省・経済産業省「令和3年経済センサス－活動調査」に基づき、従業者総数（民営、非一次産業、2021年）を見ると、従業者総数全体に占める中小企業の従業者総数の割合は、約［ A ］割となっている。

また、総務省・経済産業省「令和3年経済センサス－活動調査」に基づき、従業者総数を大企業、中規模企業、小規模企業について見た場合、［ B ］は［ C ］を上回り、［ D ］を下回る。

なお、従業者総数とは、会社及び個人事業者の従業者総数である。また、ここで中規模企業とは、中小企業のうち小規模企業以外を示すものとする。

〔解答群〕

ア　A：7　B：大企業　C：小規模企業　D：中規模企業

イ　A：7　B：大企業　C：中規模企業　D：小規模企業

ウ　A：7　B：中規模企業　C：小規模企業　D：大企業

エ　A：8　B：小規模企業　C：大企業　D：中規模企業

オ　A：8　B：中規模企業　C：大企業　D：小規模企業

解説

総務省・経済産業省「令和３年経済センサス－活動調査」によると、従業者総数全体に占める中小企業の従業者総数は約3300万人で69.7％（約７割）となっている（空欄Ａ）。

小規模企業の従業者総数は約970万人で20.5％（約２割）、大企業の従業者総数は約1400万人で30.3％（約３割）となっている。

上記によると中規模企業の従業者数は約3300万人－約970万人＝約2330万人となる。

よって、中規模企業＞大企業＞小規模企業という順番になるため、Ｂは大企業、Ｃは小規模企業、Ｄは中規模企業が該当することがわかる。

ア

講師より

企業規模ごとの従業者数に関する知識を問う問題です。従業者総数のうち、中小企業が約７割、小規模企業が約２割を占めることを覚えていれば、大企業や中規模企業の知識がなくても、計算によって規模が推定できます。基礎知識を使って解く問題の典型例です。

問題 4

チェック欄▶ 1 ／ 2 ／ 3 ／

中小企業の企業数と小規模企業割合

重要度 A

R5-2改題

総務省・経済産業省「令和３年経済センサス－活動調査」に基づき、産業別企業規模別企業数（民営、非一次産業、2021年）を見た場合の記述として、最も適切なものはどれか。

なお、企業数は会社数と個人事業者数の合計とする。企業規模区分は中小企業基本法に準ずるものとする。小規模企業数割合は産業別の全企業数に占める割合とする。

ア 建設業の小規模企業数割合は、小売業を上回り、製造業を下回っている。

イ 建設業の中小企業数は、製造業を上回り、小売業を下回っている。

ウ 小売業の小規模企業数割合は、製造業を上回り、建設業を下回っている。

エ 製造業の中小企業数は、小売業を上回り、建設業を下回っている。

解説

付属統計資料「産業別規模別事業所・企業数（民営、非一次産業、2021年）」から、企業数（会社数＋個人事業主）を多い順に並べると以下のようになる。

中小企業の業種別企業数

1位	小売業	527,138
2位	建設業	424,976
3位	宿泊業、飲食サービス業	424,543
4位	製造業	335,552

小規模企業の業種別企業数（（　）内は構成比）

1位	小売業	427,267 (80.7)
2位	建設業	403,449 (94.9)
3位	宿泊業、飲食サービス業	365,011 (85.9)
4位	生活サービス業、娯楽業	307,420 (92.9)
5位	製造業	283,297 (83.9)

小規模企業数割合（構成比）は建設業が94.9％であり、小売業（80.7％）や製造業（83.9％）を上回っているため、**ア**と**ウ**は不適切である。

中小企業の企業数は上位から「小売業」→「建設業」→「宿泊業、飲食サービス業」→「製造業」という順番になる。よって、建設業の数は製造業を上回り小売業を下回っているという記述は正しい。

イ

講師より

中小企業の企業数と小規模企業の構成比の知識を複合的に問う問題です。一見、難しく感じるかもしれませんが、中小企業の企業数は小売業が最も多いことさえ覚えていれば、正解を選べる問題です。

問題 5

チェック欄▶ 1 ／ 2 ／ 3 ／

重要度 A

小規模企業の企業数と従業者数の割合

H27-1改題

次の文章を読んで、下記の設問に答えよ。

中小企業は、わが国経済の基盤的存在である。総務省・経済産業省「令和3年経済センサス－活動調査（民営、非一次産業、2021年）」に基づくと、中小企業のうち小規模企業は、わが国の企業数の約［ A ］%、会社および個人事業所の従業者総数の約［ B ］%を占めており、非常に重要な存在である。

文中の空欄AとBに入る数値の組み合わせとして、最も適切なものはどれか。

ア　A：70　B：21
イ　A：70　B：30
ウ　A：85　B：21
エ　A：90　B：21
オ　A：90　B：30

解説

総務省・経済産業省「令和３年経済センサス－活動調査（民営、非一次産業、2021年）」からの出題である。毎年出題される調査データのため、基本的な数字は押さえておきたい。中小企業のうち小規模企業は、わが国の企業数の84.5％、従業者総数の20.5％を占めている。

よって空欄Aは「**85**」、空欄Bは「**21**」が入る。

ウ

「％」「割合」「○分の○」と、数値の表現はさまざまです。あらゆるパターンに対応できる柔軟性が試験では重要です。

問題 6

チェック欄▶ 1 ／ 2 ／ 3 ／

重要度Ⓐ 中小企業の従業者数と付加価値額 R4-1改題

総務省・経済産業省「令和3年経済センサス－活動調査」に基づき、企業規模別の従業者数（会社及び個人の従業者総数、2021年）と付加価値額（会社及び個人の付加価値額、2020年）を見た場合、中小企業に関する記述として、最も適切なものはどれか。

なお、企業規模区分は中小企業基本法に準ずるものとする。

ア 従業者数は約2,000万人で全体の約5割、付加価値額は約100兆円で全体の約7割を占める。

イ 従業者数は約2,000万人で全体の約7割、付加価値額は約140兆円で全体の約5割を占める。

ウ 従業者数は約3,300万人で全体の約5割、付加価値額は約100兆円で全体の約7割を占める。

エ 従業者数は約3,300万人で全体の約7割、付加価値額は約100兆円で全体の約5割を占める。

オ 従業者数は約3,300万人で全体の約7割、付加価値額は約140兆円で全体の約5割を占める。

解説

中小企業の従業者数と付加価値額の知識を問う問題である。

総務省・経済産業省「令和３年経済センサス－活動調査」によると、2021年度の中小企業の従業者数（会社及び個人の従業者総数）は33,098,442人、構成比は69.7％である。また、2020年度の付加価値額（会社及び個人の付加価値額）は1,401,185億円、構成比は56.0％である。

オ

講師より

中小企業の従業者数・付加価値額の構成比のみならず、数値も問われた問題です。細かく覚える必要はないので、中小企業の企業数、従業者数、付加価値額、売上高がだいたいどれくらいなのかをざっくりと押さえておきましょう。

問題 7

チェック欄▶ 1 ／ 2 ／ 3 ／

重要度 B　小規模企業の売上高

R5-1改題

総務省・経済産業省「令和３年経済センサス－活動調査」に基づき、建設業、小売業、製造業について、小規模企業の売上高（会社及び個人の売上高、2020年時点）を比較した場合の記述として、最も適切なものはどれか。なお、企業規模区分は中小企業基本法に準ずるものとする。

ア　建設業の売上高は、小売業よりも多く、製造業よりも少ない。

イ　建設業の売上高は、製造業よりも多く、小売業よりも少ない。

ウ　小売業の売上高は、建設業よりも多く、製造業よりも少ない。

エ　小売業の売上高は、製造業よりも多く、建設業よりも少ない。

オ　製造業の売上高は、小売業よりも多く、建設業よりも少ない。

解説

中小企業白書の付属統計資料にある、産業別規模別売上高からの出題である。2020年の建設業、小売業、製造業の小規模企業の売上高を抜き出すと下表になる。

産業別小規模企業の売上高

1位	建設業	403,665億円
2位	製造業	246,812億円
3位	小売業	134,494億円

※総務省・経済産業省「令和3年経済センサス－活動調査」

小規模企業の売上高は多い順に建設業―製造業―小売業となる。選択肢のうち適切な文章は「製造業の売上高は、小売業よりも多く、建設業よりも少ない。」のみである。

オ

小規模企業の業種別「売上高」を見たとき、最も高いのは建設業です。1位の業種をしっかり覚えておきましょう。ちなみに、小規模企業の業種別「付加価値額」を見ても、最も高いのは建設業です。

問題 8

チェック欄▶ 1 ／ 2 ／ 3 ／

重要度 B 開廃業率

R2-6設問1改題

次の文章を読んで、下記の設問に答えよ。

厚生労働省「雇用保険事業年報」に基づき、1982年度から2021年度の期間について、わが国の開業率と廃業率の推移を見る。開業率は2000年代を通じて緩やかな上昇傾向で推移し、2018年度に低下傾向に転じ、足元では［ A ］である。廃業率は1996年度以降増加傾向が続いたが、2010年度以降は［ B ］傾向で推移している。

文中の空欄AとBに入る語句の組み合わせとして、最も適切なものはどれか。

ア　A：3.9%　　B：上昇
イ　A：3.9%　　B：低下
ウ　A：6.5%　　B：低下
エ　A：6.5%　　B：上昇

解説

開業率は、2000年代を通じて緩やかな上昇傾向で推移してきたが、2018年度に低下傾向に転じ、足元では「**3.9%**」（空欄Aに該当）である。廃業率は、1996年度以降増加傾向で推移していたが、2010年度からは「**低下**」（空欄Bに該当）傾向で推移し、直近は3.3%台である。

イ

開廃業率のデータは、本問の「雇用保険事業年報」と「経済センサス」と２つ存在します。それぞれ数字や上位業種が異なるので、分けて覚えておく必要があります。

問題 9

チェック欄▶ 1 ／ 2 ／ 3 ／

重要度 B 付加価値額

H30-4改題

総務省・経済産業省「令和3年経済センサス－活動調査」に基づき、産業別規模別付加価値額（企業ベース、民営、非一次産業）を見た場合、建設業、小売業、宿泊業・飲食サービス業、医療・福祉、製造業のうち、各産業の付加価値額の総額に占める中小企業の構成比が最も高いものはどれか。

なお、企業規模区分は中小企業基本法に準ずるものとする。

ア 建設業
イ 小売業
ウ 宿泊業・飲食サービス業
エ 医療・福祉
オ 製造業

解説

各産業の付加価値額の総額に占める中小企業の構成比は医療・福祉が最も高く、87.4％である。２番目に高いのは生活関連サービス業・娯楽業で、82.5％である。

 エ

問題文の読み間違いに注意しましょう。問われているのは「構成比」です。付加価値額が最も高い業種が問われているわけではありません。

問題 10

チェック欄▶ 1 ／ 2 ／ 3 ／

重要度Ⓐ 中小企業の経営指標

R3-18改題

中小企業庁「令和５年中小企業実態基本調査（令和４年度決算実績）」に基づき、小売業、宿泊業・飲食サービス業、製造業について、売上高経常利益率と自己資本比率をおのおの比較した場合の記述として、最も適切なものはどれか。

ア 売上高経常利益率と自己資本比率とも、小売業が最も低い。

イ 売上高経常利益率は小売業が最も高く、自己資本比率は宿泊業・飲食サービス業が最も低い。

ウ 売上高経常利益率は宿泊業・飲食サービス業が最も高く、自己資本比率は小売業が最も高い。

エ 売上高経常利益率は製造業が最も高く、自己資本比率は小売業が最も低い。

オ 売上高経常利益率は製造業が最も高く、自己資本比率は宿泊業・飲食サービス業が最も低い。

解説

令和４年度の製造業、小売業、宿泊業・飲食サービス業の売上高経常利益率と自己資本比率を抜き出すと下表になる。

	売上高経常利益率	自己資本比率
製造業	**5.09%**	46.39%
小売業	2.55%	35.06%
宿泊業・飲食サービス業	1.26%	**16.16%**

売上高経常利益率と自己資本比率は製造業が最も高く、宿泊業・飲食サービス業が最も低いことがわかる。

オ

本試験で出題される経営指標については、売上高経常利益率、自己資本比率、付加価値比率が頻出です。また、業種では製造業、小売業、宿泊業・飲食サービス業がよく出題されています。

問題 11

チェック欄▶ 1 ／ 2 ／ 3 ／

重要度 B 海外展開

R4-8改題

次の文章を読んで、下記の設問に答えよ。

経済産業省「企業活動基本調査」に基づき、1997年度から2021年度の期間について、中小企業の海外展開の推移を見た場合、直接投資を行う企業割合（直接投資企業割合）は［ A ］傾向、直接輸出を行う企業割合（直接輸出企業割合）は［ B ］傾向にあり、直接投資企業割合は直接輸出企業割合を一貫して［ C ］。

また、大企業と中小企業の直接輸出企業割合の推移を同じ期間で比較すると、大企業の直接輸出企業割合は中小企業を一貫して［ D ］おり、大企業と中小企業の直接輸出企業割合の格差は［ E ］。

なお、経済産業省「企業活動基本調査」の調査対象企業の規模は、従業者50人以上かつ資本金額または出資金額3,000万円以上である。直接輸出とは直接外国企業との取引を指す。

設問 1

文中の空欄Ａ～Ｃに入る語句の組み合わせとして、最も適切なものはどれか。

ア Ａ：増加　Ｂ：増加　Ｃ：上回っている
イ Ａ：増加　Ｂ：増加　Ｃ：下回っている
ウ Ａ：増加　Ｂ：横ばい　Ｃ：上回っている
エ Ａ：横ばい　Ｂ：増加　Ｃ：上回っている
オ Ａ：横ばい　Ｂ：増加　Ｃ：下回っている

設問2

文中の空欄DとEに入る語句の組み合わせとして、最も適切なものはどれか。

ア D：上回って　E：大きな変化がない
イ D：上回って　E：拡大傾向にある
ウ D：上回って　E：縮小傾向にある
エ D：下回って　E：拡大傾向にある
オ D：下回って　E：縮小傾向にある

解説

設問1

直接投資を行う企業割合は、1997年の8.6%から2021年の14.2%まで「**増加**」（空欄Aに該当）傾向にある。直接輸出を行う企業割合も、1997年の16.4%から2021年の21.0%まで「**増加**」（空欄Bに該当）傾向にある。直接投資企業割合は直接輸出企業割合を一貫して「**下回っている**」（空欄Cに該当）。

イ

設問2

大企業の直接輸出企業割合は、1997年度から2021年度にかけて24～30%の間で推移している。一方、中小企業の直接輸出企業割合は、1997年度から2021年度にかけて16～21%の間で推移している。大企業が中小企業を一貫して「**上回って**」（空欄Dに該当）いる。大企業と中小企業の差は、1997年度では21.4ポイントであったが、2021年度では6.9ポイントとなり「**縮小傾向にある**」（空欄Eに該当）。

ウ

中小企業の海外展開は定期的に出題されるテーマです。中小企業においては、直接輸出企業割合・直接投資企業割合ともに増加傾向と覚えておきましょう。

MEMO

問題 12

チェック欄▶ 1 ／ 2 ／ 3 ／

重要度 B　労働生産性・労働分配率

オリジナル問題

総務省・経済産業省「令和３年経済センサス－活動調査」にて、企業規模別に上位10%、中央値、下位10%の労働生産性の水準を見ると、中小企業の上位10%の水準は、大企業の中央値を［ A ］いる。大企業の下位10%の水準は、中小企業の中央値を［ B ］いる。そして、財務省「法人企業統計調査年報」によると、2007年度から2022年度の期間について、企業規模別に労働分配率の推移を見ると、一貫して［ C ］。

文中の空欄A～Cに入る語句の組み合わせとして、最も適切なものはどれか。

ア　A：上回って　　B：下回って
　C：小規模企業が中規模企業を上回っている

イ　A：下回って　　B：下回って
　C：小規模企業が中規模企業を上回っている

ウ　A：下回って　　B：上回って
　C：小規模企業が中規模企業を下回っている

エ　A：上回って　　B：下回って
　C：中規模企業が大企業を下回っている

解説

企業規模別に2020年度の労働生産性を見ると、中小企業の上位10％の水準は841万円であり、大企業の中央値605万円を「**上回って**」（空欄Aに該当）いる。また、大企業の下位10％の水準は110万円であり、中小企業の中央値315万円を「**下回って**」（空欄Bに該当）いる。また、労働分配率は2007年度から2022年度にかけて、一貫して「**小規模企業が中規模企業を上回っている**」（空欄Cに該当）。中規模企業の労働分配率は一貫して大企業を上回っている。

ア

労働生産性や労働分配率は本試験でよく問われるテーマです。大企業、中規模企業・小規模企業との比較がよく問われますので、グラフで確認しましょう。

問題 13

チェック欄▶ 1 ／ 2 ／ 3 ／

重要度Ⓐ 中小企業基本法① 基本理念

H26-14

次の中小企業基本法の基本理念に関する文章を読んで、下記の設問に答えよ。

中小企業基本法では、中小企業を「多様な事業の分野において［　A　］を行い、多様な就業の機会を提供し、個人がその能力を発揮しつつ事業を行う機会を提供することにより我が国の経済の基盤を形成しているもの」と位置付けている。

特に、多数の中小企業者が創意工夫を生かして経営の向上を図るための事業活動を行うことを通じて、①新たな産業の創出、②就業の機会の増大、③［　B　］、④［　C　］など、我が国経済の活力の維持と強化に果たすべき重要な役割を担うことを期待している。

設問 1

文中の空欄Aに入る語句として、最も適切なものはどれか。

ア 経営資源の確保

イ 経営の革新

ウ 経済的社会的環境への対応

エ 特色ある事業活動

設問2

文中の空欄ＢとＣに入る語句の組み合わせとして、最も適切なものを下記の解答群から選べ。

a 企業の社会貢献の推進
b 市場における競争の促進
c 地域における経済の活性化
d 豊かな国民生活の実現

〔解答群〕

ア aとb　**イ** aとd　**ウ** bとc　**エ** bとd　**オ** cとd

解説

設問1

条文より、空欄Aには「**特色ある事業活動**」が入る。国は中小企業の位置づけとして「大企業と比べて個性が豊かで多様である」と捉えていることを押さえておこう。選択肢**ア**、**イ**、**ウ**は、中小企業基本法の基本方針にある語句である（選択肢**イ**と**ウ**の語句は、中小企業基本法第３条１項（基本理念）の後半にもある）。

 **エ**

設問2

中小企業基本法が期待する中小企業の役割についての出題である。条文を参考にすると、空欄Bには「**市場における競争の促進**」、空欄Cには「**地域における経済の活性化**」が入り、**b**と**c**が該当する。

直前部分にある「新たな産業の創出」「就業の機会の増大」と合わせて、「国が中小企業に期待する役割４つ」として覚えておこう。

 **ウ**

講師より

中小企業基本法の基本理念についての出題です。中小企業基本法の基本理念の条文は、下記のとおりです。一言一句を暗記する必要はありませんが、**どのようなメッセージをどのような文言で伝えているか**は、大まかに把握しておきましょう。

〈中小企業基本法第３条１項（基本理念）〉

中小企業については、多様な事業の分野において**特色ある事業活動**を行い、多様な就業の機会を提供し、個人がその能力を発揮しつつ事業を行う機会を提供することにより我が国の経済の基盤を形成しているものであり、特に、多数の中小企業者が創意工夫を生かして経営の向上を図るための事業活動を行うことを通じて、新たな産業を創出し、就業の機会を増大させ、**市場における競争を促進**し、**地域における経済の活性化**を促進する等我が国経済の活力の維持及び強化に果たすべき重要な使命を有するものであることにかんがみ、独立した中小企業者の自主的な努力が助長されることを旨とし、その経営の革新及び創業が促進され、その経営基盤が強化され、並びに経済的社会的環境の変化への適応が円滑化されることにより、その多様で活力ある成長発展が図られなければならない。

MEMO

問題 14

チェック欄▶ 1 ／ 2 ／ 3 ／

重要度Ⓐ 中小企業基本法② 基本理念

H30-14改題

次の文章を読んで、下記の設問に答えよ。

中小企業基本法は、中小企業施策について、基本理念・基本方針等を定めている。同法の基本理念では、中小企業を「多様な事業の分野において特色ある事業活動を行い、多様な就業の機会を提供し、個人がその能力を発揮しつつ事業を行う機会を提供することにより［ A ］」と位置付けている。

また、小規模企業は、「［ B ］事業活動を行い、就業の機会を提供する」など、地域経済の安定・地域住民の生活の向上及び交流の促進に寄与するとともに、「［ C ］事業活動を行い、新たな産業を創出する」など、将来における我が国経済社会の発展に寄与する、という2つの重要な意義を有するとしている。

設問1

文中の空欄Aに入る語句として、最も適切なものはどれか。

ア 国民経済の健全な発展に寄与している
イ 国民生活の向上に寄与している
ウ 我が国の経済の基盤を形成している
エ 我が国の経済の多様な需要に対応している

設問2

文中の空欄BとCに入る語句の組み合わせとして、最も適切なものはどれか。

ア B：創意工夫を生かした　C：環境の変化に応じた
イ B：創意工夫を生かした　C：創造的な
ウ B：地域の特色を生かした　C：環境の変化に応じた
エ B：地域の特色を生かした　C：創造的な

解説

中小企業基本法の基本理念の穴埋め問題である。

設問1 は中小企業基本法第3条1項からの出題で、空欄Aには「**我が国の経済の基盤を形成している**」という文言が入る（30ページの条文参照）。

 ウ

設問2 は、2013年に中小企業基本法第3条2項として新たに追加された条文からの出題である（この改正を総称して小規模企業活性化法という）。空欄Bには「**地域の特色を生かした**」、空欄Cには「**創造的な**」という文言が入る。

〈中小企業基本法第3条2項〉

中小企業の多様で活力ある成長発展に当たっては、小規模企業が、**地域の特色を生かした**事業活動を行い、就業の機会を提供するなどして地域における経済の安定並びに地域住民の生活の向上及び交流の促進に寄与するとともに、**創造的な**事業活動を行い、新たな産業を創出するなどして将来における我が国の経済及び社会の発展に寄与するという重要な意義を有するものであることに鑑み、独立した小規模企業者の自主的な努力が助長されることを旨としてこれらの事業活動に資する事業環境が整備されることにより、小規模企業の活力が最大限に発揮されなければならない。

 エ

講師より

中小企業基本法の基本理念は定期的に出題されるテーマです。第3条1項、2項ともに、覚えておきましょう。丸暗記をする必要はありませんが、どこが空欄になっても正しい文言が選べるようになる程度の暗記は必要です。

問題 15

チェック欄▶ 1 ／ 2 ／ 3 ／

重要度Ⓐ 中小企業基本法③ 基本方針

R元-13設問2

中小企業基本法は中小企業施策について、基本理念・基本方針等を定めるとともに、国及び地方公共団体の責務等を規定することにより、中小企業施策を総合的に推進し、国民経済の健全な発展及び国民生活の向上を図ることを目的としている。

中小企業基本法の第５条に記されている基本方針に関して、最も不適切なものはどれか。

ア 経営の革新及び創業の促進を図ること

イ 経済的社会的環境の変化への適応の円滑化を図ること

ウ 地域における多様な需要に応じた事業活動の活性化を図ること

エ 中小企業の経営基盤の強化を図ること

解説

中小企業基本法の基本方針についての出題である。法律の条文は下記のとおりである。

> 〈中小企業基本法第５条（基本方針）〉
> 政府は、次に掲げる基本方針に基づき、中小企業に関する施策を講ずるものとする。
> 一　中小企業者の**経営の革新及び創業の促進**並びに創造的な事業活動の促進を図ること。
> 二　中小企業の経営資源の確保の円滑化を図ること、中小企業に関する取引の適正化を図ること等により、**中小企業の経営基盤の強化**を図ること。
> 三　**経済的社会的環境の変化**に即応し、中小企業の経営の安定を図ること、事業の転換の円滑化を図ること等により、その変化への**適応の円滑化**を図ること。
> 四　中小企業に対する資金の供給の円滑化及び中小企業の自己資本の充実を図ること。

ア　○

中小企業基本法第５条１号に該当する。

イ　○

中小企業基本法第５条３号に該当する。

ウ　×

中小企業基本法の基本方針に該当しない。

エ　○

中小企業基本法第５条２号に該当する。

　ウ

講師より

中小企業基本法の基本方針は基本理念と同様、頻出論点です。上記４つの方針の内容を必ず覚えておきましょう。

問題 16

チェック欄▶ 1 ／ 2 ／ 3 ／

重要度 B 小規模基本法

H27-14改題

次の文章を読んで、下記の設問に答えよ。

小規模事業者は、地域の経済や雇用を支える極めて重要な存在であり、経済の好循環を全国津々浦々まで届けていくためには、その活力を最大限に発揮させることが必要不可欠である。

そこで小規模企業に焦点を当て、小規模企業への支援をさらに一歩進める観点から、平成26年の通常国会において「小規模企業振興基本法（小規模基本法）」および「［ A ］による小規模事業者の支援に関する法律の一部を改正する法律（小規模支援法）」が成立した。

設問 1

文中の下線部に関する記述として、最も不適切なものはどれか。

ア この法律において「小企業者」とは、おおむね常時使用する従業員の数が５人以下の事業者をいう。

イ この法律において「小規模企業者」とは、中小企業基本法に規定する小規模企業者をいう。

ウ この法律において政府は、小規模企業をめぐる情勢の変化などを勘案し、おおむね５年ごとに基本計画を変更するものとした。

エ この法律は、小規模企業の事業活動の活性化を図る観点から、中小企業基本法等の一部を改正し、「基本理念」と「施策の方針」を明確化するものである。

設問2

文中の空欄Aに入る語句として、最も適切なものはどれか。

ア 商工会及び商工会議所

イ 中小企業再生支援協議会

ウ 都道府県

エ 認定支援機関

解説

設問1

2014年6月に施行された小規模基本法（正式名称は「小規模企業振興基本法」）についての出題である。問題文にもあるとおり、小規模企業への支援をより一歩進めるべく制定された法律である。

ア　〇

同法第2条2項において「この法律において『小企業者』とは、おおむね常時使用する従業員の数が5人以下の事業者をいう」と規定されている。中小企業基本法の中小企業者や小規模企業者の定義のように業種別の判定はないことに注意していただきたい。

イ　〇

同法第2条1項において「この法律において『小規模企業者』とは、中小企業基本法第2条5項に規定する小規模企業者をいう」と規定されている。つまり、中小企業基本法の小規模企業者の定義と同じである。

ウ　〇

同法第13条1項において「政府は、小規模企業の振興に関する施策の総合的かつ計画的な推進を図るため、小規模企業振興基本計画（以下『基本計画』」という。）を定めなければならない」とし、同法第13条5項において「政府は、小規模企業をめぐる情勢の変化を勘案し、及び小規模企業の振興に関する施策の効果に関する評価を踏まえ、おおむね5年ごとに、基本計画を変更するものとする」と規定されている。

エ　×

本肢は、2013年9月に施行された小規模企業活性化法についての説明であり、小規模基本法の内容ではない。

エ

設問2

2014年9月に施行された小規模支援法（正式名称「**商工会及び商工会議所**による小規模事業者の支援に関する法律の一部を改正する法律」）からの出題である。小規模支援法は、小規模事業者の身近な相談相手である商工会および商工会議所が、より強力に小規模事業者を支援するための体制を整備した法律である。具体的には「伴走型の事業計画策定・実施支援のための体制整備」として、商工会・商工会議所が策定した支援計画（「経営発達支援計画」）を国が認定・公表する制度などを柱とした改正が行われた。

ア

小規模基本法は、中小企業基本法ほど出題数は多くありませんが、定期的に出題されるテーマです。中小企業基本法とは異なり、「小企業者」という言葉がでてくる点や、「5年」という期間を定めた基本計画を定める点が特徴です。

問題 17　チェック欄▶ 1 ／ 2 ／ 3 ／

女性、若者／シニア起業家支援資金

重要度 C

R4-26

飲食店を経営するA氏から融資制度の相談を受けた中小企業診断士のB氏は、A氏に「女性、若者／シニア起業家支援資金」を紹介した。「女性、若者／シニア起業家支援資金」の対象となるA氏の属性として、最も適切なものはどれか。

ア　新規開業して１年の40歳の男性

イ　新規開業して５年の45歳の女性

ウ　新規開業して10年の60歳の女性

エ　新規開業して15年の70歳の男性

解説

ア ×

男性の場合、35歳未満か55歳以上であり、新規開業しておおむね７年以内の者が対象者となる。40歳の男性は年齢要件を満たさない。

イ ○

女性は年齢による要件がない。また新規開業しておおむね７年以内であるため、対象者となる。

ウ ×

女性は年齢による要件がないが、「新規開業しておおむね７年以内」という要件を満たしていない。

エ ×

70歳の男性は年齢要件を満たしているが、「新規開業しておおむね７年以内」という要件を満たしていない。

イ

講師より

「女性、若者／シニア起業家支援資金」は、女性、若者（35歳未満）、高齢者（55歳以上）のうち、新規開業しておおむね７年以内の者を優遇金利で支援する融資制度です。日本政策金融公庫が実施しています。選択肢には業種が記載されていますが、業種は関係ありません。

問題 18

チェック欄▶ 1 ／ 2 ／ 3 ／

重要度 Ⓐ **マル経融資①** R3-26設問1

次の文章を読んで、下記の設問に答えよ。

中小企業診断士のＸ氏は、製造業を営む小規模事業者のＹ氏から、「小規模事業者向けの融資制度を知りたい」との相談を受けた。

Ｘ氏はＹ氏に「小規模事業者経営改善資金融資制度（マル経融資）」を紹介することとした。

文中の下線部に関するＸ氏からＹ氏への説明として、最も適切なものはどれか。

ア 主たる事業所の所在する市区町村の融資担当課へ申し込みをしてください。

イ 小規模事業者が経営計画を作成し、その計画に沿って行う経営発展の取組を資金面から支援します。

ウ 対象資金は、運転資金だけでなく、設備資金も対象になります。設備資金の貸付期間は10年以内です。

エ 地域の小規模事業者を、担保もしくは保証人を付けることによって無利息で支援する制度です。

解説

ア ×

商工会・商工会議所が窓口となって申し込みを受け付け、日本政策金融公庫に融資の推薦をするスキームである。よって市区町村に申し込むのは間違いである。

イ ×

商工会議所の経営・金融に関する指導を原則6か月以上受けることが条件となっており、経営改善の取組を資金面から支援するものである。

ウ ○

運転資金のみならず、店舗改装、営業車両購入、機械設備等の購入など設備資金も対象になる。貸付期間は10年以内である。

エ ×

マル経融資は無担保・無保証人・低利の融資制度である。

ウ

講師より

マル経融資とは、日本政策金融公庫による無担保・無保証人・低利（基準金利よりも安い）の融資制度です。支援内容の詳細は以下のとおりです。

■支援内容

対象資金	設備資金、運転資金
貸付限度額	2,000万円
貸付期間	運転資金７年以内（据置期間１年以内） 設備資金10年以内（据置期間２年以内）
貸付条件	無担保・無保証人（本人保証もなし）

問題 19

チェック欄▶ 1 ／ 2 ／ 3 ／

重要度 A　マル経融資②

H27-15設問2

マル経融資（通常枠）の融資対象になるための要件に関する説明として、最も適切なものはどれか。

ア　経常利益が黒字であること。

イ　原則として同一の商工会・商工会議所の地区内で１年以上事業を行っていること。

ウ　商工会・商工会議所の会員であること。

エ　商工会・商工会議所の経営指導員による経営指導を原則３カ月以上受けていること。

解説

ア ×

　このような要件はない。

イ ○

　原則として同一地区で１年以上事業を行っていることが要件となっている。

ウ ×

　このような要件はない。

エ ×

　商工会・商工会議所の経営指導員による経営指導を原則６カ月以上受けていることが要件となっている。

イ

講師より

　マル経融資の利用要件と支援の流れは、下記のとおりです。

■利用要件

　常時使用する従業員が20人以下（商業・サービス業の場合は５人以下。ただし、宿泊・娯楽業は20人以下）の法人・個人事業主で、以下の要件をすべて満たす者が利用できる。

①商工会・商工会議所の経営指導員による経営指導を原則６カ月以上受けていること
②所得税、法人税、事業税、都道府県民税などの税金を完納していること
③原則として同一地区で１年以上事業を行っていること
④商工業者であり、かつ、日本政策金融公庫の融資対象業種を営んでいること

■支援の流れ

　商工会・商工会議所が窓口となって申込みを受け付け、その後、日本政策金融公庫に融資の推薦をする。推薦を受けた日本政策金融公庫で個別に審査を行い、融資を実施する。

問題 20

チェック欄▶ 1 ／ 2 ／ 3 ／

重要度 Ⓐ 中小企業関連税制①

R5-26

以下は、電子部品製造業を営むX氏（従業員10名）と中小企業診断士Y氏との会話である。この会話を読んで、下記の設問に答えよ。

X氏：「令和５年度に法人化を予定しているのですが、法人税について教えていただけますか。」
Y氏：「中小企業の法人税率は、大法人と比較して、軽減されています。」
X氏：「具体的には、どのような制度になっているのでしょうか。」
Y氏：「資本金または出資金の額が［ A ］の法人などの年所得［ B ］の部分にかかる法人税率は、令和７年３月31日までの措置として、［ C ］に引き下げられています。詳しくは、国税局または税務署の税務相談窓口などにお問い合わせください。」

設問１

会話の中の空欄Aに入る語句として、最も適切なものはどれか。

ア　１億円以下
イ　２億円以下
ウ　３億円以下
エ　５億円以下

設問２

会話の中の空欄BとCに入る語句の組み合わせとして、最も適切なものはどれか。

ア　B：600万円以下　C：15%
イ　B：600万円以下　C：19%
ウ　B：800万円以下　C：15%
エ　B：800万円以下　C：19%

解説

設問1

法人税率の特例が適用される中小法人とは、法人税法にもとづく中小法人のことである。中小法人の定義は資本金**1億円以下**の法人であり、中小企業基本法と異なり、業種区分や従業員基準はない。

ア

設問2

中小法人に該当すると、年所得**800万円以下**（空欄B）について、法人税の軽減税率が適用される。

対象	法人税法における税率（本則）		令和７年３月31日までの 時限的な軽減税率
普通法人 （中小法人以外） 資本金１億円超	所得区分なし	23.2％	―
中小法人 資本金１億円以下 （企業組合と協業組合を含む）	年所得800万円超の部分	23.2％	―
	年所得800万円以下の部分	19％	**15%**（空欄C）

ウ

講師より

中小法人を選ばせる問題は定期的に出題されます。選択肢には、資本金以外に業種や従業員数が記載される場合もありますが、それらはダミー情報となりますので、気をつけましょう。

問題 21　チェック欄▶ 1 ／ 2 ／ 3 ／

重要度 Ⓐ 中小企業関連税制②

H27-18

中小企業診断士のＸ氏は、顧問先で機械製造業のＹ社長から「交際費を支出した場合の税制措置を知りたい」との相談を受けた。以下は、Ｘ氏とＹ社長との会話である。

会話中の空欄ＡとＢに入る記述の組み合わせとして、最も適切なものを下記の解答群から選べ。

Ｘ　氏：「中小企業には交際費の損金算入の特例があります。」

Ｙ社長：「当社も対象になるのでしょうか。」

Ｘ　氏：「対象は、資本金１億円以下の法人などです。御社も対象になりますよ。」

Ｙ社長：「どのような措置が受けられるのでしょうか。」

Ｘ　氏：「［　Ａ　］または［　Ｂ　］のうち、どちらかを選択して損金算入できます。［　Ｂ　］の場合、支出する飲食費についての上限はありません。詳しいことは、税理士に相談してくださいね。」

Ｙ社長：「ありがとうございます。よく分かりました。」

〔解答群〕

ア　Ａ：支出した交際費等の500万円までの全額
　　Ｂ：支出した飲食費の50%

イ　Ａ：支出した交際費等の500万円までの全額
　　Ｂ：支出した飲食費の80%

ウ　Ａ：支出した交際費等の800万円までの全額
　　Ｂ：支出した飲食費の50%

エ　Ａ：支出した交際費等の800万円までの全額
　　Ｂ：支出した飲食費の80%

解説

中小企業税制のうち、交際費の一部損金算入制度についての出題である。

平成25年度税制改正により、資本金1億円以下の中小法人であれば、支出した交際費について年800万円まで全額（空欄A）損金算入が認められることとなった。その後、平成26年度改正において、中小法人は交際費等の額のうち、接待飲食費の額の50％（空欄B）相当額の損金算入か、定額控除限度額（年800万円までの全額）の損金参入のいずれかを選択適用できることになった。

ウ

平成30年第22問でも同様の論点が問われています（教科書63～64ページ掲載）。併せて確認しておきましょう。

問題 22

チェック欄▶ 1 ／ 2 ／ 3 ／

重要度 B 経営承継円滑化法

R5-27改題

以下は、事業承継について検討を進めているX氏（印刷業経営者、従業員30名）と中小企業診断士Y氏との会話である。この会話を読んで、下記の設問に答えよ。

X氏：「事業承継を円滑化するための税制措置について知りたいのですが、教えていただけますか。」

Y氏：「法人版事業承継税制があります。この制度は事業承継円滑化のための税制措置で、中小企業・小規模事業者の非上場株式などに係る相続税・贈与税が納税猶予・免除されるものです。平成30年４月１日に、法人版事業承継税制の特例措置が創設されました。」

X氏：「特例措置ですか。具体的には、どのような措置なのでしょうか。」

Y氏：「平成30年４月１日から令和８年３月31日までの間に、経営承継円滑化法に基づく「[　　]」を都道府県知事に提出したうえで、平成30年１月１日から令和９年12月31日までの間に行われた非上場株式の贈与・相続が対象となります。従前の措置も一般措置として存在していますが、特例措置については一般措置と比べて大きく優遇される内容が拡充されています。詳しくは、国税局または税務署の税務相談窓口などにお問い合わせください。」

設問１

会話の中の空欄に入る計画として、最も適切なものはどれか。

ア 活性化計画
イ 経営改善計画
ウ 経営発達支援計画
エ 特例承継計画

設問２

会話の中の下線部に関する記述として、最も適切なものはどれか。

ア　後継者が自主廃業や売却を行う際、承継時の株価を基準に贈与税・相続税を納税することが認められるようになった。

イ　事業承継税制の適用後５年間で平均８割以上の雇用を維持すれば、納税が猶予されるようになった。

ウ　対象株式数の上限が撤廃され、納税猶予割合は100％に拡大された。

エ　１人の先代経営者から、２人までの後継者に対して贈与・相続される株式が対象になった。

解説

設問1

法人版事業承継税制の特例措置は、経営承継円滑化法に基づく「**特例承継計画**」(空欄に該当)を都道府県知事に提出した場合、優遇措置を受けることができる。

 エ

設問2

ア ×

特例の適用を受けると、後継者が自主廃業や売却を行う際、**売却時や承継時**の株価を基準に贈与税・相続税の納税額が再計算される。

イ ×

特例の適用を受けると、5年間で平均8割以上の雇用を維持できなかった場合でも納税猶予が継続可能となる。

ウ ○

特例の適用を受けると、対象株式の制限がなくなり、相続税についても納税猶予割合が100%となる。

エ ×

特例の適用を受けると、親族外を含む複数の株主から、最大3人までの後継者への承継が対象となる。

 ウ

講師より

中小企業の事業承継を円滑に行うため、2008年に制定されたのが経営承継円滑化法(正式名称「中小企業における経営の承継の円滑化に関する法律」)です。平成30年度改正については、教科書(65~66ページ)でよく確認しておきましょう。

MEMO

問題 23　チェック欄▶ 1 ／ 2 ／ 3 ／

重要度A　中小企業等経営強化法①　経営革新計画

R4-20

次の文章を読んで、下記の設問に答えよ。

「経営革新支援事業」は、経営の向上を図るために新たな事業活動を行う経営革新計画の承認を受けると、日本政策金融公庫の特別貸付制度や信用保証の特例など多様な支援を受けることができるものである。

対象となるのは、事業内容や経営目標を盛り込んだ計画を作成し、新たな事業活動を行う特定事業者である。

設問 1

文中の下線部の経営目標に関する以下の記述の空欄ＡとＢに入る語句の組み合わせとして、最も適切なものを下記の解答群から選べ。

［ A ］の事業期間において付加価値額または従業員一人当たりの付加価値額が年率３％以上伸び、かつ［ B ］が年率1.5％以上伸びる計画となっていること。

〔解答群〕

ア　Ａ：１から３年　　Ｂ：売上高
イ　Ａ：１から３年　　Ｂ：給与支給総額
ウ　Ａ：３から５年　　Ｂ：売上高
エ　Ａ：３から５年　　Ｂ：給与支給総額

設問2

文中の下線部の経営目標で利用される「付加価値額」として、最も適切なものはどれか。

ア 営業利益
イ 営業利益 ＋ 人件費
ウ 営業利益 ＋ 人件費 ＋ 減価償却費
エ 営業利益 ＋ 人件費 ＋ 減価償却費 ＋ 支払利息等
オ 営業利益 ＋ 人件費 ＋ 減価償却費 ＋ 支払利息等 ＋ 租税公課

解説

設問1

経営革新計画の事業期間は、**3～5年**（空欄A）である。事業期間とは、研究開発を除く新事業活動を実施する期間を差す。また、目標値は付加価値額または従業員一人当たりの付加価値額が年率３％以上伸び、かつ**給与支給総額**（空欄B）が年率1.5％以上伸びる計画となっていることが必要である。

エ

設問2

付加価値額の算出方法は、「営業利益＋人件費＋減価償却費」である。

ウ

中小企業等経営強化法の経営革新支援についての出題です。特定事業者が新事業活動を行う際、経営革新計画を作成し、国または都道府県から承認を受けると、さまざまな支援策が利用できるようになります。経営革新計画には、付加価値額と給与支給総額の両方を向上させる経営目標が必要となります。経営計画期間終了時における経営指標の目標伸び率および、算出方法は以下のとおりです。

計画終了時	「付加価値額または従業員一人当たりの付加価値額」の伸び率	「給与支給総額」の伸び率
３年計画の場合	９％以上	4.5％以上
４年計画の場合	12％以上	６％以上
５年計画の場合	15％以上	7.5％以上

■中小企業経営強化法における算出方法

・付加価値額＝営業利益＋人件費＋原価償却費

・給与支給総額＝役員と従業員に支払う給料、賃金、賞与のほか、給与所得とされる手当（残業手当、休日出勤手当、家族（扶養）手当、住宅手当等）

MEMO

問題 24

チェック欄▶ 1 ／ 2 ／ 3 ／

重要度 A 中小企業等経営強化法② 経営力向上計画

R2-21

次の文中の下線部に関する記述として、最も適切なものを下記の解答群から選べ。

「中小企業等経営強化法」は、自社の生産性向上など中小企業・小規模事業者等による経営力向上に係る取り組みを支援する法律である。この法律の認定事業者は、税制や金融支援等の措置を受けることができる。

〔解答群〕

ア 事業者は事業分野別指針に沿って、「経営力向上計画」を作成し、国の認定を受ける。

イ 事業者は事業分野別指針に沿って、「生産性向上計画」を作成し、国の認定を受ける。

ウ 事業者は中小サービス事業者の生産性向上のためのガイドラインに沿って、「経営力向上計画」を作成し、国の認定を受ける。

エ 事業者は中小サービス事業者の生産性向上のためのガイドラインに沿って、「生産性向上計画」を作成し、国の認定を受ける。

解説

ア ○

原則として、国（主務大臣）が策定した事業分野別指針に沿って、事業者は「経営力向上計画」を作成し、国の認定を受ける。

イ ×

中小企業等経営強化法に、「生産性向上計画」という名称の制度はない。

ウ ×

中小企業等経営強化法に、「中小サービス事業者の生産性向上のためのガイドライン」に沿って策定する計画制度はない。経営力向上計画は原則として「事業分野別指針」に沿って、計画を作成する必要がある。

エ ×

選択肢**イ・ウ**の解説を参照。

ア

講師より

計画名をきちんと覚えていれば、アかウの2択に絞れます。また、「中小サービス事業者の生産性向上のためのガイドライン」というのがわからなくても、経営力向上計画は「事業分野別指針」に沿って作成すると覚えていれば、引っかからずに答えが選べる問題です。

問題 25

チェック欄▶ 1 ／ 2 ／ 3 ／

重要度 A

中小企業等経営強化法③　経営力向上計画

H29-15改題

次の文章を読んで、下記の設問に答えよ。

平成28年７月に中小企業等経営強化法が施行された。この法律では、主務大臣が事業分野ごとに生産性向上の方法などを示した指針を策定する。

中小企業・小規模事業者等が、この法律に基づき［　A　］を申請し、認定されることによって、各種金融支援を受けることができる。なお、［　A　］の申請時に提出する指標としては、原則として［　B　］が基本となる。

設問１

文中の空欄Ａに入る語句として、最も適切なものはどれか。

ア　経営革新計画

イ　経営力向上計画

ウ　事業継続計画

エ　事業承継計画

設問２

文中の空欄Ｂに入る語句として、最も適切なものはどれか。

ア　営業利益

イ　経常利益

ウ　付加価値額

エ　労働生産性

解説

設問1

ア　×

経営革新計画では、国（主務大臣）が基本方針を定めて、その基本方針に基づいて経営革新計画を策定する。「事業分野ごとに生産性向上の方法などを示した指針」を策定することはない。

イ　○

国（主務大臣）が事業分野別指針を策定するのは、経営力向上支援の特徴である。

ウ　×

中小企業等経営強化法にこのような計画策定の制度はない。

エ　×

中小企業等経営強化法にこのような計画策定の制度はない。

イ

設問2

経営力向上計画（計画期間3～5年）には、①企業の概要、②現状認識、③経営力向上の目標および経営力向上による経営の向上の程度を示す指標、④経営力向上の内容などを盛り込む。そのうち、③については、原則として**労働生産性**を用いる。原則として3年計画の場合は1％以上、4年計画の場合は1.5％以上、5年計画の場合は2％以上の伸び率が必要となるが、事業分野によって異なる目標を設定することができる。

エ

講師より

「経営力向上計画」とは、人材育成、コスト管理、情報システムや設備投資等により、生産性を向上させるための計画です。国が策定した事業ごとの指針（事業分野別指針）に基づいて、自社の強み・弱みや経営状況、労働生産性などの目標、それに向けた取り組みなどを記載し、国から認定を受けると各種支援策の利用が可能となります。

問題 26

チェック欄▶ 1 ／ 2 ／ 3 ／

重要度 C

中小企業等経営強化法④ 事業継続力強化計画

R2-15改題

次の文章を読んで、下記の設問に答えよ。

中小企業は、人手不足などさまざまな経営上の課題を抱える中で、防災・減災対策に取り組む必要性は認識しているものの、何から始めれば良いか分からないなどの課題により、対策は十分に進んでいない。

このような状況を踏まえて、国は「中小企業の事業活動の継続に資するための中小企業等経営強化法等の一部を改正する法律」を制定し、中小企業者の防災・減災に向けた取り組みを明記した「＿＿＿＿」を認定する制度を創設した。認定を受けた中小企業には、さまざまな支援措置を講じ、防災・減災に向けて取り組む上でのハードルの解消を図っている。

設問1

文中の下線部の法律は、通称で何と呼ばれるか。最も適切なものを選べ。

ア 産業競争力強化法

イ 中小企業強靱化法

ウ 中小企業経営安定対策法

エ 中小ものづくり高度化法

設問2

文中の空欄に入る語句として、最も適切なものはどれか。

ア 企業活力強化計画

イ 経営革新計画

ウ 事業継続力強化計画

エ 中小企業承継事業再生計画

解説

設問1

中小企業の自然災害に対する事前対策（防災・減災対策）を促進するため、「中小企業の事業活動の継続に資するための中小企業等経営強化法等の一部を改正する法律」（問題下線部）を令和元年７月16日に施行した。この改正法は総称して、「中小企業強靭化法」とよばれる。

　イ

設問2

中小企業強靭化法にもとづき、防災・減災に取組む中小企業を支援するための「**事業継続力強化計画**」制度が創設された。認定を受けた中小企業は、防災・減災設備に対する低利融資、補助金の優先採択等を受けることができる。

　ウ

事業継続力強化計画は、経営革新計画や経営力向上計画のような数値目標がありません。計画の実施期間は3年、認定は国（経済産業大臣）が行うことも覚えておきましょう。

問題 27

チェック欄▶ 1 ／ 2 ／ 3 ／

重要度Ⓒ 農商工等連携促進法

H28-20設問1

次の文章を読んで、下記の設問に答えよ。

中小企業者と農林漁業者とが連携して行う事業活動を支援するために、法的措置や予算措置などにより総合的な支援が展開されている。

中小企業者と農林漁業者とが連携し、それぞれの経営資源を有効に活用して行う新商品、新サービスの開発等を行う際、「中小企業者と農林漁業者との連携による事業活動の促進に関する法律（農商工等連携促進法）」に基づく支援のほか、さまざまな支援を受けることができる。

農商工等連携促進法の支援対象として、最も適切なものはどれか。

ア 中小企業者と農林漁業者との交流機会の提供を行う地方自治体であって、この法律に基づき「農商工等連携支援事業計画」を作成し、国の認定を受けた者

イ 中小企業者等に対する農商工連携に関する指導等を行う一般社団・財団法人又はNPO法人であって、この法律に基づき「農商工等連携支援事業計画」を作成し、都道府県知事の認定を受けた者

ウ 農商工等連携により新たな事業活動を展開しようとするNPO法人であって、この法律に基づき「農商工等連携事業計画」を作成し、都道府県知事の認定を受けた者

エ 農商工等連携により新たな事業活動を展開しようとする中小企業者であって、この法律に基づき「農商工等連携事業計画」を作成し、国の認定を受けた者

解説

農商工等連携促進法の支援対象、計画名、認定者についての知識を問うている。

ア ×

地方自治体は支援対象に含まれない。

イ ×

NPO法人等が作成する「農商工等連携支援事業計画」の認定は国が行う。都道府県知事ではない。

ウ ×

NPO法人等が作成する計画の名称は「農商工等連携支援事業計画」である。ポイントは「支援」の2文字が入っていること。「農商工等連携事業計画」は中小企業者と農林漁業者が共同で作成する計画の名称である。また、「農商工等連携事業計画」「農商工等連携支援事業計画」ともに国が認定する。都道府県知事ではない。

エ ○

中小企業者と農林漁業者が連携して、新商品・新サービスの開発等を行う「農商工等連携事業計画」を共同で作成し、国の認定を受けると、補助金、融資、信用保証の特例等の各種支援策が利用できる。

エ

講師より

農商工等連携促進法（正式名称は、「中小企業者と農林漁業者との連携による事業活動の促進に関する法律」）についての出題です。この法律の目的は、中小企業者と農林漁業者とが有機的に連携し、経営資源を持ち寄って新しい取組みを行うことで、中小企業と農林漁業経営の向上と改善を図ることです。

問題 28

チェック欄▶ 1 ／ 2 ／ 3 ／

重要度 B ものづくり補助金

R4-28

「ものづくり・商業・サービス生産性向上促進補助金」は、生産性向上に資する革新的サービス開発・試作品開発・生産プロセスの改善を行う中小企業・小規模事業者などの設備投資などを支援するものである。

この補助金の対象となる者は、事業計画を策定し実施する中小企業・小規模事業者などである。この事業計画の要件として、最も適切なものはどれか。

ア 売上高を年率３％以上向上

イ 給与支給総額を年率1.5％以上向上

ウ 事業場内最低賃金を地域別最低賃金100円以上向上

エ 付加価値額を年率５％以上向上

解説

ものづくり補助金は、中小企業・小規模事業者等が取り組む革新的サービス開発・試作品開発・生産プロセスの改善を行い、生産性を向上させるための設備投資等を支援する補助金である。以下の要件を満たす事業計画（３～５年）を策定・実施する中小企業等が応募できる。

① 付加価値額の年率３％以上向上
② 給与支給総額の年率1.5%以上向上
③ 事業場内最低賃金を地域別最低賃金＋30円以上向上

イ

ものづくり補助金の要件ですが、①と②は経営革新計画の目標値と同じです。合わせて覚えると効率がよいでしょう。

問題 29

チェック欄▶ 1 ／ 2 ／ 3 ／

重要度 B

中小企業組合制度①

R2-18設問2

商店街振興組合に関する記述として、最も適切なものはどれか。

ア 株式会社への制度変更が認められる。

イ 議決権は出資比例である。

ウ その名称中に、商店街振興組合という文字を用いなければならない。

エ 中小企業等協同組合法に基づく組合制度である。

解説

ア ×

株式会社への組織変更が可能であるのは事業協同組合、企業組合、協業組合である。商店街振興組合は株式会社に組織変更はできない。

イ ×

商店街振興組合の議決権は平等（1人1票）である。協業組合以外で「出資比例」と問われたら、誤りと考えて差し支えない。

ウ ○

商店街振興組合は、必ず「商店街振興組合」の文字を名称に用いなければならない（商店街振興組合法第5条1項）。

エ ×

商店街振興組合法が根拠法である。

ウ

講師より

商店街振興組合単独での出題は、令和2年、平成28、24、21、15年度に実績があります。同じ内容が繰り返し問われています。

問題 30

チェック欄▶ 1 ／ 2 ／ 3 ／

重要度 B　中小企業組合制度②

H27-26

　組合制度は、中小規模の事業者・勤労者などが組織化し、共同購買事業、共同生産・加工事業、共同研究開発、共同販売事業、金融事業などの共同事業を通じて、技術・情報・人材等個々では不足する経営資源の相互補完を図るためのものである。

　主な中小企業組合としては、事業協同組合、企業組合、協業組合などがある。

　このうち、事業協同組合に関する記述として、最も適切なものはどれか。

ア　組合員の２分の１以上は、組合の行う事業に従事しなければならない。

イ　組合員は、自己の資本と労働力のすべてを組合に投入する。

ウ　設立するに当たっては、組合員になろうとする者４人以上が発起人になることが必要である。

エ　中小企業団体の組織に関する法律を根拠法規とする組合である。

解説

ア ×

事業協同組合にこのような規定はない。本肢は企業組合の内容である。

イ ×

事業協同組合にこのような規定はない。本肢は企業組合の内容である。

ウ ○

事業協同組合の発起人数は「4人以上」が必要である。

エ ×

事業協同組合は「中小企業等協同組合法」を根拠法としているため不適切である。

ウ

講師より

中小企業組合のうち、事業協同組合についての出題です。事業協同組合は中小企業等協同組合法を根拠法とし、中小企業者が共同経済事業を行うことにより、経営効率化などを図るための組合です。

問題 31

チェック欄▶ 1 ／ 2 ／ 3 ／

重要度 C

模倣品対策支援事業

R元-20改題

次の文章を読んで、下記の設問に答えよ。

海外展開を図る中小企業のA社は、海外において自社が取得した産業財産権の侵害を受けている。そこで、現地で権利侵害を受けている状況を把握し、模倣品対策に取り組みたいと考えている。

経営者のA氏から相談を受けた中小企業診断士のB氏は、「模倣品対策支援事業」を紹介することとした。以下は、A氏とB氏との会話の一部である。

A氏：「海外での模倣品対策に取り組みたいのですが、支援施策があれば、ぜひ教えてください。」

B氏：「海外で産業財産権の侵害を受けている中小企業が、日本貿易振興機構（JETRO）を通じ、模倣品対策費用の一部について補助金を受けることができます。」

A氏：「具体的には、どのようになっていますか。」

B氏：「補助率と補助金には上限があります。」

文中の下線部の補助対象経費として、最も不適切なものはどれか。

ア 海外知財訴訟費用保険の契約に関わる費用

イ 現地の行政機関に取締り申請することに関わる費用

ウ 模倣品業者への警告に関わる費用

エ 模倣品の製造拠点や流通経路の実態把握に関わる費用

解説

ア ×

補助対象経費の対象ではない。

イ ○

調査結果に基づく行政摘発、取締りにかかる費用は補助対象である。

ウ ○

模倣品業者への警告文作成にかかる費用は補助対象である。

エ ○

模倣品の製造元や流通経路等を把握するための侵害調査は補助対象となる。

ア

補助率は3分の2、上限額が400万円であることも併せて覚えておきましょう。

問題 32

チェック欄▶ 1 ／ 2 ／ 3 ／

重要度 B 高度化事業①

R5-22

次の文章を読んで、下記の設問に答えよ。

高度化事業では、工場団地・卸団地、ショッピングセンター等の整備、商店街のアーケード・カラー舗装等の整備などを行う中小企業組合等に対して、［ A ］と中小企業基盤整備機構が協調して［ B ］の貸付けを行う。貸付けに際しては、事前に事業計画について専門的な立場から診断・助言を行う。

設問1

文中の空欄AとBに入る語句の組み合わせとして、最も適切なものはどれか。

ア A：市区町村　　B：設備資金

イ A：市区町村　　B：設備資金と運転資金

ウ A：都道府県　　B：設備資金

エ A：都道府県　　B：設備資金と運転資金

設問2

高度化事業の貸付条件などに関する記述として、最も適切なものはどれか。

ア 貸付割合は原則として50％以内、貸付期間は10年以内である。

イ 貸付割合は原則として50％以内、貸付期間は20年以内である。

ウ 貸付割合は原則として80％以内、貸付期間は10年以内である。

エ 貸付割合は原則として80％以内、貸付期間は20年以内である。

解説

高度化事業では、工場団地・卸団地、ショッピングセンター等の整備、商店街のアーケード・カラー舗装等の整備などを行う中小企業組合等に対して**都道府県**（設問1 空欄A）と中小企業基盤整備機構が協調して貸付けを行う。貸付条件は主に次のように規定されている。

〈貸付条件〉

・貸付限度額：なし

・貸付割合：原則として**80%以内**（設問2）

・貸付対象：**設備資金**（設問1 空欄B）

・貸付期間：**20年以内**（うち据置期間3年以内）（設問2）

なお、貸付にあたっては、都道府県（計画内容によって中小企業基盤整備機構と共同）の診断を受ける必要がある。

正解　設問1 ウ　設問2 エ

講師より

高度化事業は、都道府県と中小機構が資金融資・アドバイスという両面から中小企業をサポートする事業です。基本的に中小企業単体を支援するのではなく、同じ目的をもつ中小企業組合等のグループを支援します。

少しイメージがわきにくいかもしれませんが、中小企業診断士ともかかわりが深い施策ですので、制度の概要まで覚えておきましょう。

問題 33

チェック欄▶ 1 ／ 2 ／ 3 ／

重要度 B 高度化事業②

H28-23設問2

高度化事業の主な事業の活用例のうち、「 C 」は、商店街に、アーケードやカラー舗装、駐車場などを整備したり、各商店を改装し、商店街の魅力・利便性を向上させ集客力を高めるものである。

文中の空欄Cに入る語句として、最も適切なものはどれか。

ア 共同施設事業

イ 施設集約化事業

ウ 集積区域整備事業

エ 集団化事業

解説

ア ×

「共同施設事業」は中小企業者が共同で利用する共同物流センター、加工場や倉庫などの施設を建設し、事業の効率化、取引先の拡大を図る事業である。問題文には「各商店の改装」という記述がある。商店街の個々の店舗は、他の店舗が共同で利用する施設ではないため、共同施設事業では対応できない。

イ ×

「施設集約化事業」は大型店の出店などに対抗するため、地域の中小小売商業者らが、共同で入居するショッピングセンターを建設し、集客力・販売力を向上させる事業である。

ウ ○

「集積区域整備事業」は商店街に、アーケードやカラー舗装、駐車場などを整備したり、各商店を改装し、商店街の魅力・利便性を向上させ集客力を高める事業である。

エ ×

「集団化事業」は工場を拡張したいが隣接地に用地を確保できない、騒音問題のため操業に支障があるなどの問題を抱える中小企業者が集まり、適地に設備の整った工場を新設し、事業の拡大・効率化、公害問題の解決を図る事業である。

ウ

講師より

高度化事業の種類と内容が問われています。事業名と事業の内容を覚えるのは大変ですが、**丸暗記ではなくイメージで押さえる**ようにしましょう。

問題 34　チェック欄▶ 1 ／ 2 ／ 3 ／

重要度 Ⓒ 有限責任事業組合　H27-21

プログラマーのA氏、デザイナーのB氏、セキュリティ専門家のC氏、マーケティング専門家のD氏の４名は、共同でソフトウエアの開発販売事業を計画している。

メンバーのA氏から、事業の進め方について相談を受けた中小企業診断士のE氏は、有限責任事業組合（LLP）の設立を勧め、この事業体を活用するメリットについて、A氏に説明を行った。

E氏の説明として、最も不適切なものはどれか。

ア　議決権と損益分配は出資比率に応じるため、シンプルで分かりやすい制度です。

イ　組合事業から発生するリスクに対して、各々が出資の価額の範囲で責任を負います。

ウ　構成員課税となるため、損失が出れば、各組合員の所得と通算できます。

エ　取締役会などの設置が不要です。

解説

ア ×

LLPは契約書によって柔軟に内部ルールを定めることができる。よって議決権と損益の分配は出資比率に応じる必要はなく、出資比率とは異なる議決権と損益の分配をすることも可能であるため不適切である。

イ ○

有限責任制となっていることがLLPの特徴である。

ウ ○

「構成員課税（パススルー課税）」のことで、法人格のないLLPのメリットのひとつである。法人であると黒字の場合に法人税が課税され、さらに法人から出資者に利益分配されたときに出資者にも所得税が課税されてしまい、いわゆる二重課税されるデメリットがある。

エ ○

組合契約によって組織構造を柔軟に設定できる。

ア

講師より

LLP（有限責任事業組合）についての出題です。LLPとは、個人または法人が出資して、共同事業を行う組織形態のひとつです。それぞれの出資の価額を責任の限度とします（有限責任）。契約をベースとするため法人格はありません。よって、LLPは法人税の対象とならず、LLPの構成員に直接課税するパススルー課税が特徴です。

問題 35

チェック欄▶ 1 ／ 2 ／ 3 ／

重要度Ⓐ 下請代金支払遅延等防止法

R4-21

①下請代金支払遅延等防止法（下請代金法）は、親事業者の不公正な取引を規制し、下請事業者の利益を保護することを目的として、下請取引のルールを定めている。

中小企業庁と公正取引委員会は、親事業者が②下請代金法のルールを遵守しているかどうか、毎年調査を行い、違反事業者に対しては、同法の遵守について指導している。

設問1

文中の下線部①が適用される取引として、最も適切なものはどれか。

ア　飲食業（資本金500万円）が、サービス業（資本金100万円）に物品の修理委託をする。

イ　家電製造業（資本金500万円）が、金属部品製造業（資本金300万円）に製造委託をする。

ウ　衣類卸売業（資本金1,500万円）が、衣類製造業（資本金1,000万円）に製造委託をする。

エ　家具小売業（資本金2,000万円）が、家具製造業（資本金1,500万円）に製造委託をする。

オ　電子部品製造業（資本金１億円）が、電子部品製造業（資本金3,000万円）に製造委託をする。

設問2

文中の下線部②について、親事業者の義務に関する記述の正誤の組み合わせとして、最も適切なものを下記の解答群から選べ。

a　下請代金の支払期日について、給付を受領した日（役務の提供を受けた日）から３週間以内で、かつできる限り短い期間内に定める義務

b　支払期日までに支払わなかった場合は、給付を受領した日（役務の提供を受けた日）の60日後から、支払を行った日までの日数に、年率14.6％を乗じた金額を「遅延利息」として支払う義務

〔解答群〕

ア　a：正　b：正
イ　a：正　b：誤
ウ　a：誤　b：正
エ　a：誤　b：誤

解説

設問1

下請代金法の適用範囲の知識が問われている。解答の手順として、発注内容が①「物品の製造・修理委託及び政令で定める情報成果物作成・役務提供委託」か、②「①以外の情報成果物作成・役務提供委託」かを判断する。本問ではいずれも①に該当することがわかる。①に該当する場合、下記の図表の範囲に委託者（親事業者）と受託者（下請事業者）が含まれるかを判断する。

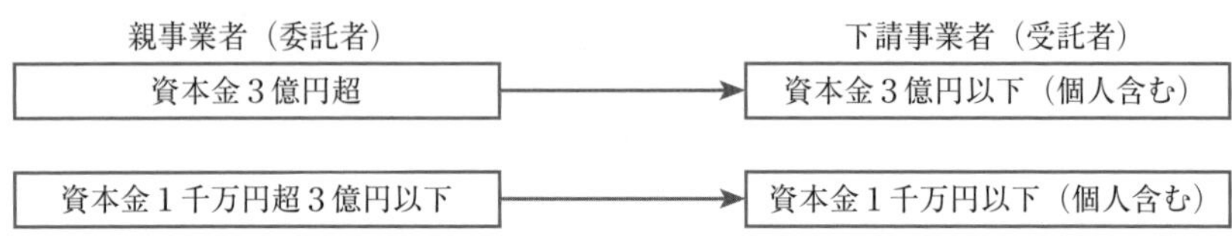

ア ×

委託者の資本金が1,000万円以下（500万円）であるため、親事業者の範囲に含まれない。したがって、同法の適用はない。

イ ×

委託者の資本金が1,000万円以下（500万円）であるため、親事業者の範囲に含まれない。したがって、同法の適用はない。

ウ ○

委託者の資本金が1,000万円超３億円以下であり、下請事業者の資本金は1,000万円以下である。法が定める適用範囲に含まれるため、適用される。

エ ×

委託者の資本金が1,000万円超３億円以下であり、下請事業者の資本金は1,000万円超である。したがって、同法の適用はない。

オ ×

委託者の資本金が1,000万円超３億円以下であり、下請事業者の資本金は1,000万円超である。したがって、同法の適用はない。

ウ

設問2

下請代金法が適用された場合、親事業者に課される義務についての知識が問われている。親事業者の義務は下記の４つである。

① 注文するときは直ちに取引条件などを書いた書面（注文書）を出すこと。

② 注文した内容などについて記載した書類を作成し、２年間保存すること。

③ 注文品を受け取った日から60日以内で、かつできるかぎり短い期間内に代金の支払期日を定めること。

④ 注文品を受領してから60日を過ぎても代金を支払わなかった場合、受領から60日後から支払いを行った日までの日数に遅延利息（年率14.6％）を加算して払うこと。

---

a ×

下請代金の支払期日について、給付を受領した日（役務の提供を受けた日）から「60」日以内で、かつできる限り短い期間内に定める義務がある（上記③）。

---

b ○

上記④の内容であり正しい。

よってａ＝誤、ｂ＝正となり、**ウ**が正解である。

  **ウ**

講師より

下請代金支払遅延等防止法（下請法）は、取引上、弱い立場になりやすい中小企業を守るために作られた独占禁止法の特別法です。下請代金の支払遅延などを防止し、不公正な取引の規制と下請事業者の保護を目的としています。本試験では適用範囲と親事業者の義務についてよく問われます。

問題 36

チェック欄▶ 1 ／ 2 ／ 3 ／

重要度 C 下請中小企業振興法

R6-20改題

次の文章を読んで、下記の設問に答えよ。

下請中小企業振興法の［　　］とは、同法第3条に基づく大臣告示であり、同法第4条に基づく「指導・助言」の根拠となるとともに、業種別ガイドライン、自主行動計画、パートナーシップ構築宣言のひな形の策定に参照されるものである。この［　　］は、「取引適正化に向けた5つの取組」、「転嫁円滑化施策パッケージ」などで決定した取引適正化に向けた取組方針を裏付け・下支えし、産業界に提示するため、2022年度に全面的に改定された。

設問1

文中の空欄に入る語句として、最も適切なものはどれか。

ア 親事業者の義務
イ 親事業者の禁止行為
ウ 下請ガイドライン
エ 振興基準

設問2

文中の下線部の全面的改定による主な新規追加事項に関する記述として、最も適切なものはどれか。

ア 下請代金は、物品などの受領日から起算して90日以内において定める支払期日までに支払うこと。
イ できる限り、掛け取引を利用せず、現金払いを行うこと。
ウ パートナーシップ構築宣言を行い、定期的に見直すこと。また、社内担当者や取引先に宣言を浸透させること。
エ 毎年9月及び3月の「価格交渉促進月間」の機会を捉え、少なくとも年に2回以上の価格協議を行うこと。

解説

下請中小企業振興法は下請中業企業の振興を目的とした法律であり、振興基準、振興事業計画制度、下請企業振興協会について規定している。

設問1

同法第３条には、「経済産業大臣は、下請中小企業の振興を図るため下請事業者及び親事業者のよるべき一般的な基準（以下「**振興基準**」という。）を定めなければならない。」と記載がある。

 **エ**

設問2

同法では親事業者に求められる取り組みとして以下の内容が2022年に追加された。

・下請代金は、物品などの受領日から起算して**60日以内**において定める支払期日までに支払うこと。

・令和８年の約束手形の利用廃止に向け、できる限り**約束手形を利用せず**、現金払いを行うこと。

・パートナーシップ構築宣言を行い、定期的に見直すこと。また、社内担当者や取引先に宣言を浸透させること。

・毎年９月及び３月の「価格交渉促進月間」の機会を捉え、少なくとも**年に１回以上**の価格協議を行うこと。

上記改定内容と合致するのは選択肢**ウ**である。

 **ウ**

講師より

下請中小企業振興法は、親事業者の協力のもと、下請中小企業の体質を強化し、下請性を脱した独立性のある企業への成長を促すことを目的としています。「下請企業を応援する法律」というイメージを持っておきましょう。

問題 37

チェック欄▶ 1 ／ 2 ／ 3 ／

重要度 B 下請かけこみ寺事業

H28-18

中小企業診断士のＸ氏は、食品製造業を営むＹ氏から経営相談を受けた。以下はＸ氏とＹ氏との会話である。

会話の中の下線部に関する例として、最も不適切なものを下記の回答群から選べ。

Ｘ氏：「本日は顔色がさえませんね。今回は、どのようなご相談でしょうか？」

Ｙ氏：「ここ数年、原材料が高騰しているのですが、親事業者に単価の引き上げを求めても、まったく聞く耳をもってくれません。それどころか、先週、親事業者の一方的な都合で、代金の値引きを要求されてしまいました…。どうしたらいいかと悩んでいます。」

Ｘ氏：「お悩み察します。まずは、全国48カ所に設置されている下請かけこみ寺に相談してみてはいかがでしょうか？　下請かけこみ寺では、中小企業・小規模事業者の取引に関するさまざまな相談を受け付けています。」

Ｙ氏：「ただ、相談費用の捻出も厳しい状況なのです。」

Ｘ氏：「アドバイス等は無料ですし、弁護士による無料相談も実施しています。問題が深刻化する前に相談されることをお薦めしますよ。」

〔解答群〕

ア　原材料が高騰しているにもかかわらず、単価引き上げに応じてくれない。

イ　仕事の受注の見返りに、取引先が取り扱う商品の購入を求められた。

ウ　下請取引のあっせんを行ってほしい。

エ　代金の値引き（減額）を要求された。

解説

ア ○

このような中小企業の取引問題に関するさまざまな相談に、下請代金支払遅延等防止法や中小企業の取引問題に知見を有する相談員や弁護士がアドバイスを無料で行っている。

イ ○

選択肢**ア**の解説を参照。

ウ ×

下請取引のあっせんは行っていない。下請取引のあっせんはビジネスマッチングなど下請振興に関する取り組みであり、「下請かけこみ寺」のような下請取引適正化とは区別しておくこと。

エ ○

選択肢**ア**の解説を参照。

 ウ

講師より

下請かけこみ寺事業は、中小企業庁の委託を受けた全国中小企業取引振興協会等が、①下請取引に関するトラブルの相談対応、②裁判外紛争解決手続き（ADR）等を用いた迅速な紛争解決を行う事業です。

問題 38

チェック欄▶ 1 ／ 2 ／ 3 ／

重要度 B 小規模事業者持続化補助金

R4-22

「小規模事業者持続化補助金（一般型）」は、小規模事業者が変化する経営環境の中で持続的に事業を発展させていくため、経営計画を作成し、販路開拓や生産性向上に取り組む費用等を支援するものである。

この補助金の対象となる者として、最も適切なものはどれか。

ア 常時使用する従業員が８人の卸売業を営む個人事業主

イ 常時使用する従業員が10人の小売業を営む個人事業主

ウ 常時使用する従業員が15人のサービス業（宿泊業・娯楽業を除く）を営む法人

エ 常時使用する従業員が20人の製造業を営む法人

解説

「小規模事業者持続化補助金」は、常時使用する従業員が20人以下（商業・サービス業（宿泊業・娯楽業を除く）の場合は５人以下）の法人・個人事業主が対象となる。

ア ×

「卸売業」は上記対象者の「商業・サービス業（宿泊業・娯楽業を除く）」で判定する。従業員が５人を超えるため、当該補助金の対象者とはならない。

イ ×

「小売業」は上記対象者の「商業・サービス業（宿泊業・娯楽業を除く）」で判定する。従業員が５人を超えるため、当該補助金の対象者とはならない。

ウ ×

「サービス業」は上記対象者の「商業・サービス業（宿泊業・娯楽業を除く）」で判定する。従業員が５人を超えるため、当該補助金の対象者とはならない。なお、宿泊業・娯楽業であれば、従業員数20人以下であれば当該補助金の対象となる。

エ ○

「製造業」で従業員が20人以下であるので、当該補助金の対象となる。

エ

講師より

小規模事業者持続化補助金は小規模事業者が経営計画を作成し、その計画に沿って行う販路開拓や生産性向上に取り組む費用等を補助する事業です。近年、出題が増えていますが、簡単な問題が多いので、概要だけ押さえておきましょう。

問題 39

チェック欄▶ 1 ／ 2 ／ 3 ／

重要度 A 経営セーフティ共済

R元-19

中小企業診断士のＡ氏は、食品製造業（従業員数15人）の経営者のＢ氏から「取引先企業の倒産による連鎖倒産を防止したい」と相談を受けた。そこで、Ａ氏はＢ氏に、「経営セーフティ共済」の愛称を持つ中小企業倒産防止共済制度を紹介することとした。

この制度に関する、Ａ氏のＢ氏に対する説明として、最も適切なものはどれか。

ア　共済金の貸付けに当たっては、担保が必要になる場合があります。

イ　共済金の貸付けは無利子ですが、貸付けを受けた共済金の10分の１に相当する額が掛金総額から控除されます。

ウ　対象となる方は、６カ月以上継続して事業を行っている小規模企業者です。

エ　毎年の掛金の80％は損金に算入できます。

解説

ア ×

共済金の借入れは、無担保・無保証人で受けられる。共済金貸付額の上限は、「回収困難となった売掛金債権等の額」か「納付された掛金総額の10倍（最高8,000万円）」の、いずれか少ないほうの金額となる。

イ ○

本肢の記述のとおりである。

ウ ×

加入対象は、「１年」以上の事業継続を行っている中小企業である。

エ ×

掛金は「全額」損金に算入できる。掛金月額は5,000円から20万円まで自由に選べる。

イ

講師より

「中小企業倒産防止共済制度（経営セーフティ共済）」についての出題です。同制度は、中小企業倒産防止共済法に基づき、中小企業の連鎖倒産防止と経営安定を目的として中小企業基盤整備機構が運営する共済制度です。

■制度の内容

１年以上継続して事業を行っている中小企業者で、掛金納付月数が６か月以上ある加入者について、取引先企業が倒産した場合、売掛金や受取手形などの回収が困難になった額と、積み立てた掛金総額の10倍に相当する額のうち、いずれか少ない額（限度額8,000万円）の貸付が無担保、無保証人、無利子で受けられる。ただし、貸付を受けた場合は、その貸付額の10分の１に相当する額が掛金総額から控除される。

問題 40

チェック欄▶ 1 ／ 2 ／ 3 ／

重要度 A 小規模企業共済制度①

R2-19

小規模企業共済制度は、小規模企業の経営者が廃業や退職に備え、生活の安定や事業の再建を図るための資金をあらかじめ準備しておくための共済制度で、いわば「経営者の退職金制度」である。

小規模企業共済制度に関して、下記の設問に答えよ。

設問 1

この制度の加入対象に該当する者として、最も不適切なものはどれか。

ア 事業に従事する組合員数が10人の企業組合の役員

イ 事業に従事する組合員数が10人の事業協同組合の役員

ウ 常時使用する従業員数が10人の製造業の個人事業主、共同経営者

エ 常時使用する従業員数が10人の会社（製造業）の役員

設問 2

この制度に関する記述として、最も適切なものはどれか。

ア 掛金総額の10倍以内の範囲で事業資金の貸付制度を利用できる。

イ 共済金の受け取りは一括・分割どちらも可能である。

ウ その年に納付した掛金は、課税所得金額に税率を乗じて計算した税額から全額控除できる。

エ 月々の掛金は定額10,000円である。

解説

設問1

小規模企業共済制度の対象者は以下のとおりである。

① 常時使用する従業員が20人以下（商業・サービス業は５人以下。宿泊業・娯楽業は20人以下）の個人事業主及び会社の役員（選択肢**エ**）

② 事業に従事する組合員が20人以下の企業組合、協業組合および農事組合法人の役員（選択肢**ア**）

③ 小規模企業者たる個人事業主に属する共同経営者（選択肢**ウ**）

よって、事業協同組合の役員は小規模企業共済制度の対象者ではない。

 イ

設問2

ア ×

中小企業倒産防止共済制度（経営セーフティ共済）に関連する内容である。

イ ○

共済金の受け取りは、「一括」「分割」「一括と分割の併用」から選択できる。

ウ ×

納付した掛金は、納付した年の加入者個人の総所得金額から全額所得控除できる。

エ ×

毎月の掛金は1,000～70,000円（500円きざみ）で加入者が任意に選択できる。

 イ

講師より

小規模企業共済制度は、「経営者のための退職金制度」といわれています。加入できる対象者を本問題で覚えておきましょう。

問題 41

チェック欄▶ 1 ／ 2 ／ 3 ／

重要度Ⓐ 小規模企業共済制度②

R5-21設問1

次の文章を読んで、下記の設問に答えよ。

小規模企業共済制度は、掛け金を納付することで、［ A ］である。
納付した掛金合計額の［ B ］で、事業資金などの貸付けを受けることができる。

文中の空欄AとBに入る語句の組み合わせとして、最も適切なものはどれか。

ア A：簡単に従業員の退職金制度を設けることができる共済制度
B：２分の１以内

イ A：簡単に従業員の退職金制度を設けることができる共済制度
B：範囲内

ウ A：経営者が生活の安定や事業の再建を図るための資金をあらかじめ準備しておくための共済制度
B：２分の１以内

エ A：経営者が生活の安定や事業の再建を図るための資金をあらかじめ準備しておくための共済制度
B：範囲内

解説

小規模企業共済制度は、小規模企業の個人事業主または会社等の役員が廃業や退職した場合に、**生活の安定や事業の再建を図るための資金をあらかじめ準備しておく**（空欄A）ための、小規模企業共済法（昭和40年法律第102号）に基づく共済制度である。いわば経営者の退職金制度である。

また、掛金の**範囲内**（空欄B）で、事業資金などの借入れができる。

エ

講師より

小規模企業共済と、中小企業退職金共済制度、中小企業倒産防止共済制度（経営セーフティ共済）の3つの共済は混同しやすいので、ひっかけ問題に注意しましょう。

問題 42

チェック欄▶ 1 ／ 2 ／ 3 ／

重要度 Ⓐ 中小企業退職金共済制度

R3-28

独力では退職金制度をもつことが困難な中小企業も多い。中小企業診断士のA氏は、顧問先の機械器具卸売業（従業員数10名）の経営者B氏に、中小企業退職金共済制度を紹介することとした。

A氏からB氏への説明として、最も適切なものはどれか。

ア　1年以上継続して事業を行っている中小企業者が対象となります。

イ　掛金は全額非課税になります。

ウ　小規模企業の経営者が利用できる、いわば「経営者の退職金制度」です。

エ　納付した掛金合計額の範囲内で事業資金の貸付けを受けることができます。

解説

ア ×

経営セーフティ共済の内容である。中小企業退職金制度にこのような要件はない。

イ ○

掛金は全額、事業者が法人であれば法人税法上損金に、個人であれば所得税法上必要経費として扱われる。本試験ではこのことを「非課税」と表現している。

ウ ×

小規模企業共済制度の内容である。中小企業退職金制度は「従業員の退職金制度」である。

エ ×

小規模企業共済制度の内容である。中小企業退職金制度にこのような制度はない。

イ

講師より

中小企業退職金共済制度は、「従業員のための退職金制度」です。人手不足の中小企業にとって、「従業員が働きたい」と思える環境を整えることは大事です。しかし、中小企業が単独で退職金制度を運用するのは困難なため、国が中小企業に代わって運営する退職金制度です。